A Enciclopédia dos PESADELOS

Jeff Belanger e Kirsten Dalley

A Enciclopédia dos PESADELOS

A Interpretação dos Seus Sonhos Mais Sombrios

Tradução:
Frank de Oliveira

Prestígio editorial

Publicado por Prestígio Editorial

Preparação de originais: Ruy Cintra Paiva
Revisão: Damião Nascimento e Danielle Machado
Projeto gráfico, diagramação e capa: Edinei Gonçalves

CIP-BRASIL. CATALOGAÇÃO-NA-FONTE
SINDICATO NACIONAL DOS EDITORES DE LIVROS, RJ

B37e
Belanger, Jeff
A enciclopédia dos pesadelos: a interpretação dos seus sonhos mais sombrios/Jeff Belanger e Kirsten Dalley; tradução Frank de Oliveira. – Rio de Janeiro: Prestígio, 2007.

Tradução de: The nightmare encyclopedia
ISBN 978-85-9917079-3

1. Pesadelos. 2. Interpretação de sonhos. I. Dalley, Kirsten. II. Título.

06-0017. CDD: 154.632
CDU: 159.963.38
04.01.07 08.01.07 000005

Prestígio editorial

A *Prestígio Editorial* é um selo da *Ediouro Publicações S.A.*

Rua Nova Jerusalém, 345 – CEP: 21042-230 – Rio de Janeiro – RJ
Tel.: (21) 3882-8200 – Fax.: (21) 3882-8212 / 8313
e-mail: editorialsp@ediouro.com.br
vendas@ediouro.com.br
Internet: www.ediouro.com.br/prestigio

Sumário

Introdução

O sono é uma recompensa doce e necessária pelas duras batalhas do dia. No sono, sonhamos. Ninguém sabe exatamente por que o fazemos, mas a ciência pode atestar que, durante os estágios mais profundos do sono (a fase de movimento rápido dos olhos ou fase REM), nosso cérebro permanece incrivelmente ativo. O sonho é a linguagem das nossas almas. As visões, os sons e as sensações que nos atingem nos sonhos falam diretamente a nós, e por nós, enquanto estamos inconscientes. Embora seja misterioso, e algumas vezes assustador, esse mundo de sonho intensamente pessoal, particular e íntimo nos proporciona, em última análise, um modo de compreender nossa vida consciente e desperta. Infelizmente, quando acordamos, com freqüência lembramos apenas uma fração do que sonhamos, e algumas vezes não lembramos nada. Mas todo mundo sonha, e aqueles que lembram seus sonhos sabem que nem sempre são agradáveis.

Algumas vezes eles nos levam para lugares aonde preferiríamos não ir, e nos mostram situações que abalam nossa própria essência, aumentam nossa freqüência cardíaca, abrem nossos poros para o suor e, por vezes, nos despertam — assim como àqueles que dormem conosco na mesma cama — num ataque de terror. Os pesadelos são aqueles sonhos que se aventuram nos cantos mais escuros e sombrios da psique e da experiência inconsciente humanas. Eles mantêm tanto as crianças quanto os adultos acordados à noite: por mais cansados que possamos estar, todos conhecemos bem o medo dos monstros e de situações sinistras que nos esperam além do véu do sono. Pesadelos recorrentes podem nos atormentar por semanas, meses ou mesmo anos, até o ponto em que somos afetados psicologicamente. Pesadelos noturnos podem inclusive provocar privação de sono, roubando de nós uma necessidade preciosa. Pessoas que tiveram a infelicidade de vivenciar um evento traumático com freqüência sofrem de pesadelos recorrentes e *flashbacks* acordados que repetem o acontecimento — ou a seqüência de acontecimentos — aterrorizante num quadro previsível, mas nem por isso menos amedrontador.

Por outro lado, pesadelos também podem trazer inspiração: estar num horrível acidente de automóvel pode nos incitar a dirigir com mais cuidado. Um pesadelo que envolva câncer de pulmão pode nos motivar a parar de vez de fumar. Numa escala mais ampla, pesadelos inspiraram e permearam praticamente todos os meios artísticos e criativos concebíveis, conforme o artista tentou compreender, integrar e até explorar o profundo senso de terror e deslocamento que sentiu. Quem pode esquecer de Freddy Krueger, o monstro de dedos com navalhas dos filmes *A Hora do Pesadelo*, que caça e mata suas presas em seus piores sonhos? E quanto ao Frankenstein, de Mary Shelley, que dizem ter surgido para a autora num pesadelo? E não vamos esquecer do pesadelo que transforma a vida de Ebenezer Scrooge no clássico de Charles Dickens *Um Conto de Natal*.

Pesadelos parecem expressar e evocar nossos piores medos, dentre os quais o principal é o medo da morte — o supremo desconhecido. William Shakespeare associa as idéias de sono e morte em *Hamlet*. Durante o solilóquio "Ser ou não ser", Hamlet pondera:

> *Morrer, dormir;*
> *Dormir, talvez sonhar, é aí que bate o ponto;*
> *O não sabermos que sonhos poderá trazer o sono da morte,*
> *quando ao fim desenrolarmos toda a meada mortal.*

Que sonhos de fato podem surgir no "sono" sem fim da morte? Um pesadelo do qual não podemos acordar pode ser um inferno pior do que aquele que qualquer sacerdote, artista ou escritor seria capaz de conceber. Pesadelos são nossa própria criação, e nosso subconsciente parece saber o que mais nos assusta, mais do que o sabe nosso consciente, e com certeza mais do que qualquer filme, livro ou obra de arte.

Referências a pesadelos são encontradas em todas as culturas e por toda a história. Elas estão em livros sagrados como a Bíblia, o *Corão* e o *Talmude*, bem como na literatura, na música e na cultura popular "profanas". Sonhos e pesadelos têm influenciado líderes políticos e alterado o curso da história mundial. Até os cegos têm pesadelos, embora os sonhos de pessoas cegas de nascença sejam auditivos e não visuais.

As teorias dos sonhos e do sonhar são talvez tão diversas e variadas como os próprios sonhos: Sigmund Freud especulou que eles são apenas a satisfação de desejos; Carl Jung acreditava que todos os sonhos, inclusive os pesadelos, são fatos objetivos sobre nossa percepção de nós mesmos e do mundo à nossa volta. Alguns acreditam que nossa alma, ou essência, pode deixar o corpo durante os sonhos e viajar para o plano astral. Outros pensam que durante o estado do sono somos propensos a ataques sobrenaturais e visitas espirituais de entidades demoníacas, que são então vivenciados como pesadelos. No entanto, a maioria dos analistas modernos de sonhos sustenta que por meio deles estamos solucionando problemas, e talvez ninguém seja mais adequado para interpretar o significado de um sonho (e o problema ou crise que ele representa) do que o sonhador.

É importante lembrar que na interpretação de sonhos o contexto é tudo. Não é possível dizer de forma definitiva que uma imagem de sonho tem o mesmo significado para todas as pessoas. Por exemplo, pense na água: se o sonhador é um pescador de mar profundo, ele terá um relacionamento diferente e provavelmente mais carregado de nuances com a água do que, digamos, um banqueiro ou um fazendeiro. Na interpretação, é muito importante levar em conta variáveis tais como saúde mental e psicológica, dieta, condição socioeconômica, etnia, religião, sexo e idade do sonhador, bem como a influência da cultura que o cerca. Mas talvez o fator de redefinição mais importante seja seu estado emocional antes, durante e depois do sonho. A emoção irá guiar e permear o simbolismo e as imagens, bem como a resposta do sonhador. Como diz o psiquiatra Ernest Hartmann, o sonho ou pesadelo "contextualiza" ou fornece um contexto simbólico para o estado emocional dominante do sonhador. Lembre-se disso quando ler os vários símbolos e os possíveis significados e explicações oferecidos neste livro. Essas interpretações devem ser encaradas apenas como um guia geral — use-as como um ponto de partida para se inspirar a fim de chegar a sua própria resposta e interpretação criativas. Algumas vezes, no entanto, você poderá vir a precisar de uma ajuda que vai além do escopo deste livro quando estiver se defrontando com seus sonhos. Com certeza, se sonhos ou pesadelos são recorrentes e/ou estão se tornando bastante angustiantes ou intrusivos, não há nada que substitua uma conversa sobre isso com outras pessoas, de preferência um terapeuta ou analista treinado.

Embora nada seja absoluto, há padrões, histórias e arquétipos mais ou menos universais que podem proporcionar alguma direção no discernimento do significado dos sonhos. Para esse fim, exploramos as narrativas de história, folclore e mito de muitas culturas que, com freqüência, moldam a imagística dos pesadelos; as pessoas que estudam e comentam sobre sonhos e pesadelos; os artistas e figuras da cultura pop que incorporam essas imagens noturnas e sombrias em seu trabalho; e por fim as próprias imagens de pesadelo e os símbolos. Os significados das imagens de sonho apresentadas neste livro vêm da pesquisa dos autores e de entrevistas pessoais com sonhadores. Novamente, esses são guias que têm a intenção de conduzi-lo a um estudo e entendimento mais profundos de seus próprios sonhos e pesadelos, e quem sabe a uma compreensão maior e mais completa de si mesmo, de seu mundo e de seu lugar nele.

Por todo o livro você também irá encontrar vários pesadelos em destaque, relativos a diversas pessoas que sofrem com isso, pessoas essas que os autores tiveram a oportunidade de entrevistar. Inclusas nesses perfis estão interpretações baseadas nos símbolos deste livro. Ao ver o processo de interpretação em funcionamento nos sonhos em destaque, esperamos que você possa vir a entender melhor as possíveis aplicações em sua vida.

Entender seus sonhos e pesadelos é entender melhor a si mesmo, em especial a parte de você que prefere permanecer escondida e inexplorada. Se os teóricos modernos estão corretos, um pesadelo pode ser a única maneira do seu subconsciente conseguir a atenção do seu consciente. Talvez um pesadelo realmente *seja* apenas uma representação efêmera e inofensiva de todos os pensamentos, medos e impulsos desagradáveis ou de alguma forma inaceitáveis que residem em sua psique. Ou quem sabe as histórias antigas estejam certas: pode ser que realmente *existam* monstros ou demônios à espreita nos recessos profundos da sua mente adormecida. Se proporcionar a si mesmo tempo para ler este livro, manter um diário de sonhos e estudar as imagens de seus próprios pesadelos, quem sabe você venha a descobrir.

Decifrando o Pesadelo

Quando pesadelos não são apenas devaneios noturnos.
Por Evelyn Dorothy Oliver

Quando examinei outros dicionários de sonho, muitas interpretações insultaram minha lógica ou violaram meu senso de propriedade. Eles com freqüência predizem conseqüências assustadoras para muitos sonhos de outra forma inócuos. Um exemplo desse tipo de interpretação é:

> *Perder uma aliança de casamento significa a morte de um amante ou a perda de um membro da família, do emprego, ou o fim de um casamento.*

Se levadas a sério, previsões como essa podem fazer uma pessoa se sentir desesperançada e indefesa. Muitas delas podem ser psicologicamente danosas para o leitor. Quando ler as interpretações de símbolos de pesadelos, sempre tenha em mente que o objetivo delas é funcionar como uma sugestão, em vez de algo definitivo: elas exemplificam como alguém pode explorar a gama de valências possíveis de um símbolo em um sonho, em vez de afirmar que oferecem a palavra final acerca de seu significado. Como com quaisquer símbolos desse tipo, o sentimento, o tom e outras características do sonho indicam se alguma das interpretações oferecidas é apropriada. Quando são claramente inaplicáveis, o leitor não deve se sentir obrigado a aceitá-las. Além disso, se você experimenta pesadelos intensos e recorrentes, a melhor conduta é embarcar nessa exploração com a ajuda de um profissional competente da área da saúde, porque pesadelos não são brincadeira.

Nos meus 34 anos como terapeuta tanto para questões profissionais como particulares, meus *insights* de diagnóstico e soluções com freqüência se originaram do aspecto intuitivo e "espiritual" do meu ser, em vez de apenas do meu pensamento linear. Tendo em mente os significados únicos que as imagens de sonhos representam para cada indivíduo, é difícil compor interpretações das quais os leitores possam obter algo como um entendimento adequado de seus pesadelos. No lugar das circunstâncias terapêuticas, em que há um contato pessoal entre terapeuta e cliente, nós criamos uma estrutura que irá ajudar a contextualizar os pesadelos. O seguinte formato delineia categorias nas quais os leitores podem se encontrar e que os auxiliam a entender o que um pesadelo pode indicar para eles.

Quando ler algumas das seguintes perguntas, você irá perceber que não precisa ser um terapeuta ou cientista treinado para obter alguma perspectiva em seus pesadelos. Um bom ponto de partida é se localizar em uma ou mais das seguintes categorias:

Categoria I

P.: Você foi vítima de um crime ou perpetrador de um crime?

R.: ____

____

____

____

P.: Você está vivendo em um país onde a vida cotidiana costumava ser simples, segura e pacífica mas recentemente se tornou ameaçada?

R.: ____

____

____

____

P.: Você foi afetado pessoalmente por episódios como o 11 de setembro de 2001, a tragédia do *tsunami* ou eventos semelhantes nos quais amigos ou entes queridos foram mortos?

R.: ____

____

____

____

P.: Você ou um membro de sua família está no exército ou na reserva, ou serviu recentemente no exército ou foi liberado como um ferido de guerra?

R.: ____

____

____

____

P.: Você foi pessoalmente vítima de agressão, abuso sexual ou crime? Algum membro da família passou por isso? Há algum histórico de estupro?

R.: ____

____

____

____

P.: Você causou lesões corporais em outra pessoa ou animal, ou fantasiou sobre cometer violência contra você mesmo ou contra outros?

R.: ____

____

____

____

Categoria II

P.: Com o que você está lidando em sua vida emocional? Divórcio; novo casamento; desemprego, demissão, remanejamento de emprego; venda ou compra de uma casa; adoção, esterilização ou fertilização; morte de um filho; morte de um ou mais amigos por acidente, assassinato, suicídio, *overdose* de drogas ou erro médico?

R.:

P.: Você está lidando com questões de saúde — suas ou de outra pessoa? Remédios, comida, alimentação, defecação, vômito, urina, sangramento, cirurgia, médicos, enfermeiras e assim por diante?

R.:

P.: Você está lidando com símbolos de autoridade? Volta à escola na idade adulta, graduação, abandono da escola, professores, estudantes, realização de testes, lição de casa ou atraso? Além disso, advogados, policiais, prisão, acusações de embriaguez e desordem, condenações e assim por diante?

R.:

P.: Você está superatarefado em seu local de trabalho? Compensação ou reconhecimento injusto, ou condições de trabalho estressantes (por exemplo, outra pessoa sempre recebe o crédito, você não consegue manter o ritmo, não se lembra das coisas)?

R.: ____

____

____

____

Categoria III

P.: Que excessos você tem permitido a si mesmo? Ingestão de comida e álcool antes de ir para a cama?

R.: ____

____

____

____

P.: Você tem assistido a filmes e programas de TV de terror?

R.: ____

____

____

____

P.: Você está se exercitando demais ou se sente culpado quando negligencia o exercício?

R.: ____

____

____

____

P.: O que você come, bebe ou ingere antes de dormir?

R.: ____

____

____

____

P.: Você pensa em esportes de maneira exagerada e com muita freqüência?

R.: ____

____

____

____

P.: Sua vida sexual é muito excessiva? Parceiros demais? Ou nenhum parceiro, nenhuma libido?

R.: ____

____

____

____

Embora existam mais categorias de experiências humanas, tentei destacar as mais comuns. Qualquer uma dessas condições estressantes pode entrar em nossos pesadelos e moldá-los. E essas condições gerais precisam ser consideradas no contexto mais amplo para se interpretar símbolos específicos de pesadelo.

Abandono

Um dos medos mais profundos que as crianças sentem é o de serem abandonadas pelos pais ou por quem toma conta delas. Ser deixado para trás ou esquecido significa ser indesejado e não-amado — um sentimento triste e solitário. Embora esse sonho ocorra mais freqüentemente entre crianças, o pesadelo do abandono ou esquecimento também se nota em adultos. Sonhar que se é abandonado tem relação com relacionamentos pessoais na vida do sonhador. Talvez uma amizade ou caso amoroso tenha terminado, e o sonhador esteja lidando com a solidão, ou talvez se trate de um caso real de abandono quando criança que é novamente encenado ou narrado pelo sonho.

Abelhas

Ser picado por uma abelha ou por várias delas num pesadelo pode representar medo internalizado de ser picado, fruto de memórias de infância. Falando metaforicamente, você pode talvez estar projetando a ansiedade em relação a uma proposta de negócios, uma compra iminente ou alguma forma de compromisso financeiro no qual se sente apreensivo quanto a ser "picado".

Um enxame gigantesco de abelhas tentando atacá-lo é uma imagem saída de um filme de terror, em especial se você se encontra numa área aberta sem nenhum lugar para se esconder. Essa imagem pode representar o acúmulo de pequenas coisas na sua vida que estejam "picando" você e que eventualmente terminarão por engolfá-lo por completo.

Abutres

Abutres são pássaros comedores de carniça que circulam sobre uma presa recém-abatida, esperando por sua vez para devorar restos de carne. Se alimentam, de maneira semelhante à de um parasita, do trabalho de outros que caçam e matam a presa. A imagem de abutres voando em círculos num sonho pode indicar que alguém em sua vida está se alimentando de você e de seu trabalho duro, e talvez ficando com o crédito por suas idéias e realizações.

Acidente de automóvel

O automóvel com freqüência representa o ego ou uma extensão dele. Em geral nos sentimos seguros em nossos carros, na bolha protetora de metal que nos isola do mundo externo. Sonhar com um acidente de automóvel significa a perda de controle em nossa vida — as coisas podem estar indo rápido demais, a estrada pode estar desmoronando embaixo de nós, os freios podem ter parado de funcionar e aquilo de que dependíamos para nos proteger está agora nos colocando em perigo. Como o carro é uma extensão de nós mesmos, ter um carro danificado num sonho pode significar que estamos nos sentindo pessoalmente danificados.

Dirigindo fora de controle

Jen Brown é uma esposa e mãe de 36 anos que vive em Santa Rosa, Califórnia. Quando estava com 21 anos, teve um pesadelo tão vívido que a afetou desde então.

O Pesadelo:

> Meu pesadelo foi rápido, mas bem específico. Eu estava dirigindo numa velocidade considerável pela Bennett Valley Road, em Santa Rosa. Guiava um Mercedes C190 verde-claro, modelo do final dos anos 1980 ou começo dos anos 1990. Estava ouvindo

> a música "Rumors in the Air" da banda Night Ranger (embora eu não faça idéia do porquê disso).
>
> O carro perdeu o controle e saiu voando pela estrada até uma pequena lagoa. Afundou e eu estava tentando abrir as janelas para sair, mas nada funcionava. Então disse a mim mesma que se tratava de um sonho e que precisava acordar, só que não conseguia. Eu não parava de repetir para mim: "Acorde! Vamos lá, acorde!", mas o pesadelo prosseguia. Por fim, eu falei: "Oh meu Deus, eu não consigo acordar!", e levantei com tudo da cama. Estava completamente molhada de suor e meu coração pulava dentro do peito. Comecei a chorar.
>
> Até hoje, nunca tive um Mercedes nem andei em um, e também em nenhum carro verde — é isso. Eu me recuso a ouvir qualquer música da Night Ranger (não estou perdendo grande coisa). Também não vou dirigir naquela estrada — nunca.
>
> Já tive a oportunidade de adquirir um Mercedes, e quase me desafiei a comprá-lo porque achei que estava sendo paranóica em relação ao meu sonho (além disso, ele não era verde). Fiz um *test-drive* por um dia e quase me envolvi em três acidentes dirigindo durante apenas uma hora.

Quando perguntada se os sonhos afetaram seu modo de dirigir, Jen disse: "Sim, ao menos por um tempo, eu diminuí a velocidade. Ainda evito aquela estrada. Faz anos desde que dirigi por ela. Fui lá apenas uma vez desde o sonho, só para confirmar que realmente existe uma grande lagoa ao lado de onde sonhei que estava — eu dirigi *bem* devagar naquela parte da pista."

Passados 15 anos de refelexão desde esse sonho, ela afirmou que não teve nenhum grande acidente automobilístico como o sonhado, nem ninguém próximo a ela.

A análise:

> A cor verde é obviamente significativa, já que Jen nem sequer anda mais num carro verde. E não apenas ela lembra que estava

tocando música, ela lembra qual, "Rumors in the Air". Por causa da cor verde, do fato de que ela estava dirigindo um carro de luxo e de haver a palavra "rumores" no título da música, a análise se inclina a acreditar que a inveja — talvez da riqueza e das coisas materiais — representa um fator que a leva a buscar algo. Ela afirma que estava dirigindo rapidamente, o que indica que tentava chegar a algum lugar ou até alguém com rapidez quando perdeu o controle e caiu na lagoa.

Isso soa como se ela tivesse entendido a mensagem que o pesadelo estava enviando. Jen diminuiu a velocidade em que dirigia, e talvez também a velocidade da vida a um quilômetro ou dois por hora, e deixou de lado o carro de luxo quando teve a chance.

Adaga

A adaga é vista tradicionalmente como uma representação do poder masculino ou como um símbolo fálico. Pode ser, ainda, interpretada como um sinal de hostilidade, como na expressão "seus olhos eram como duas adagas, cheios de raiva". Pesadelos envolvendo adagas ou facas podem indicar que você está sentindo ansiedade em seu relacionamento com uma figura masculina significativa ou que se encontra em um conflito hostil evidente com alguém. Se você é mulher, pode temer encontros sexuais com homens.

Advogados

Ser alvo da ira de um advogado é assustador. São pessoas de poder e autoridade razoáveis, que muitas vezes se expressam em "juridiquês", idioma que soa como a língua nativa de todas, mas, na verdade, é confuso e completamente incompreensível. Se, de fato, você está enrolado com problemas legais na sua vida desperta, o medo de perder sua liberdade (como em casos criminais) ou seu dinheiro (por meio de uma ação civil) pode provocar graus extremos de ansiedade. Pesadelos envolvendo advogados podem significar que você precisa que alguém intervenha em seus conflitos pessoais ou de negócios. Ou talvez haja uma pessoa em sua vida que está constantemente interrogando-o, tal como fazem os advogados. Se você *é* advogado, há boas chances de que já tenha experimentado pesadelos em que se vê apanhado de surpresa, completamente despreparado durante um caso: outro exemplo clássico de sonhos de ansiedade que atormentam muitos indivíduos.

Afogamento

A água representa a emoção; então, afogar-se pode significar que você está inundado por sentimentos, especialmente os reprimidos. Também é um símbolo iniciatório que emerge durante uma crise — por exemplo, um divórcio, a perda de um ente querido, de um emprego ou de uma casa. Pessoas que sofrem de apnéia do sono com freqüência relatam uma sensação de sufocamento ou afogamento antes de acordar.

Água

Simbolicamente, a água tem sido sempre ligada a uma infinidade de coisas, desde limpeza, pureza e perdão até ansiedade, caos (especialmente o oceano) e mesmo cólera e julgamento divinos.

Quando uma pessoa sonha que está emergindo de um rio, de um lago, de um oceano ou até de uma piscina, isso pode simbolizar nascimento. Pode ser o nascimento de uma criança, ou um nascimento metafórico de uma idéia ou de um projeto que o sonhador vem desenvolvendo. Banhar-se num sonho pode ter alguns significados diversos, dependendo do estado da água na qual a pessoa se banha: limpa pode indicar boa saúde, enquanto suja pode predizer doença. Um sonho com água que inunda a casa é por vezes interpretado como profético da morte do próprio sonhador.

Sonhos com uma grande quantidade de água são comumente vistos como representativos do inconsciente do sonhador. Embora possam ser agradáveis, eles podem também ser pesadelos bastante amedrontadores — normalmente indicativos de algum tipo de conflito no inconsciente. Como sempre, um dos aspectos mais importantes da análise pessoal de um sonho é a observação das emoções evocadas por este. Nesse caso, se o sonhador está relaxado e calmo na água, é improvável que o inconsciente esteja tentando lhe enviar mensagens de uma comoção interna. No entanto, se está brigando, em pânico ou mesmo afundando na água, isso pode indicar que ele precisa refletir sobre aspectos de sua vida em relação aos quais ele se sente desamparado ou fora de controle.

Aguaruna (Também conhecido como Aguajun *ou* Ahuajun*)*

Os aguarunas são um povo indígena encontrado na região norte do Peru. Somam aproximadamente 45 mil indivíduos e se situam principalmente entre os rios Cenepa e Marañón. Embora o interesse geral em relação a sonhos e pesadelos tenha declinado um pouco entre esse povo em anos recentes, o tema ainda representa papel importante nas respostas individuais e comuns aos problemas contemporâneos e na tomada de decisões cotidianas.

De acordo com os aguarunas, os sonhos em geral são tratados como jornadas da alma itinerante durante o sono, os encontros dessa alma com outras e os meios de descobrir as intenções escondidas e possivelmente prejudiciais de outras almas. Como tal, os sonhos são em grande parte interpretados como proféticos em sua função, e se acredita que revelam eventos que ainda irão ocorrer ou se tornar completamente manifestos. Portanto, muita importância é dada a sonhos e presságios para planejar o curso do dia. No entanto, a exposição dos aguarunas à idéia cristã de alma complicou seu entendimento da experiência do sonho, e alguns deles agora defendem que a "perda de alma" de qualquer tipo (incluindo o sonhar) é causa de doenças.

De qualquer forma, sonhar é considerada uma experiência íntima e pessoal, completamente conhecida e entendida apenas pelo sonhador. Os sonhos buscados intencionalmente são vistos como mais significativos do que os que ocorrem espontaneamente, porque exigem esforço por parte do sonhador e oferecem recompensas potenciais maiores para suas ações pessoais e políticas. Os tipos de sonhos dos aguarunas incluem:

> — Os *kuntuknar.* Sonhos com seres humanos que simbolizam eventos no mundo natural, tais como uma caçada bem-sucedida. Sempre têm conotações positivas para a tribo e são interpretados metaforicamente.
>
> — Os *mesekramprar.* Sonhos com o mundo natural que simbolizam problemas futuros, tais como ataques de outras tribos, doenças e acidentes, todos os quais se acredita serem causados por um xamã de outra tribo. Esses também são interpretados metaforicamente.
>
> — Os *penke karamprar.* Os "sonhos verdadeiros", nos quais a alma do sonhador visita a de um vizinho ou parente falecido. Podem ser vistos como bons ou ruins. O sonho ruim, ou *emesak*, é um no qual o sonhador vê a alma dos oponentes que ele matou em batalha. É sempre interpretado de maneira literal.

Sonhos relacionados com o sucesso na caçada e na guerra são considerados pelos aguarunas como os mais poderosos e influentes e, acreditam eles, exercem tanto controle sobre o mundo acordado quanto canções mágicas e feitiços. Por exemplo, os sonhos noturnos de um marido ou de uma mulher irão definir os padrões de caça da tribo e predizer e/ou determinar qual será a presa do dia seguinte. O contato entre um homem e alma de um guerreiro antigo é uma experiência de sonho de guerra particularmente honrada. Esse tipo de sonho normalmente consiste em uma visão inicial de uma entidade aterrorizante que o sonhador precisa confrontar, seguida pela aparição de um guerreiro antigo que o reconhece e confirma seu triunfo futuro num ataque e sua vitória derradeira em batalha. Dessa maneira, os sonhos são com freqüência usados como veículos para a expressão de autoridade por líderes e pessoas em posições de poder, e como meios de manter esse poder e autoridade.

Para os aguarunas, sonhos, pesadelos e presságios são em última análise vistos como uma arena para o exercício de influência e controle sobre o mundo natural, em grande parte porque proporcionam um canal que liga as pessoas a seres sobrenaturais poderosos.

Águia

A águia é um mensageiro régio, além de uma feroz ave de rapina. Sua visão apurada pode simbolizar discernimento ou, por outro lado, pressagiar suspeita e dúvida. O sonhador talvez esteja vivenciando uma situação na qual uma pessoa ou uma coisa deva ser observada com "olhos de águia". A mensagem das águias nos sonhos parece estar associada à precaução.

Agulha

Num pesadelo, agulhas podem indicar que o sonhador está sendo "alfinetado" por algo durante as horas acordadas. A dor de picada de uma ou de múltiplas agulhas, embora não seja mortal, pode significar uma irritação na vida do sonhador. Uma agulha com linha pode indicar a reparação ou a conclusão de assuntos inacabados na sua vida pessoal ou nos negócios.

Alarmes

Quando você ouve um alarme no seu estado acordado, ele em geral indica uma necessidade de ação imediata. Se você ouve um alarme em seu pesadelo, o significado pode ser aceito de maneira igualmente literal. É hora de prestar atenção e se concentrar — observe onde você está em seu sonho quando um alarme dispara: está no trabalho? Na escola? Em casa? Se está no escritório, o alarme pode ser a maneira de seu subconsciente chamar sua atenção para concentrar-se num problema no trabalho que tenha limite de tempo para ser solucionado. No entanto, não importa onde o alarme ocorra, pode haver uma questão que você negligenciou por sua conta e risco.

Álcool

Embora o adulto comum durma sete a oito horas por noite, há evidências abundantes que sugerem que a falta de sono — ou, mais especificamente, sono de movimento rápido dos olhos (REM) — pode ter conseqüências sérias. Mesmo o uso ocasional de álcool pode ter um impacto significativo no sono e nos sonhos, e o consumo freqüente ou excessivo de bebidas prejudica os padrões naturais do sono a longo prazo. Para alcoólatras, os efeitos sedativos são necessários para se descansar e, conforme a dependência de álcool aumenta, torna-se necessário consumir cada vez mais bebida para que seja possível cair no sono. Pessoas com o problema de uma dependência crescente com freqüência acordam no meio da noite quando os efeitos sedativos do álcool desaparecem.

Um indivíduo sob a influência do álcool pode experimentar uma diminuição da duração do sono REM, enquanto o quarto estágio do sono, que é o mais profundo, se prolonga. Isso cria a impressão falsa de que o sono foi mais profundo e intenso; no entanto, a realidade é que o sonhador está privando a si mesmo do estágio mais necessário para a saúde em geral. Embora isso melhore ligeiramente depois dos sintomas de abstinência, mesmo alcoólatras que se abstiveram por um período prolongado de tempo exibiram padrões de sono anormais. Especula-se que o distúrbio dos padrões do sono pelo alcoolismo, em especial a redução do sono REM, pode resultar em danos cerebrais irreversíveis.

O consumo de álcool costuma *diminuir* a ocorrência de sonhos e pesadelos. No entanto, indivíduos com Distúrbio de Estresse Pós-Traumático, que são dependentes (um meio comum de "embotar" a dor e a ansiedade *severa* associadas a esse distúrbio), podem se deparar com um *aumento* significativo em seus pesadelos recorrentes durante a abstinência.

(Ver também **Pesadelos recorrentes**, **Sono de movimento rápido dos olhos [REM]** e **Distúrbio de Estresse Pós-Traumático**)

Alice no País das Maravilhas

Em 1865, o matemático e escritor britânico reverendo Charles Lutwidge Dodgson publicou a fábula infantil *As aventuras de Alice embaixo da terra* sob o pseudônimo de Lewis Carroll. (A obra foi mais tarde renomeada *Alice no País das Maravilhas*, título que a maioria de nós reconhece.) O livro conta a história de uma garota chamada Alice, que, em seu sonho ou pesadelo (é difícil dizer qual dos dois), cai pela toca de um coelho num submundo genial — ainda que com características de pesadelo — de paradoxos, absurdos e improbabilidades.

No sonho, Alice conhece personagens memoráveis, tais como o Coelho Branco, o Chapeleiro Louco, o Gato Sorridente e uma versão antropomorfizada de um baralho de cartas. Como na maioria dos pesadelos, o sonho é com freqüência esquisito, visto que Alice se encontra alternadamente grande demais ou pequena demais. No capítulo "A Lagoa de Lágrimas", ela descobre com horror que está encolhendo rapidamente até sumir:

> "Eu devo estar encolhendo de novo." Ela se levantou e foi até a mesa para medir a si mesma, e descobriu que, até onde podia supor, estava com mais ou menos sessenta centímetros de altura, e continuava a encolher com rapidez: logo descobriu que o motivo disso era o leque que ela segurava, e o largou com pressa, bem a tempo de evitar encolher até virar nada.

"Essa foi por pouco!", disse Alice, bem assustada pela súbita mudança, mas feliz por se encontrar ainda em existência.

A fantasia de Dodgson é um exemplo perfeito de "arte de sonho", na qual sonhos ou pesadelos influenciaram diretamente o tema e a estética do trabalho ou o inspiraram.

(Ver também **Arte**)

Pesadelo voador não-identificado

Brooke Harris, de 27 anos, é uma dona de casa e mãe de três filhos que vive em Jacksonville, Alabama. Ela tem um pesadelo recorrente com alienígenas.

O Pesadelo:

> Venho tendo sonhos com OVNIs há cerca de oito meses. Eles sempre se passam à noite na casa em que vivi cerca de três anos atrás.
>
> Minha família e eu estamos sentadas na sala de estar assistindo à TV, e então todos ouvimos um estranho zumbido vindo de fora. Alguns de nós nos levantamos para olhar pela janela, quando vemos um OVNI grande, brilhante e colorido andando lentamente em círculos em volta de minha casa.
>
> Nós vivíamos numa área isolada com apenas um poste de luz, mas o OVNI iluminava tudo. Ficamos realmente assustados e corremos para o porão para nos esconder. Há uma porta dupla grande de vidro lá, e pudemos ver que o OVNI aterrissou no terreno ao lado de casa. Todos tentamos encontrar um bom lugar para nos esconder enquanto eu chorava e gritava que tudo tinha de ser apenas um sonho. Estou convencida de que era tudo real. Eu me viro para um canto e vejo um alienígena cinza pequeno e fino procurando por mim. Volto-me para subir correndo pelas escadas, mas não consigo me mexer. Fico parada ali e grito, ouvindo minha família fazer o mesmo. Então acordo tremendo e

> chorando. Normalmente, não consigo parar de pensar nisso pelo resto do dia. Nenhum pesadelo se compara com esse.

Brooke disse que vem tendo esse pesadelo mais ou menos mês sim, mês não.

A Análise:

> O OVNI e o alienígena representam um fator desconhecido que pode estar atormentando Brooke. As imagens sugerem que ela pressente algumas mudanças que estão surgindo em sua vida, e que encontra dificuldade em ver além delas. O desconhecido é o que causa o medo.

Alienígenas

Quando ETs atacam, você deve se perguntar por quê. Extraterrestres surgindo em massa nos seus sonhos são uma razão para correr, mas essa imagem é uma boa indicação de que você provavelmente não sabe do que está correndo. Alienígenas representam o desconhecido, então sonhos com eles podem significar que uma grande mudança está vindo e você está incerto do que essa alteração irá trazer. Pesadelos recorrentes com ETs indicam a necessidade de avaliar as mudanças que estão ocorrendo em sua vida. Ao expor seus sentimentos e respostas a elas, o desconhecido se torna conhecido e, dessa maneira, deixa de ser algo a ser temido.

Altura(s)

Pesadelos em que o sonhador experimenta um profundo medo de altura são comuns em indivíduos que de fato sofrem de acrofobia. Pessoas assim por vezes se encontram no alto de pontes, penhascos, montanhas ou edifícios em seus sonhos, sentindo-se aterrorizadas e impotentes. Simbolicamente, a altura pode representar ideais ou conquistas elevadas, mas é também um lugar de grande isolamento e precariedade. Quando se atinge o "topo" numa determinada profissão, só existe uma direção a seguir: para baixo. Um sonho assim pode indicar que você se sente desconfortável com seu sucesso ou temeroso dele, preferindo ambientes mais seguros e, quiçá, medíocres. Não é de surpreender que o medo de altura caminhe lado a lado com o medo do sucesso.

Alucinações

Se já teve um sonho tão vívido que parecia fisicamente "real" e acordou apenas para descobrir que não era, então você não está sozinho. Quase todo mundo já experimentou esse fenômeno pelo menos uma vez na vida. A sensação de deslocamento que tal experiência proporciona é mais dramática ainda depois dos pesadelos, quando o sonhador acorda e as imagens aterrorizantes de seu sonho simplesmente evaporam no ar. São alucinações dormentes sem fundamento no mundo físico, do mesmo modo que muitas das acordadas possuem uma qualidade de sonho. Elas freqüentemente se assemelham a experiências hipnagógicas, pois são induzidas por tonturas e experimentadas instantes antes do sono ou ao acordar.

A fronteira entre os sonhos e as alucinações é tênue. A maioria dos sonhos é criada pela mente e não depende de dados sensoriais imediatos. O fenômeno comumente chamado de "alucinação" é um desafio para a ciência moderna. Enquanto algumas alucinações são diretamente provocadas por dados sensoriais, como, por exemplo, aquelas induzidas por drogas, outras parecem ser provocadas por outro estímulo completamente distinto.

Alucinações do Passado

Esse filme de 1990 é estrelado por Tim Robbins no papel de Jacob Singer, soldado americano no delta do Mekong durante a Guerra do Vietnã. No início da narrativa, a unidade de Jacob é emboscada e os soldados tentam encontrar um abrigo. Mas algo está seriamente errado; o batalhão começa a exibir um comportamento estranho e violento sem nenhum motivo aparente. Jacob tenta escapar, e acaba sendo golpeado com a baioneta do rifle de um inimigo despercebido.

A narrativa se alterna entre o Vietnã, as memórias de Jacob relativas a seu filho Gabriel e a sua ex-mulher, Sarah, e seu relacionamento atual com a namorada, Jezebel (Elizabeth Peña), em Nova York. Durante esse tempo, o soldado exibe sinais clássicos de paranóia e encara várias aparentes ameaças à sua vida.

Conforme suas experiências alucinatórias — sonhos? pesadelos? delírios paranóicos? — se tornam cada vez mais bizarras e assustadoras, acaba por fim descobrindo sobre os experimentos químicos secretos realizados em soldados dos EUA no Vietnã. Um projeto que visa a criar uma droga (nome-código "escada") para aumentar a agressão dos soldados foi realizado num grupo de prisioneiros de guerra vietcongues e, mais tarde, na sua unidade. No entanto, em vez de ter como alvo o inimigo, os integrantes do seu batalhão se voltam uns contra os outros, atacando de maneira cruel.

O aspecto mais assustador do pesadelo de Jacob Singer é que não se trata de um sonho: ele nunca saiu com vida do Vietnã. Toda a série de experiências mostrou-se ser uma alucinação agonizante na mesa de operação. Contudo, as experiências de Jacob parecem ser uma forma de limpeza ou catarse, na qual ele se liberta de seus apegos terrenos e finalmente se junta ao filho morto, Gabriel, no além. A última cena do filme mostra ele subindo uma escadaria — sua escada final celestial, em referência à história bíblica (também mencionada no título original do filme *Jacob's Ladder,* ou *Escada de Jacó*) — em direção a uma luz brilhante. O amigo e quiroprático Louis (representado por Danny Aiello) declara o tema do filme: o inferno é realmente um tipo de purgatório auto-infligido e aqueles que estão prontos para se libertar de sua vida não acham de forma alguma a experiência da morte "infernal".

No final, uma mensagem informa que houve alegações reais — posteriormente negadas pelo Pentágono — de que o Exército dos EUA realizou experiências com uma droga alucinógena chamada BZ durante a Guerra do Vietnã.

Alucinações hipnagógicas

Alucinações hipnagógicas são imagens e sons oníricos que ocorrem no momento em que uma pessoa adormece ou acorda. Podem ser assustadoras como os pesadelos. O estado semiconsciente entre o sono e o despertar pode coincidir com o começo de um sonho. O sonhador então acorda o suficiente para abrir os olhos e reconhecer onde está (por exemplo, no quarto), e a imagem do sonho é de alguma forma transposta para esse ambiente. Isso pode ser particularmente assustador se o sonhador se encontra no meio de um pesadelo e vê a imagem amedrontadora do sonho presente no mundo acordado. A alucinação geralmente desaparece em questão de segundos.

(Ver também **Alucinações hipnopômpicas**)

Alucinações hipnopômpicas

As alucinações hipnopômpicas são idênticas às hipnagógicas, mas acontecem somente depois do sono profundo. Tanto uma quanto a outra estão associadas ao fenômeno conhecido como *Síndrome da Bruxa Velha.*

(Ver também **Síndrome da Bruxa Velha**)

Amputação

Esse pesadelo com freqüência representa abandono ou negligência de talentos e poderes representados pelo membro amputado. Ou pode simplesmente indicar uma perda geral de ação da qual a pessoa está ciente ou de controle sobre os eventos da vida. A amputação da mão pode significar que você é incapaz de lidar com uma situação, enquanto uma perna cortada indicaria uma necessidade de firmar os pés em um projeto, ou a percepção de que suas idéias não têm onde se apoiar. A perda de um braço pode comunicar que seus esforços para alcançar uma meta possivelmente serão em vão.

Animais

As pessoas vêm sonhando com animais por eras. Especula-se que algumas das pinturas antigas de animais encontradas em cavernas podem ser imagens de sonhos de seus habitantes, que passaram a maior parte da vida caçando e domando. No Egito antigo, deuses com corpos humanos e cabeças de animais também sugeriam imagens semelhantes a sonhos.

Estudos modernos mostraram que crianças sonham mais com animais do que adultos. É o que nos mostra o estudo de Robert L. van de Castle, que examinou sonhos de um grupo de 741 crianças (383 garotas e 358 garotos), de idades entre 4 e 16 anos, concluindo que em 39,4% dos sonhos de crianças de 4 a 5 anos se notava a presença de imagens de animais. Para cada faixa etária subseqüente — 6 e 7 anos: 35,5%; 8 e 9 anos: 33,6%; 10 e 11 anos: 29,8%; 12 e 13 anos: 21,9%; e 14 a 16 anos: 13,7% — as porcentagens caíam de forma constante. Garotos tinham uma porcentagem maior de imagens de animais nas idades de 4 a 6 anos (44% contra 34% para as garotas), enquanto as garotas tinham dos 9 até os 11 anos (36% contra 26% para os garotos). Em média, tais imagens apareceram em 29% dos sonhos combinados das meninas e em 29,6% nos dos meninos. As mais freqüentes foram as de cachorros (30 vezes), cavalos (28 vezes), gatos (15 vezes), cobras (15 vezes), ursos (14 vezes), leões (13 vezes) e criaturas ou monstros mitológicos — por exemplo, dragões ou lobisomens — (13 vezes).

Se a taxa de ocorrência para todas as imagens de animais for considerada, fica claro que crianças pequenas sonham mais freqüentemente com animais grandes e/ou selvagens, enquanto adolescentes até a idade da faculdade sonham mais com bichos de estimação e animais domesticados. Ursos, leões, tigres, gorilas, elefantes, touros, dinossauros, dragões e monstros responderam por 27% das imagens de animais nos sonhos infantis, mas apenas 7% surgiram em sonhos de adultos. Essa coleção de animais selvagens apareceu com mais freqüência em garotos (44 vezes) do que nas garotas (27 vezes). Vários teóricos sugeriram que esses animais grandes e ameaçadores nos sonhos das crianças podem representar figuras paternas e maternas antipáticas ou hostis. Além disso, uma diferença de sexo interessante foi encontrada em relação aos tipos de animais relatados. Mulheres e garotas citaram significativamente mais mamíferos, enquanto homens e garotos não-mamíferos. Essa diferença pode refletir uma identificação feminina inconsciente com outras formas de vida que amamentam seus recém-nascidos.

Há também um acalorado debate quanto ao fato de os próprios animais sonharem ou não. Ao menos alguma forma de sono parece ser predominante no reino animal. Mamíferos, aves, répteis e até insetos mostram formas de sono comportamental, enquanto as ondas cerebrais que ocorrem durante sonos REM e não-REM são notadas em mamíferos, aves e répteis — mas não em anfíbios e peixes.

Foi sugerido que, quando os animais sonham, eles se concentram no tipo de coisas que normalmente fazem em seu estado acordado. Por exemplo, animais para quem o olfato tem grande importância, como cães, parecem ter sonhos com um componente olfativo significativo. Da mesma forma, macacos que foram ensinados a responder a estímulos visuais pressionando um botão, mais tarde fizeram movimentos semelhantes com a mão enquanto estavam sonhando, o que sugere que reencenavam o movimento. Por fim, num experimento com gatos, porções do tronco cerebral responsáveis pela inibição de músculos durante o sono REM foram danificadas. Em vez de se deitar quietos com seus olhos se movendo, como é típico durante o sono REM, os gatos na verdade levantavam e perseguiam criaturas imaginárias — como se estivessem representando seus sonhos sem acordar. O que não se sabe é se os animais sonham ou não conosco, seus equivalentes humanos no reino animal.

Anjo da morte

O anjo da morte é uma personificação familiar da morte nas iconografias tradicional, mítica e, em especial, religiosa. Na Bíblia, a morte é representada na forma de um anjo enviado por Deus, com nomes tais como "anjo do Senhor", "anjo da destruição", "destruidor", ou no plural como "anjos da destruição". Provérbios 16:14 é a primeira passagem na Bíblia que usa explicitamente o termo "anjos da morte".

(Ver também **Bíblia** e **Ceifador Implacável**)

Ankou

A personificação da Morte como uma entidade viva e consciente é um conceito que existiu em quase todas as sociedades. O Ankou é o coletor de almas do mundo dos contos de fadas celtas. É representado como uma pessoa sombria e envolta num manto puxando uma carroça negra ou guiando uma carruagem puxada por cavalos negros, sendo sua chegada em geral anunciada por uma rajada de vento gelado. O veículo é movido por dois cavalos — um velho, magro e doente; outro jovem e forte — ou por quatro cavalos negros de idade não especificada.

O Ankou usa um chapéu preto ou uma capa sobre o rosto. (De acordo com a lenda, ninguém podia ver seu rosto e viver para contar.) Em algumas histórias, tem dois companheiros: esqueletos que andam atrás do veículo, no qual jogam as almas mortas. O folclore de como o Ankou adquiriu essa terrível ocupação relembra que ele já foi um príncipe que adorava caçar e participar de jogos de fortuna, sorte e acaso. Numa de suas caçadas, ele se encontra com a Morte cavalgando um cavalo negro e ela o desafia para uma competição de caça na qual o vitorioso pode determinar o destino do perdedor. Como a Morte inevitavelmente venceu, ela sentenciou Ankou a caçar as almas dos homens por toda a eternidade.

Embora o espectro de Ankou esteja praticamente esquecido na Cornualha, em Gales e na Irlanda, ele sobrevive como parte do folclore — e presumivelmente dos pesadelos também — do povo da Bretanha francesa.

(Ver também **Ceifador Implacável** e **Anjo da morte**)

Anúbis

Anúbis é o nome grego para o deus ancestral do mundo subterrâneo na mitologia egípcia. Preces para Anúbis foram encontradas gravadas na superfície da maioria das tumbas antigas no Egito. Seu nome pode ser traduzido como algo semelhante a *putrefação*. (De maneira interessante, ele é também identificado como pai de Kebechet, a deusa da purificação dos órgãos corporais.)

Textos antigos indicam que Anúbis caminha silenciosamente pelas sombras da vida e da morte como um chacal, espreitando em lugares sombrios, vigilante tanto de dia como à noite. Na arte, é representado como uma combinação de características humanas e do chacal — normalmente um homem com a cabeça de um chacal, orelhas em pé, com freqüência empunhando um chicote. Em ocasiões bem raras, é representado como completamente humano; é com freqüência um pouco maior, inteiramente como um chacal. No entanto, como a maioria das personificações da morte, Anúbis é sempre representado com a cor negra.

Ele recebe títulos tais como "O que fica sobre sua montanha", em referência ao fato de sentar em cima de penhascos no deserto para guardar as necrópoles (cemitérios ou residências dos mortos); e "Senhor dos ocidentais", em referência à crença egípcia de que a entrada para o submundo ficava a oeste. Como rei do mundo subterrâneo, acredita-se que pesava os corações dos mortos tomando como contrapeso a pena de Ma'at (o conceito da verdade), o que lhe rendeu o título de "Aquele que conta os corações". É de conhecimento comum que os egípcios antigos tomavam grande cuidado para preservar seus mortos com ervas e óleos de fragrância doce, em parte porque acreditavam que Anúbis iria examinar cada pessoa com seu aguçado nariz canino — elas só receberiam permissão para entrar no Reino dos Mortos se tivessem um cheiro puro.

À medida que o mito evoluiu, Anúbis com o tempo se tornou o porteiro do mundo subterrâneo, o "Guardião do véu" (ou "da morte"). Diziam que ele protegia as almas que viajavam para lá, e, portanto, se tornou o patrono das almas perdidas e dos órfãos, e o deus do morrer e dos arranjos funerais — um título significativo (e muito mais simpático) na cultura egípcia antiga.

Apanhadores de sonhos

Os apanhadores de sonhos se originaram da tribo americana Ojibwe (também conhecida como Chippewa), que vivia na região que é hoje Minnesota e Wisconsin, nos EUA, e Ontário, no Canadá. Frances Densmore foi a primeira a ver esses dispositivos no início do século XX, quando estava pesquisando a cultura do povo ojibwe. Ela descreveu suas descobertas no livro *Chippewa Customs* (*Costumes dos Chippewa*), de 1929. Nele encontramos a descrição de uma roda de madeira com diâmetro de 9 centímetros, com um cordão de talo de urtiga tingido de vermelho, trançado como uma teia de aranha. Ela observou o estranho item pendurado sobre os berços das crianças. Os ojibwes chamavam-no de *bwaajige ngwaaggan*, que significa "armadilha de sonho".

De acordo com a tradição oral dos ojibwes, tal dispositivo surgiu bem no início da Nação Ojibwe, quando eles viviam na Ilha da Tartaruga. A Ilha da Tartaruga foi formada quando o planeta era inteiramente coberto de água, e apenas os arganazes podiam nadar até o fundo, pegar uma pata inteira de barro, trazer para a superfície e empilhar nas costas de uma tartaruga gigante para formar a terra. Bem no início do próprio tempo, Asibikaashi (também conhecida como "Mulher-aranha" e tradicionalmente a protetora das crianças) ajudou a trazer o sol para os ojibwes. Quando os ojibwes deixaram a Ilha da Tartaruga para povoar a América do Norte, Asibikaashi teve dificuldade em viajar por todos os berços no vasto território. Então as mulheres da Nação Ojibwe começaram a tecer teias mágicas em círculos para representar o sol e as penduraram sobre os berços para evitar que sonhos ruins e espíritos malignos tomassem o bebê adormecido. Uma pena foi colocada no centro da armadilha do sonho para representar o ar ou a respiração. A armadilha do sonho oferecia ao bebê ojibwe um brinquedo para divertir, uma pena dançando na brisa para observar e uma lição de folclore e tradição desde os primeiros anos.

Hoje, muitas outras culturas nativas americanas fizeram apanhadores de sonhos para vender aos turistas, e a idéia sobrevive nas lojas de artigos Nova Era e de artesanato por todo o mundo, que vendem *kits* para você fazer seu próprio apanhador. Como qualquer outro item mágico, eles funcionam quando a pessoa que está sendo protegida (e as que realizam a proteção) têm fé no poder do objeto. Atualmente, apanhadores de sonhos estão na moda e podem ser encontrados em lares por diversos lugares.

Apnéia do sono

A apnéia é um distúrbio do sono no qual a respiração da pessoa que dorme é perturbada ou mesmo interrompida, forçando-a a despertar. Como isso pode acontecer repetidas vezes durante uma noite, ela não consegue vivenciar o estágio de sono REM contínuo e ininterrupto tão necessário para a saúde e o bem-estar. O resultado em geral é a fadiga sem explicação durante as horas acordadas e a sensação de que não se dormiu profundamente. A apnéia do sono pode algumas vezes ser acompanhada por pesadelos no qual o sonhador vivencia a sensação de estar se afogando ou sendo sufocado. Esse distúrbio pode ser tratado com medicamentos e dispositivos que forçam a pessoa a permanecer deitada.

Em grego, *apnea* significa "sem fôlego". De acordo com os Institutos Nacionais de Saúde dos EUA, a apnéia do sono é uma enfermidade que atinge mais de 12 milhões de norte-americanos. As crises de apnéia podem durar vários segundos, o que força o cérebro a acordar a pessoa para que volte a respirar normalmente. Essa enfermidade pode ser motivada pela obstrução das vias respiratórias (causada pelo colapso de tecido mole sobre a parte posterior da garganta), por falhas do cérebro ao enviar comandos ao diafragma ou por uma combinação desses dois fatores.

A apnéia do sono atinge principalmente homens obesos com mais de 40 anos, mas pode se manifestar em pessoas de todas as idades e pesos.

Apocalipse

A palavra vem do grego *apokalupsis*, que significa "revelação" (literalmente, "levantamento do véu", ou "divulgação"). A literatura apocalíptica revela mistérios e presságios além do escopo normal do conhecimento humano, em geral por meio da descrição narrativa em primeira pessoa de um sonho ou pesadelo que prevê eventos futuros. Muitos textos religiosos são cheios de descrições vívidas e previsões em relação ao fim do mundo. Na Bíblia, Apocalipse 16:16-21, lê-se:

> 16 Eles os reuniram então no lugar que, em hebraico, se chama
> "Harmagedon". 17 O sétimo, finalmente, espalhou sua taça pelo
> ar. Nisto saiu uma forte voz do templo, dizendo: "Está realizado!"
> 18 Houve então relâmpagos, vozes, trovões, e um forte terremoto;
> um terremoto tão violento como nunca houve desde que o ho-
> mem apareceu sobre a terra. 19 A Grande Cidade se dividiu em
> três partes, e as cidades das nações caíram. Deus se lembrou então
> de Babilônia, a Grande, para lhe dar o cálice do vinho do furor
> da sua ira. 20 As ilhas todas fugiram e os montes desapareceram;
> 21 do céu caiu sobre os homens um granizo pesado, como chuva
> de talentos. E os homens blasfemaram contra Deus por causa da
> praga do granizo, pois o seu flagelo é muito grande.

Às vezes, a religião pode preencher nossas mentes com imagens perturbadoras do juízo final, e essas mesmas imagens podem ser reproduzidas novamente em nossos sonhos. Um pesadelo com o fim do mundo pode prenunciar uma grande mudança na vida do sonhador — alguma parte do seu mundo talvez esteja acabando. Imagens apocalípticas podem também ser uma resposta à morte de alguém próximo do sonhador, uma falência, um divórcio ou outros eventos importantes e transformadores da vida.

Apocalipse, Livro do

Possivelmente a mais poderosa e vívida visão recebida num sonho na Bíblia é encontrada no último livro, Apocalipse. Único livro de profecias no Novo Testamento, supostamente representa o relato escrito de uma série de visões experimentadas pelo profeta João, na ilha de Patmos. Depois que Tiago, seu irmão, foi assassinado por Herodes Agripa, João deixou a Palestina e viajou pela Ásia Menor a fim de realizar o trabalho missionário. Sob o reino do imperador romano Domiciano, foi banido para a desolada ilha de Patmos, próxima à costa da Turquia atual, no mar Egeu. De acordo com o texto, foi lá que recebeu a visão apocalíptica do futuro que compreende o Livro do Apocalipse.

Como todas as mensagens apocalípticas, a revelação é dada a João por meio de sinais e símbolos misteriosos numa série de visões, das quais um anjo então explica os significados. Muito do conteúdo da revelação prevê eventos terríveis que irão se desenrolar quando Jesus retornar à Terra nos últimos dias. Quando a primeira visão começa, João parece estar em estado semelhante a um transe. Especificamente, o autor diz que era "movido pelo Espírito" quando ouviu uma voz forte. Embora o significado da expressão seja aberto à interpretação, parece implicar que João estava em algum tipo de estado alterado de consciência. Nas escrituras judaico-cristãs, anjos regularmente transmitem mensagens divinas a seres humanos, tanto em sonhos como em visões acordadas. Essas comunicações são em geral diretas e explícitas, em vez de indiretas e simbólicas, com exceção de certas mensagens em sonhos. Portanto, não é inconcebível que a visão de João possa ter ocorrido num sonho. Com certeza, as imagens são semelhantes a sonhos e, em muitos lugares, até mesmo semelhantes a pesadelos.

Aquino, Tomás de

Tomás de Aquino nasceu na nobreza em Rocca Secca no reino de Nápoles, Itália, provavelmente no início do ano 1225 d.C. Filho de um conde e de uma condessa, era aparentado com a dinastia Hohenstaufen dos imperadores do Sacro Império Romano. Sua mãe buscou um ermitão religioso local antes de seu nascimento a fim de adivinhar o futuro da criança, e este relatou que ela seria um grande homem, devotado à igreja, e que o impacto de suas palavras iria perdurar para sempre.

Aos cinco anos de idade, ele foi enviado, para sua educação inicial, ao mosteiro de Monte Cassino, do qual seu tio era abade. Mais tarde, depois de estudar na Universidade de Nápoles, Tomás juntou-se à Ordem Dominicana, que representava um desafio revolucionário aos sistemas clericais estabelecidos no início da Europa medieval. Isso também significava que ele havia efetivamente adotado o estilo de vida de um pobre. Tal fato resultou na desaprovação de sua família nobre, e ele foi em seguida seqüestrado pelos irmãos e levado de volta a seus pais no castelo de San Giovanni. Lá, foi mantido literalmente preso por quase dois anos para que redirecionasse suas ambições e vocação.

De acordo com alguns de seus primeiros biógrafos, anjos apareceram para ele uma vez num pesadelo no qual ele foi enrolado num cordão de fogo — experiência tão horrivelmente dolorosa que ele acordou com um grito. Conforme muitos relatos, o cordão era um cinturão de castidade eterna, e ele nunca mais sofreu dos "desejos da carne", preferindo passar o resto de sua vida no celibato. O tempo que ficou aprisionado, ele então passou em estudo, da mesma forma que teria feito se estivesse em Paris. Por fim, a mãe lhe concedeu a liberdade, e Tomás pôde voltar aos dominicanos. Eles ficaram aliviados por descobrir que ele era tão instruído ou até mais, em teologia e nas Escrituras, quanto deveria ser se não fosse por seu cativeiro.

Em algum ponto durante 1244-1245, ele se tornou aluno de Alberto Magno, renomado professor da ordem, e eles viajaram para Colônia juntos, onde Magno deveria ensinar na universidade. (Este, de início, pensou que Tomás de Aquino era lento, devido em parte à permanente modéstia e quieta humildade.

No entanto, mudou de opinião depois de ler sua brilhante defesa de uma tese especialmente difícil.) Em 1250, Tomás de Aquino finalmente alcançou seu lugar no sacerdócio.

Depois de passar um ano em Colônia, viajou para Paris para freqüentar a universidade e conquistar seu doutorado em teologia. Foi nessa universidade que escreveu *A Majestade de Cristo*, que dizem ter sido inspirada por um sonho no qual um visitante celestial o instruiu. Ele finalmente recebeu seu doutorado em 1256, e nove anos inteiros se passaram antes que o papa escolhesse honrá-lo com a posição de arcebispo de Nápoles. (Se ele tivesse recebido a posição antes, provavelmente nunca teria a chance de escrever seu principal trabalho, a *Suma Teológica*.) Ele morreu em Fossa Nova em 7 de março de 1274, e, em 18 de julho de 1323, finalmente foi canonizado pelo papa João XXII.

Embora tenha vivido menos de 50 anos, Santo Tomás de Aquino assinou mais de 66 obras-primas religiosas, cada uma exemplificando uma incrível visão e piedade. A *Suma Teológica* foi uma versão mais madura, bem-desenvolvida e estruturada de seus trabalhos anteriores, e definitivamente sobreviveu como sua *magnum opus*. Ele afirmou que certas passagens de seu trabalho eram resultado direto de conselhos dos apóstolos Pedro e Paulo, que recebeu enquanto sonhava. Apesar dos sonhos místicos e nitidamente não-aristotélicos que o assolaram por toda vida, Santo Tomás de Aquino tentou minimizar e rechaçar a importância que a maioria das pessoas comuns atribuía aos sonhos. Afirmou que a adivinhação por meio dos sonhos era permitida contanto que a pessoa estivesse certa de que se originavam no desígnio divino, e que o estado de sonho não se devia a fatores artificiais como o álcool. Não é de surpreender que tenha reconhecido uma influência demoníaca na ocorrência comum de sonhos e pesadelos proféticos.

Aranha

Aranhas são insetos benéficos no sentido de que aprisionam moscas e mosquitos. Excetuando-se a viúva-negra e algumas outras espécies venenosas, elas não oferecem perigo aos humanos. De todo jeito, muita gente morre de medo de aracnídeos, e pode até sofrer de aracnofobia. Não é raro que aqueles acometidos por essa doença tenham pesadelos envolvendo aranhas. Para a maioria das pessoas, contudo, sua aparição em sonhos ou pesadelos pode simbolizar as teias intricadas que o próprio sonhador costurou ou aquelas que o capturaram. Pode também indicar o sentimento de estar emaranhado num relacionamento confuso e pegajoso.

Areia movediça

Terreno sólido ou terra firme é algo que muitas pessoas aceitam como coisa natural. Não esperamos que a terra nos vá devorar vivos como um monstro faminto. Sonhar em cair na areia movediça significa que você está sentindo uma perda da estabilidade ou da previsibilidade em sua vida. Talvez esteja vivendo uma situação de insegurança num relacionamento ou no trabalho, e esteja sendo consumido pelo problema.

Aristóteles

Aristóteles (384 a.C. – 7 de março de 322 a.C.) era filho de um médico da corte do rei da Macedônia na cidade de Estagira, na Calcídia. Junto com Platão e Sócrates, é com freqüência considerado um dos filósofos gregos antigos mais influentes na formação do pensamento ocidental. Estudou quase todos os assuntos conhecidos durante os tempos clássicos, e escreveu livros sobre temas tão amplamente diversos quanto física, poesia, zoologia, governo e biologia.

Aristóteles viveu em Atenas dos 18 aos 37 anos como pupilo de Platão e distinguiu-se na Academia, onde ficou até a morte de seu mestre em 347 a.C. Juntou-se então a um círculo de platônicos que viviam em Assos, a área que rodeia a antiga cidade de Tróia, sob a proteção do tirano Hermias de Atárnea. Ele permaneceu em Assos por três anos e então se mudou para Mitilene, na ilha de Lesbos. Aos 44 anos, recebeu um convite para supervisionar a educação do jovem Alexandre III (Alexandre, o Grande) na corte macedônica de Pella, onde passou outros três anos. Após uma estada de cinco anos em sua cidade natal de Estagira, retornou a Atenas, onde abriu sua própria escola, chamada Liceu. Depois da morte de Alexandre, o Grande, em 323 a.C., a escola passou a sofrer risco de ataque do partido antimacedônico, que ficava em Atenas. Aristóteles buscou refúgio em Cálcis, uma das ilhas da Eubéia, onde permaneceu até sua morte um ano mais tarde, aos 63 anos.

Os escritos de Aristóteles são classificados em três categorias separadas: memorandos e coleções de materiais, escritos populares e tratados científicos e filosóficos. Infelizmente, nenhum de seus trabalhos populares e apenas alguns de seus trabalhos filosóficos sobreviveram. O único conhecimento que temos desses últimos é por meio de terceiros, de citações e de referências em artigos posteriormente elaborados por outros escritores. O maior segmento sobrevivente dos escritos de Aristóteles consiste nos trabalhos psicológicos *De Anima* e *Parva Naturalia*, classificados como tratados científicos e filosóficos.

De acordo com Aristóteles, a meta da psicologia é descobrir a essência e os atributos da alma (psique), referida de maneira geral pelos gregos como o reino da consciência e da subjetividade humanas. Ele desenvolveu sua doutrina da alma por meio de três abordagens diferentes que definiram os três períodos distintos nos quais seu trabalho é normalmente classificado. A característica mais notável da primeira foi o uso do conceito platônico de alma como uma entidade separada e distinta do corpo. Essa abordagem correspondeu com o período de seus primeiros escritos (até 347 a.C.), no qual era defensor entusiástico do platonismo.

A segunda abordagem abarca os anos de 347 a.C. a 335 a.C. e reflete uma atitude cada vez mais crítica em relação aos ensinamentos de seu ex-professor. A visão de Aristóteles do corpo como um instrumento da alma definiu o segundo período de seus esforços filosóficos. Exemplos disso são encontrados tanto em seus tratados biológicos quanto na obra *Parva Naturalia*.

O período final do pensamento de Aristóteles começou por volta de 355 a.C. Durante esse tempo, ele rejeitou os princípios essenciais da metafísica platônica e adotou em vez disso a pura ciência empírica. Ampliou sua teoria do corpo como um instrumento da alma e a desenvolveu numa teoria da alma como uma forma ou emanação do corpo. Aristóteles elaborou essa teoria em sua *Metafísica.*

No tratado *De Anima* ele apresenta ainda outra teoria na qual trata corpo e alma como constituindo uma substância unificada, ficando um perto do outro na relação da forma com a matéria. *De Anima* proporciona uma análise detalhada das faculdades da alma, bem como das posições hierárquicas que elas ocupam. Aristóteles acreditava que era possível classificar todas as criaturas vivas de acordo com o lugar no qual se encaixavam nessa hierarquia. O ponto mais baixo e mais básico da alma é o nutritivo, ou aquele que existe em toda coisa viva. Acima dele, existe a alma sensível, que está presente em todos os animais e abrange as sensações de toque, paladar, olfato, visão e audição. Aristóteles defendia que a alma sensível tem a função de sentir prazer, dor e desejo, com os produtos subseqüentes da imaginação e do movimento presentes na maioria dos animais, se não em todos. As faculdades mais altas da alma, peculiares apenas aos humanos, são a razão e a inteligência.

Suas teorias sobre os sonhos, como esquematizadas nos três tratados sistemáticos *Da Profecia, Do Sono e da Vigília* e *Dos Sonhos,* delineiam de forma explícita a natureza da alma e seu relacionamento com os sonhos, e chegam mais perto das visões modernas do que as de qualquer outro escritor antigo. Aristóteles achava que as funções principais da imaginação são a formação de imagens e o processo da memória. A conseqüência direta da percepção é a imaginação, que se coloca em funcionamento apenas depois que o objeto sentido, seja ele físico ou não, desapareceu. A memória é a função da faculdade pela qual percebemos o tempo, o que é impossível sem uma imagem. Da mesma forma, os sonhos são um produto da imaginação elaborado durante o estado do sono, bem como um subproduto de sensações anteriores. Em essência, os sonhos são impressões produzidas pelos nossos sentidos que subsistem na imaginação depois que pararam de estar ativos.

Em *Do Sono e da Vigília*, o sono é descrito como uma inatividade da faculdade primária ou de "bom senso". De acordo com Aristóteles, o sono, a vigília e o exame minucioso dos dois são indispensáveis para o entendimento dos sonhos (ele achava que o sono e a vigília eram dois estados da mesma faculdade — dois lados da mesma moeda, se preferir —, com esta no lado positivo e aquele no negativo). Ele considerou ambos como "aflições" da alma e do corpo, tomados como um todo. Embora a alma não exista separada do corpo, durante o estado do sono é capaz de retornar a seu estado original puramente espiritual. Aristóteles também discute a ilusão das percepções dos sentidos em *Da Insônia*. Essa ilusão é devida ao funcionamento inadequado dos sentidos, o que abre o caminho para a formação de sonhos e pesadelos sem julgamento, avaliação ou correção. Em contraste com as concepções e explicações modernas dos sonhos e do sonhar, ele afirmou que o processo do sonho não é afetado por percepções ou pensamentos reais.

Por fim, Aristóteles nega que os sonhos tenham uma origem divina ou que sua interpretação possa lançar luz sobre o mundo sobrenatural. Ele sugere, em vez disso, que os sonhos e os pesadelos são ações ou sintomas de distúrbios físicos do corpo:

> Da mesma maneira, durante o sono os fantasmas, ou movimentos residuais, que são baseados nas impressões sensoriais, se tornam um tanto apagados pelo movimento acima descrito quando violento demais; enquanto outras vezes as visões são realmente vistas, mas confusas e estranhas, e os sonhos [que então aparecem] são doentios, tais como os das pessoas que são atrabiliosas, ou febris, ou estão intoxicadas com o vinho (de Da Insônia).

Aristóteles sempre defendeu que a "adivinhação" por meio da interpretação de sonhos era resultado da coincidência.

Arma de fogo

Esse é um símbolo de agressão, bem como de proteção. Freud via armas de fogo como símbolos fálicos e representativos da sexualidade masculina agressiva, então sonhar com uma arma de fogo talvez indique que você está se sentindo ansioso em relação ao ato sexual. Armas em sonhos podem apontar sentimentos de vulnerabilidade e medo, ou, por outro lado, de raiva e hostilidade. Como sempre, o estado emocional dominante do sonhador proporciona o contexto, essencial, já que fornecerá as dicas para se alcançar o significado.

Ser perseguido e baleado

Em 2001, Chloe Chandler, de 15 anos, vivia próximo de Birmingham na Inglaterra e freqüentava a escola. Ela e suas amigas mais íntimas gostavam de ficar na sala de música da escola, que era também o cenário de seu pesadelo recorrente.

O Pesadelo:

> Começou na sala de música da minha escola, onde, na época, passava a maior parte do meu tempo, com minhas três melhores amigas. Duas delas estavam rindo e batendo papo no piano no fundo da sala, e eu estava conversando com a terceira amiga (por quem eu talvez tivesse sentimentos mais profundos, mas na ocasião estava mais confusa do que qualquer coisa), enquanto sentávamos em algumas mesas mais para a metade da sala. Algumas vezes o sonho era na sala de prática, e eu estava conversando com a terceira amiga no fundo com as mesas contra a parede, enquanto as outras duas estavam rindo e conversando no piano perto da porta. Embora nós normalmente trancássemos essas salas para não sermos perturbadas, um homem que nenhuma de nós conhecia abria a porta como se não estivesse trancada, olhava ao redor e me encontrava. Ele apontava uma arma para mim e atirava — mirando o coração (eu sempre supunha), mas

> acertando meu ombro. Ficava surpreso em errar e então estendia a mão e agarrava a amiga com quem eu estava conversando, colocava a arma na cabeça dela e a arrastava para fora da sala. Eu me levantava e os seguia. Ele então atirava no meu estômago quando via que os estava seguindo, e como isso não me detinha, ele atirava no meu calcanhar e então no joelho. Nesse momento estávamos fora do prédio, e então ele jogava minha amiga no chão e corria, virando a esquina. Logo quando ele ficava fora de vista, outro sujeito aparecia do canto oposto, olhava perplexo para mim e minha amiga no chão e então seguia o outro homem.
>
> Eu tinha esse sonho com bastante freqüência, e comecei a notar os dois homens em outros sonhos também, embora normalmente no fundo. Em todos os sonhos que envolviam os dois homens, um era sempre ameaçador, enquanto o outro sempre parecia protegê-lo de alguma forma.

Versões desse sonho continuaram por aproximadamente um ano, com a freqüência de duas ou três vezes por semana no início, e logo nenhum sonho por alguns meses. E então, aparentemente do nada, eles começavam de novo. Quando pediram a ela que descrevesse os homens em seus sonhos, ela disse que eles eram mais altos do que ela e tinham cabelo escuro. Fora isso eles eram apenas imagens vagas.

A Análise:

> Chloe estava lutando com sentimentos mais profundos por uma de suas amigas na escola. A idade de 15 anos é uma época de muitas mudanças — deixar a infância para trás, entrar na maioridade, começar a namorar — e a aceitação e a amizade dos colegas é algo crítico. Os sonhos começam num local que é confortável e familiar a Chloe — suas salas de música e de prática — e as pessoas presentes são as mais íntimas. A sala supostamente deveria ser segura, mas apesar disso uma figura

misteriosa, sombria e ameaçadora entra nela e começa a atirar em Chloe e abduz uma de suas amigas. Como a figura é sombria e vaga, ela representa uma questão desconhecida e prejudicial ou possivelmente os sentimentos de Chloe por essa amiga. Embora Chloe seja baleada repetidas vezes, ela ainda persegue o raptor num esforço para salvar a amiga. Ser baleada significa a dor por que Chloe podia estar passando na amizade ou potencial relacionamento que estava sendo feito em pedaços por uma força fora de seu controle. Durante a época dos pesadelos, parece que ela estava disposta a ir tão longe quanto necessário por essa pessoa, mesmo que o esforço a machucasse.

Arquétipos

Embora a noção de arquétipo seja pelo menos tão antiga quanto Platão, ela é mais conhecida no mundo moderno graças ao trabalho do proeminente psicoterapeuta suíço Carl Jung. Em contraste com seu mentor Sigmund Freud, Jung dividiu a mente inconsciente em duas subdivisões: o inconsciente pessoal e o coletivo. Jung postulou que enquanto aquele é moldado por nossas experiências pessoais, este representa nossa herança da experiência coletiva da humanidade, acumulada e armazenada por séculos. Essa herança ou armazenamento das experiências da humanidade aparece ao menos de maneira parcial pelo processo evolucionário e reside na psique objetiva na forma de arquétipos, que encontram sua expressão no mito, no folclore, na religião, nas histórias populares e, é claro, nos sonhos.

Os arquétipos funcionam como paradigmas no sentido em que nos predispõem de modo inconsciente a organizar, ou "filtrar", nossas experiências pessoais de certas maneiras. Somos, por exemplo, inclinados a perceber uma figura masculina mais velha no ambiente em que nos criamos como um pai por causa do arquétipo do pai. Se o pai biológico está ausente durante os anos iniciais, outra pessoa (por exemplo, um irmão mais velho ou um tio) é assimilado a esse arquétipo e filtrado por ele, provendo imagens concretas para nosso *complexo* de pai (um grupo de memórias e interpretações associadas intimamente com o arquétipo e moldadas por ele).

Alguns dos arquétipos de Jung e seus significados são:

Anima/Animus. Jung notou que ambos os sexos têm atributos latentes e potenciais do sexo oposto. *Anima* representa o lado feminino do inconsciente pessoal de um homem, e *animus* representa o lado masculino do inconsciente pessoal de uma mulher. (Jung não estava certo se o arquétipo *anima/animus* era totalmente inconsciente ou não, em vez disso preferindo chamá-lo de "um pouco consciente *e* inconsciente".) O *anima* é normalmente um agregado da mãe do homem com aspectos de irmãs, tias e professoras, enquanto o *animus* da mulher é usualmente uma combinação de figuras masculinas correspondentes. O conceito de *anima/animus* é considerado uma das contribuições mais importantes de Jung à psicologia.

Criança. Mais comumente conhecido como "criança interior" hoje em dia, esse arquétipo representa a esperança inocente dentro de todos nós, e a parte de nós que ainda pode se impressionar com as coisas. Uma criança que fala com sabedoria além de seus anos também pode representar o arquétipo da criança.

Ego. Esse arquétipo representa a personalidade perfeita e completa. Jung acreditava que não podia se tornar completo antes da morte; representações tais como Jesus e Buda são bons exemplos desse conceito. O arquétipo do *Ego* constitui nossa auto-imagem ou autoconceito consciente e perfeito. Nos sonhos, esse *Ego* pode ser representado numa diversidade de maneiras, com freqüência na forma de um círculo ou *mandala* (diagrama circular usado como auxílio para meditação no hinduísmo e no budismo), ou em imagens do *quatemity/quartérnion* (de acordo com Jung, o número da totalidade, e, portanto, um símbolo do *Ego*).

Herói. O herói é um dos temas que Jung notou dominar e se repetir pela história do folclore e da mitologia. Ele descobriu um ponto em comum a todas as lendas heróicas: linhagem significativa (tal como o filho de um deus ou da realeza) com uma descida a um grande lugar como o inferno, onde o herói precisa enfrentar grandes batalhas ou dificuldades e por fim superá-las a fim de renascer como alguém maior. O herói existe em cada um de nós — quer ele diga respeito a superar nossas próprias sombras e demônios, ou a ir contra as probabilidades para salvar uma vida num prédio em chamas — e é o arquétipo que entendemos durante momentos de sofrimento e triunfo.

Mãe. Jung sentia que o arquétipo da mãe era particularmente poderoso pelo fato de precisar ser capaz de equilibrar a predominância da influência masculina encontrada na maioria das culturas, se não em todas elas. Jung valorizava o feminino em todas as formas, mas achava que o papel da mãe era a mais significativa e influente delas.

Pai. Embora quase toda cultura na história possa de forma argumentável ser descrita como patriarcal, Jung sentiu que o arquétipo do pai não era tão importante quanto o da mãe. Os arquétipos do herói e do velho sábio incorporam ambos os elementos positivos ou ativos do "pai", o que pode explicar por que Jung lhe deu tão pouca atenção.

Persona. A *persona* é a máscara ou aparência — quase uma caricatura — que o indivíduo apresenta ao mundo. É a imagem que a pessoa oferece ao público. Pode aparecer em sonhos sob várias aparências: o beato freqüentador de igreja, o profissional inteligente e refinado, o intelectual estudioso, o sujeito selvagem, o metrossexual estiloso, o operário quieto e durão são apenas algumas das *personas* que as pessoas adotam num esforço para moldar a identidade pública (e privada). Problemas podem surgir quando há uma desconexão muito grande entre a *persona* e a personalidade central.

Self — ver Ego.

Sizígio. Esse arquétipo denota uma junção de opostos contra-sexuais, o que simboliza a comunicação entre o consciente e o inconsciente. Também representa a reunião de opostos para um inteiro perfeito, a união interna das partes masculina e feminina do eu, e a união de almas em relacionamentos. O conceito japonês de *yin/yang* pode ser considerado uma permutação do arquétipo *sizígio*.

Sombra. Uma parte do inconsciente que é misteriosa e com freqüência desagradável para o consciente, mas que é também relativamente próxima deste último. A sombra representa o lado sombrio do *Ego* — pensamentos imorais, impulsos e ações vergonhosas que são reprimidos. Jung sentia que as pessoas precisavam reconhecer a sombra interior e lidar com ela não importa quão embaraçosa fosse, a fim de alcançar integração e saúde psicológica. O *Ego* sombra torna sua presença conhecida na maioria das vezes em sonhos e pesadelos perturbadores.

Trapaceiro. Uma entidade divina ou herói humano que quebra as regras dos deuses ou da natureza, algumas vezes de forma maliciosa (por exemplo, Lóki na tradição do mito nórdico), mas geralmente com efeitos positivos em última análise. Com freqüência, a quebra de regras toma a forma de travessuras ou roubos. Trapaceiros podem ser astuciosos ou tolos, e freqüentemente são cômicos — mesmo quando considerados sagrados ou realizadores de tarefas culturais importantes. O trapaceiro é o bobo da corte que escapa ileso de suas sátiras a seu mestre, o comediante que faz piadas sobre as pessoas na platéia e o travesso jovial que deixa uma almofada barulhenta na cadeira do chefe.

Velho Sábio. Representado por uma figura paternal gentil, observadora e mais velha que usa um intelecto impressionante e conhecimento pessoal para criar contos admonitórios ou narrativas de orientação para aqueles que precisam. Consciente ou inconscientemente, o conceito de Deus ou do Divino da maioria das pessoas coincide com esse arquétipo. Ao contrário do herói, o velho sábio não precisa de força física para superar as adversidades; em vez disso, ele consegue respeito por meio de suas realizações e de sua considerável sabedoria. Exemplos desse arquétipo na cultura popular incluem Yoda e Obi-Wan Kenobi, da série *Guerra nas Estrelas*, Gandalf do *Senhor dos Anéis,* de Tolkien, e a Coruja, do *Ursinho Puff.*

Arquivo X

Arquivo X foi uma série de televisão da rede FOX sobre um departamento secreto dentro do Bureau Federal de Investigação dos EUA (FBI), que rastreia fenômenos inexplicados e paranormais. Estreou naquele país em setembro de 1993 e durou até maio de 2002. Sem nenhuma surpresa, os episódios sobre a paranormalidade também fizeram dos sonhos (em especial os precognitivos) uma parte fundamental da narrativa dominante.

No episódio "Aubrey", o personagem principal, agente especial do FBI Fox Mulder (interpretado por David Duchovny) diz a memorável frase: "Sonhos são respostas para perguntas que não descobrimos como fazer." No episódio posterior, "Corações de Pano", a parceira de Fox Mulder, Dana Scully (representada por Gillian Anderson), repete a frase para Mulder, depois que ele conta sobre o sonho que vem tendo. "Paper Hearts" é centrada tematicamente no sonho de Mulder em que uma luz vermelha o leva aos corpos de jovens garotas que eram vítimas de assassinato. O pesadelo recorrente o ajuda a encontrar os corpos e, por fim, o assassino. A série enfatizou a ligação popular entre sonhos/pesadelos e fenômenos psíquicos.

Arranhar

O ruído de arranhar pode ser de enlouquecer quando a origem do som é completamente desconhecida. Esse desconhecimento pode engendrar medos reais: há um animal ou outro tipo de bicho presente? Ou o ruído de arranhar provém de outra fonte maior e mais assustadora? Da mesma forma que os sonhos de gotejamento ou de insetos que picam, os que envolvem barulhos de arranhar geralmente querem atrair a atenção do sonhador enquanto um problema ainda é pequeno.

Sonhos em que o sonhador é literalmente arranhado significam ansiedade. A sensação irritante precisa ser confrontada antes que os arranhões se tornem feridas de verdade.

Arrombador

Vivenciar um arrombamento é ser violado em sentido pessoal, material e emocional. Essa é uma violação traumática que provoca sentimentos de impotência e vulnerabilidade, e pode fazer com que você perca algo de valor no processo. Talvez o sonho seja a representação de um arrombamento real que você vivenciou, ou talvez simbolize um evento além de seu controle que tirou algo significativo de você, de maneira emocional ou tangível, tal como um negócio que lhe custou não apenas prejuízos, mas também um amigo. Pesadelos traumáticos com freqüência envolvem homens no escuro, mascarados, ou de outra forma sem rosto, que perseguem ou tentam atacar o sonhador.

Arte

Referências a sonhos na arte são tão antigas quanto a própria literatura: a *História de Gilgamesh*, a Bíblia e a *Ilíada* descrevem todas elas sonhos e pesadelos dos principais personagens e seus respectivos significados. No entanto, a idéia de sonhos *como* arte — sem estar situada no contexto de uma narrativa ou história — parece ser um fenômeno mais recente.

No final do século XIX e começo do século XX, a discussão popular de sonhos alcançou um novo enfoque de percepção pública no mundo ocidental devido ao trabalho de Sigmund Freud, que introduziu a noção do consciente como campo de investigação científica. Mais ou menos na mesma época, o simbolismo e o expressionismo introduziram formalmente a imagística dos sonhos na arte visual. Os pintores simbolistas utilizavam elementos de mitologia e de sonhos a fim de criar em sua arte uma narrativa intensamente pessoal e, com freqüência, ambígua.

Freud também influenciou muito os surrealistas do século XX, que combinaram os impulsos visionários dos simbolistas com um foco no inconsciente como ferramenta criativa. A abordagem desse movimento fazia um paralelo com as idéias de Freud sobre o inconsciente e a repressão das ânsias irracionais do consciente, ânsias que se manifestavam em sonhos. Os surrealistas defendiam que, quando incluem imagens ou experiências fantásticas, absurdas ou mesmo aterrorizantes, os sonhos subvertem o comum ou normal. Nisso, há sempre uma hipótese de que o conteúdo "irracional" na arte pode conter um significado importante, talvez mais do que o conteúdo direto e racional. Como outras formas de arte moderna, o surrealismo foi a resposta para os limites do racionalismo — a esperança principal do artista era descobrir novas possibilidades criativas mergulhando nas profundezas do inconsciente.

Da mesma forma, poetas e escritores afirmaram que suas obras, ou a inspiração para elas, apareceram a eles quando num estado de sonho. O ato de sonhar e o ato de ler e escrever usam áreas diferentes do cérebro; mas, mesmo assim, não é inconcebível que muitas grandes obras literárias tenham sido inspiradas por sonhos ou pesadelos. Isso destaca a importância do conceito freudiano dos sonhos como mensageiros do nosso inconsciente, tornando-nos cientes de pensamentos ou idéias que o consciente se recusa a reconhecer, mas que são essenciais na expressão criativa. Pesadelos, e até pesadelos recorrentes, foram relatados por autores como Dostoiévski, Strindberg, Descartes, Bram

Stoker, André Gide, Theodore Dreiser, Edgar Lucas White, Henry James, Nathaniel Hawthorne, Mark Twain, Edgar Allan Poe e Jack Kerouac.

Na literatura européia, o movimento romântico enfatizou o valor da emoção e da inspiração irracional. "Visões", seja na forma de sonhos, seja como produtos da intoxicação por álcool ou drogas, serviam como matéria-prima para essa inspiração e eram tomadas para representar o maior potencial criativo do artista. De maneira semelhante, o expressionismo — como movimento literário — ficou evidente no trabalho posterior do dramaturgo August Strindberg, que cunhou o termo "peça de sonho" para um estilo de narrativa dramática que não distinguia entre a fantasia e a realidade.

No ano de 1818, a famosa história de terror *Frankenstein* foi publicada. A autora do livro, Mary Shelley, afirma ter extraído inspiração direta e conteúdo de seus pesadelos. Ela teria dito: "Descobri! O que me aterroriza irá aterrorizar outros; preciso apenas descrever os espectros que assombram meu travesseiro à meia-noite." Robert Louis Stevenson também credita seu clássico *O Médico e o Monstro* a imagens relembradas de seus pesadelos. Depois de dois dias de reflexão, ele relatou ter recebido "a cena da janela e uma cena mais tarde dividida em duas, na qual Hyde, caçado por algum crime, tomava o pó e mudava na presença de seus perseguidores", que lhe foi passada completamente como um pesadelo. Na época desse sonho, Stevenson estava numa situação financeira extremamente crítica. É desnecessário dizer, a popularidade do livro mudou de forma drástica sua fortuna — e provavelmente também seus sonhos.

Vários outros artistas creditaram a seus sonhos a inspiração de partes, se não do conjunto, de suas obras de arte, incluindo a música. Por exemplo, o compositor Giuseppe Tartini atribuiu sua popular sonata "O Trilo do Diabo" a um sonho, e a *Symphonie Fantastique*, de Hector Berlioz, supostamente foi inspirada por um pesadelo induzido pelo ópio.

A invenção do filme e da animação trouxe novas possibilidades para a representação vívida dos eventos estranhos e não-realistas dos sonhos, mas filmes consistindo *inteiramente* em imagens de sonhos permanecem uma raridade *avant-garde*. Histórias e tiras de quadrinhos exploraram os sonhos até certo ponto, incluindo as tiras de jornal de Winsor McCay, e a moda voltada para trabalhos confessionais nos quadrinhos alternativos dos anos 1980 exibiu uma proliferação de artistas que tiravam inspiração de seus próprios sonhos.

Materiais de sonhos continuam a ser usados por uma vasta gama de artistas contemporâneos para vários propósitos. A prática é considerada por alguns como tendo valor psicológico para o artista — independentemente do valor artístico dos resultados —, como parte da disciplina de "trabalho de sonho".

A Associação Internacional para o Estudo dos Sonhos mantém atualmente uma exibição anual com um júri de arte visual de sonhos.

Artemidoro de Daldis

Sonhos e pesadelos têm cativado a mente humana por séculos, e os gregos antigos eram especialmente interessados no assunto. A maior e mais completa compilação das tradições sobre o sonho do mundo antigo que sobreviveu é a *Oneirocrítica* (*A Interpretação dos Sonhos*) de Artemidoro. Um dos primeiros indivíduos a aplicar uma abordagem empírica à análise dos sonhos, Artemidoro, segundo se diz, investigou e analisou nada menos do que três mil sonhos para a *Oneirocrítica.*

Embora tenha assinado a obra como "Artemidoro de Daldis", ele na verdade nasceu na antiga cidade grega de Éfeso. Além das informações derivadas dos escassos comentários autobiográficos feitos na *Oneirocrítica*, pouco se sabe de sua vida, com exceção do fato de que escreveu outros livros anteriores a esse sobre a adivinhação. As três primeiras subdivisões de seu trabalho englobam um método de interpretação de sonhos destinado ao público em geral. Os últimos dois livros são dirigidos a seu filho, que aspirava a seguir as pegadas do pai.

A *Oneirocrítica* é em grande parte um dicionário de sonhos, mas também contém alguns conselhos mais amplos na interpretação geral destes. Artemidoro entrevistou intérpretes de sonhos e comprou manuscritos de todo o mundo conhecido a fim de se familiarizar com o conceito geral de sonhos. Ao contrário da maioria dos dicionários de hoje desse tipo, predominantemente baseados nos significados psicológicos, o livro de Artemidoro se concentra em decifrar sonhos como presságios do futuro ou mensagens dos deuses. Embora esse ponto de vista possa parecer curioso, a abordagem de Artemidoro era, em muitas formas, bem sofisticada e variada. Como muitos dos teóricos modernos, ele foi cuidadoso em destacar que os significados simbólicos podem variar, dependendo da cultura e das circunstâncias pessoais do assunto em questão. Isso também permanece verdade conforme o tempo passa e o clima cultural muda.

Outra diferença notável entre a *Oneirocrítica* e os dicionários de sonhos modernos é que ela é organizada de acordo com categorias de imagens, e não por ordem alfabética. Dessa forma, o autor trata mais detalhadamente de sonhos envolvendo as várias partes do corpo. Prossegue então falando da aparição de deuses e divindades, também abordando tipos de animais, clima, vôo e muitos outros tópicos. Em prol de uma abrangência completa, Artemidoro destinou a terceira seção do livro a sonhos aleatórios e diversos, para os quais não encontrou lugar nas seções anteriores.

Há várias peças de informação que Artemidoro considerou essenciais para a análise adequada de sonhos: se os eventos sonhados eram naturais, válidos e costumeiros; o que estava acontecendo no momento do sonho; e o nome e ocupação do sonhador. Ele acreditava que as associações evocadas pelas imagens sonhadas na mente do interpretador eram a chave para uma análise de sonho bem-sucedida. Também foi o primeiro a distinguir entre os sonhos que provinham da vida cotidiana e do estado presente da mente e do corpo (o *insomnium*) e os que invocavam uma consideração mais profunda da vida do sonhador num foco místico (o *somnium*). Ele acreditava que a segunda classificação de sonhos podia ser usada para prever eventos futuros.

É por seu pensamento pioneiro e sua louvável abordagem flexível da interpretação simbólica que Artemidoro é reconhecido como uma figura proeminente que liga as crenças antigas sobre a interpretação de sonhos ao mundo moderno. Suas observações refletem uma apreciação do simbolismo e um excelente domínio das metáforas do sonho, fazendo dele um precursor digno de autoridades modernas como Freud e Jung. Freud, aliás, deu o nome de *A Interpretação dos Sonhos* a seu principal trabalho na área como forma de sinalizar seu débito a Artemidoro.

Artemidoro acreditava que sonhos não eram nem bons nem maus. Por essa razão, não tocou nos detalhes dos pesadelos. Não é o simbolismo de um sonho por si que o torna um pesadelo, mas sim como esses símbolos são interpretados e "filtrados" pelas lentes das circunstâncias da vida do sonhador.

(Ver também **Dicionários de sonhos**)

Árvores

As árvores representam o próprio indivíduo, o *eu* — as raízes são a conexão literal com a família, os amigos, os ancestrais e o mundo, e os galhos representam os percursos escolhidos durante a vida, incluindo a carreira, a arte, os *hobbies* e outros interesses.

O pesadelo do portal da árvore gigante

Melanie Durrel, de 47 anos, é uma pequena comerciante cuja empresa fornece tecnologia para outras companhias. Ela vive em Overland Park, Kansas, e desde 1990 experimenta pesadelos que começam de maneira igual: ela se encontra parada diante de uma árvore imensa.

O Pesadelo:

> O pesadelo sempre começava da mesma forma: eu me preparava para entrar numa árvore. Ela era muito grande, escura e imponente. Eu me aproximava, às vezes caminhando, outras vezes flutuando, como acontece nos sonhos. Quase sempre, havia uma porta no tronco, mas às vezes tinha de subir nela para poder entrar. A árvore sempre era enorme e assustadora, e me fazia lembrar daqueles velhos carvalhos que crescem no sul dos Estados Unidos.

> Quando abria a porta e entrava, eu me via numa imensa mansão com muitos quartos espaçosos, teto alto e detalhes decorativos. Havia cornijas de lareira elaboradas, enfeites de gesso, escadarias largas, lustres e móveis maravilhosos. Em algumas variações do sonho, o interior da árvore era um shopping cheio de gente, escadas rolantes e fontes. Isso eu nunca entendi — os shoppings.
>
> Dentro da casa havia passagens secretas. Quando as adentrava, elas se pareciam mais com a própria árvore do que com a casa. Uma dessas passagens era como um "buraco de minhoca", na falta de outro termo melhor, e me levava direto ao sótão da casa de minha avó Lenore.
>
> Essa parte do sonho é sempre confortante. Eu amava o sótão da minha avó, minhas irmãs e eu brincávamos de nos vestir por horas lá em cima. Também era lá que me escondia se ela estivesse me procurando para dar broncas. Ela nunca me encontrava quando eu me enfiava lá, e assim evitei algumas surras.
>
> Há uma área específica da casa do sonho que eu evitava por medo. Algo sobre o que não se podia falar ficava ali e eu sabia que qualquer coisa terrível poderia acontecer comigo — ser estuprada parecia ser o temor maior. Às vezes, a "coisa" me perseguia pela casa. Eu corria pela mansão inteira tentando escapar dela — passando por cada um dos infindáveis quartos —, completamente aterrorizada. Também havia gente na casa — na sua maioria familiares, que não queriam (ou não podiam) me ajudar ou proteger. Era como se eles não pudessem me ver nem ouvir. A "coisa" que me perseguia não tinha forma. Era invisível.

Melanie não tem esse pesadelo há mais de três anos. Ela acredita que o motivo é que, para evitar o pesadelo, ela se condicionou a acordar assim que vislumbra a árvore gigante. Afirma que, durante muitos anos, experimentava o pesadelo três a quatro vezes por mês. Melanie diz que "acordava chorando histericamente, lágrimas escorrendo pelo meu rosto, a fronha úmida, e tremendo de medo, incapaz de dormir de novo e fisicamente exausta. Meus prantos e gemidos freqüentemente acordavam os outros membros da casa."

A Análise:

As árvores representam o próprio indivíduo, o *eu* — as raízes são a conexão literal com a família, os amigos, os ancestrais e o mundo, e os galhos representam os percursos escolhidos durante a vida, incluindo a carreira, a arte, os *hobbies* e outros interesses. É significante notar que Melanie sempre se aproxima da árvore antes de adentrá-la, o que indica que esse sonho fala de uma viagem interior. Posto que é sempre assustador, essa jornada é rumo a um lugar obscuro dentro de si mesma.

O perigo no sonho de Melanie vem da "coisa" invisível que a persegue e que ela sente que irá machucá-la. Essa imagem de íncubus significa um assalto em potencial a seu ambiente físico ou possivelmente à sua estabilidade financeira por motivos desconhecidos (que podem ser o medo de perder o emprego, a economia ou contas altas que estão se acumulando). Uma vez que ela corre para o sótão da avó no sonho — um porto seguro para ela durante a infância —, a mensagem é que ela possui as ferramentas necessárias para evitar o ataque. Melanie afirma que agora controla o sonho porque se condicionou a despertar assim que a árvore aparece. Ela teme algo que está dentro dela, não fora.

Assassinato

O ato de matar num sonho não é necessariamente negativo. Conforme crescemos e mudamos, com freqüência sentimos como se estivéssemos "matando" partes velhas de nós mesmos. Um pesadelo sobre ser assassinado pode simbolizar sentimentos de medo ou impotência, enquanto matar outros pode indicar hostilidade ou raiva latente. Ao se interpretar esse sonho, é preciso levar em conta diversas variáveis que podem afetar seu significado, tais como a maneira pela qual é realizado o assassinato, a arma ou os meios usados, o alvo, e, é claro, os sentimentos engendrados pelo sonho.

Assassinatos em pesadelos simbolizam agressão e ira reprimida contra si mesmo ou outras pessoas. Se o sonhador é assassinado, isso pode indicar qualquer coisa, do sentimento de impotência ou vitimização até transformações de vida radicais (em que a antiga identidade "morre"). Assassinos e criminosos em pesadelos são geralmente vistos como representações do inconsciente, ou da "sombra", do sonhador.

Ataque cardíaco

Testemunhar alguém tendo um ataque cardíaco é uma experiência amedrontadora que fica gravada na memória da pessoa para sempre. Enquanto a obesidade e seus conseqüentes danos à saúde continuarem a assolar a sociedade moderna, obcecada por prazer instantâneo, doenças e ataques do coração vão continuar matando em quantidade cada vez maior. Sonhar que se está tendo um ataque cardíaco pode indicar que problemas de saúde preocupam o sonhador. O coração também simboliza o centro emocional, logo problemas cardíacos nos sonhos podem igualmente pressagiar o início de uma fase turbulenta num relacionamento. Testemunhar outra pessoa tendo um ataque cardíaco num sonho pode indicar que você é a causa do sofrimento emocional de alguém.

Ataque de cachorro

Na natureza, cachorros são animais que vivem em matilhas e que caçam, como lobos, com um "macho alfa" para liderá-los. Sonhar que se é atacado por uma matilha de cachorros pode ser um pesadelo especialmente terrível, em particular se o sonhador já sofreu uma mordida ou ataque. Examine sua própria vida em busca de uma personalidade alfa (provavelmente um homem) que você encare como beligerante, dissimulado ou cruel. Esse alfa pode estar liderando uma matilha faminta em sua direção. Detenha/aplaque o alfa, e irá parar os outros também.

Um pesadelo que envolva um único cão a persegui-lo pode indicar que você experimenta uma perda de controle ou um senso de vulnerabilidade na sua existência. Alguém ou algo na sua vida pode estar tentando controlá-lo de maneiras sutis.

Aurora

A aurora é o período em que o dia começa a clarear e o "véu" do mistério é erguido. Esse momento simboliza a transição do desconhecido para o conhecido e indica que o sonhador está começando a clarear questões antes nebulosas e confusas.

Austrália

Há mais de quinhentas tribos aborígines na Austrália. Embora tenham seus costumes individuais, todas compartilham crenças em relação à humanidade e a seu relacionamento com a natureza. Sonhar representa um papel central no mito de criação dessas pessoas: de acordo com ele, o universo sonhou a si mesmo em existência. O conceito aborígine de "tempo de sonho" é semelhante em muitos aspectos ao conceito ocidental de imaginação e se refere à aurora do tempo, quando seres míticos criaram o mundo. Um tempo que também coexiste com o presente. A humanidade e a natureza existem como resultado das ações dessas figuras míticas. Nas culturas aborígines, o termo comumente usado para se referir ao passado místico também significa "sonho".

Muitas cerimônias aborígines acontecem em torno do mito do tempo do sonho. Indivíduos representam o que as figuras míticas fizeram no tempo de sonho porque acreditam que cada evento significativo deixa sua marca na terra, da mesma maneira que uma pegada na areia, e porque essas figuras também existem no presente. Ritos de iniciação e outros rituais evocam o passado, e os atores se tornam participantes indiretos da história. Ao representar o mito do tempo de sonho, os aborígines sentem que podem manter um elo com seus criadores. Passado, presente e futuro coexistem por meio do ritual. A vida e a morte são parte de um círculo que tem tanto seu começo quanto seu fim no tempo de sonho. O totem de um indivíduo o liga com uma figura mítica específica.

Os aborígines australianos sentem que podem ver pessoas distantes durante o sono e se comunicar com elas, mesmo quando estão há muito tempo mortas. Durante o processo de sonhar, as limitações físicas do espaço e do tempo são superadas, como foram no ritual, e dessa forma é possível para ancestrais e heróis transmitir informações imediatas e práticas em relação a eventos passados e futuros. Pesadelos com freqüência são interpretados como precognitivos, normalmente como uma tentativa de um ancestral de avisar o sonhador de eventos trágicos por vir. Este, por sua vez, relata os pesadelos ao xamã tribal, que, se considera o sonho profético, fornece instruções especiais para alterar seu resultado. Como em muitas outras nações primitivas e culturais tribais, é a narração de um pesadelo que dispersa seu potencial danoso e o impede de se realizar inteiramente.

Avalanche

Como uma inundação ou fogo, uma avalanche representa alguma fonte de medo e/ou vulnerabilidade na vida do sonhador. Alguém que sofreu uma experiência traumática de algum tipo (tal como um estupro ou a morte de uma pessoa próxima) pode ter de lidar com pesadelos recorrentes que reencenam a mesma experiência. Mas, de maneira mais comum, os sonhos contêm imagens de desastres mais generalizadas, tais como avalanches. O psiquiatra Ernest Hartmann diria que esse tipo de sonho "contextualiza" a emoção anulatória na vida acordada do sonhador ou proporciona um contexto de imagem metafórico para ela. Obviamente, o sonhador não vivencia realmente uma avalanche, mas suas emoções sábias e perceptivas ligam o trauma atual com a avalanche de sua imaginação. Ela se torna então a metáfora que representa o evento real, e não é menos aterrorizante por ser uma metáfora.

(Ver também **Metáfora**)

Aviões

Andar de avião coloca a pessoa numa posição vulnerável única, uma sensação que pode causar fobias graves — e pesadelos — em muitos. Andar num avião comercial é o grande equalizador — com exceção do piloto, ninguém tem nenhum controle real sobre o resultado do vôo. Voar a altitudes tão grandes que não dá nem para respirar e a velocidades que podem, literalmente, rasgar uma pessoa ao meio cria uma sensação de impotência. Cenas infelizes de desastres de avião na mídia ajudam a alimentar esse medo e fornecem grande alimento para a imaginação do sonhador. Se há problemas com o avião em seu sonho, sua resposta de "lutar ou fugir" fica a mil: você está a um ou dois longos minutos de queda livre de seu fim ou o avião irá se recuperar? Há alguma maneira possível de escapar? Um sonho normal sobre voar pode representar a liberdade de pensamento ou expressão, mas sentir o avião — e sua existência — em perigo significa que você pode estar sentindo uma falta significativa de controle sobre os eventos da vida, ou talvez um sentimento de vulnerabilidade ao mesmo tempo em que se encontra no seu melhor momento profissional.

Baratas

Para muitos, esses insetos geneticamente adaptados são associados com a sujeira. Elas podem ser pequenas e numerosas ou grandes como ratos e produzem um terrível *plaft* quando esmagadas (um som que muitas vezes é pior do que a visão do próprio inseto). Ter uma barata num pesadelo significa que você precisa reavaliar a limpeza de sua cozinha ou de outros lugares onde recebe nutrição (física ou de outro tipo). Os insetos também podem indicar que você foi vítima de algumas idéias ou de esquemas suspeitos.

Bardo Thodol

Algumas vezes chamado de *Livro dos Mortos Tibetano*, o *Bardo Thodol* é um texto funerário que descreve as experiências da alma depois da morte e durante o *bardo* (o intervalo de tempo entre a morte e o renascimento). A palavra significa literalmente "libertação pela escuta no estado intermediário". O *Bardo* é recitado pelos lamas — sacerdotes budistas — sobre a pessoa moribunda ou recém-falecida, ou algumas vezes sobre uma efígie do falecido. Foi sugerido que isso é um sinal da influência do xamanismo no budismo tibetano. O *Bardo Thodol* divide o estado intermediário entre uma vida e outra em três bardos:

> O *chikhai bardo*, ou "bardo do momento da morte", apresenta a vivência mais próxima da "luz clara da realidade" que uma pessoa é espiritualmente capaz de receber.

> O *chonyid bardo*, ou "bardo da vivência da realidade", apresenta visões de várias formas de Buda.
>
> O *sidpa bardo*, ou "bardo do renascimento", apresenta alucinações impelidas carmicamente que irão por fim resultar no renascimento em outra vida.

Descrições do *Bardo Thodol* podem ser comparadas a relatos modernos de experiências extracorpóreas de pessoas que quase morreram em acidentes ou na mesa de operação. Esses relatos tipicamente envolvem a experiência de uma "luz branca" ou presença divina e seres prestativos que correspondem às crenças religiosas da pessoa.

O *Bardo Thodol* também menciona três outros *bardos*: da "vida" (ou consciência acordada comum), do "dhyana" (meditação) e dos "sonhos". Quando tomados juntos, classificam os estados de consciência em seis tipos amplos, e nenhum deles acarreta um "estado intermediário" — encontrado entre si mesmo e outros estados de consciência.

Barragem

Uma barragem retém grande quantidade de água — a estrutura em si simboliza o triunfo do homem sobre a natureza e sua subjugação. Metaforicamente, a água representa os mananciais profundos de emoções (positivas e negativas) em nosso inconsciente, e a barragem significa a falta de franqueza e de disponibilidade emocional para os outros. É o muro simbólico que temos usado como defesa em relação a outras pessoas. Uma barragem que se rompe num pesadelo pode significar que sentimentos reprimidos querem se manifestar — *e muito*. Lembre-se de que uma quantidade de água gigantesca como essa pode ser uma força destrutiva, então tenha cuidado com quando e como se deixará "liberar".

Batalha

Observar uma cena de batalha em sonhos em geral representa o conflito interior. Já dois grandes grupos envolvidos num combate engendra uma sensação de impotência; uma vez em progresso, a luta deve ser levada até sua conclusão lógica. A batalha em sonhos indica, possivelmente, uma ruptura ou desacordo entre o intelecto e as emoções: o cérebro talvez esteja batalhando por uma posição enquanto o coração está em completa oposição. Pode, ainda, ser uma metáfora para um conflito real entre você, quando acordado, e outra pessoa. No caso de veteranos de guerra que sofrem Distúrbio de Estresse Pós-Traumático, um pesadelo de batalha pode ser simplesmente uma representação do trauma real do combate.

(Ver também **Guerra**)

Bater na porta

Batidas misteriosas tarde da noite em sua porta podem fazer com que surtos de adrenalina e medo passem por seu corpo. Num pesadelo, a batida em si pode fazer com que o coração do sonhador acelere, e há o temor implícito de quem (ou do quê) pode estar atrás da porta. Nesse sonho, um aspecto desconhecido de sua personalidade, provavelmente seu "eu sombra" ou inconsciente, está tentando chamar sua atenção e ganhar entrada.

(Ver também **Portas**)

Beco

Um beco em geral tem a conotação de um confronto sinistro ou abertamente violento. Sonhar com becos num contexto ameaçador pode indicar que um atalho está sendo tomado em sua vida pessoal ou profissional, o que mais tarde pode ter resultados infortunados. O ambiente vulgar de um beco pode indicar seu desconforto em relação a amizades ou alianças com pessoas questionáveis e inescrupulosas.

Bela Adormecida, A

Os Irmãos Grimm (Jacob Ludwig Carl Grimm, nascido em 1785, e Wilhelm Carl Grimm, nascido em 1786) começaram a coletar lendas populares de sua terra natal, a Alemanha, por volta de 1806. Eles reuniram e colocaram no papel as histórias folclóricas tradicionais e mitos que vinham sendo transmitidos oralmente para crianças e contadas ao redor das fogueiras por muitos anos. A história da Bela Adormecida é uma dessas. Fala de um rei e de uma rainha que ansiavam por uma criança. Quando finalmente tiveram uma filha, o rei realizou um grande banquete para celebrar o evento, mas como ele tinha apenas 12 pratos de ouro, pôde convidar somente 12 das 13 Mulheres Sábias da vila. As primeiras 11 concederam presentes mágicos para a criança, tais como virtude, beleza e riqueza. Mas antes que a décima segunda Mulher Sábia pudesse dar seu presente, a décima terceira, que não havia sido convidada, invadiu o lugar e gritou em alta voz: "A filha do rei irá picar seu dedo em um fuso, e cairá morta!"

A décima segunda Mulher Sábia não foi capaz de desfazer a maldição, mas a mitigou dizendo: "Não será morte, mas um sono profundo de cem anos, no qual o reino irá cair."

Quando a princesa fez 15 anos, ela picou o dedo e o reino caiu num sono de cem anos. Vinhas espinhosas tomaram o castelo e bloquearam todos por um século. A história de uma amaldiçoada, porém bela, "Princesa Adormecida" circulou pelo país. Príncipes tentaram passar pelos espinhos, mas nenhum foi bem-sucedido. Depois de um século, um príncipe foi ao castelo, pronto para tentar a sorte e passar pelos espinhos, mas de repente os espinhos e vinhas desapareceram, como mágica. O encantamento se dissipou e ele acordou a princesa adormecida com um beijo.

"A Bela Adormecida" foi inspiração para o filme da Disney do mesmo nome. Para muitos de nós, o sono é uma recompensa muito procurada, mas um século de sono seria realmente um pesadelo.

Bíblia

A Bíblia é rica em referências a sonhos e pesadelos. Alguns podem ser encontrados no Novo Testamento (de maneira mais notável na experiência reveladora de São João na ilha de Patmos), mas eles são mais predominantes nas escrituras hebraicas do Velho Testamento. Ali, exemplos de interpretações, experiências e observações sobre sua função e sua natureza são comuns. Em geral, a Bíblia apresenta sonhos como a forma mais amplamente expressa de comunicação divina imediata e pessoal. Encontros pessoais e cara a cara com Deus na Bíblia são carregados de extremo perigo para o indivíduo, então Deus parece mitigar isso manifestando sua presença em sonhos, visões acordadas e inspirações. A mensagem crucial transmitida por essas manifestações em sonhos são a constância da presença de Deus e a função do sonho como uma ligação ou meio de comunicação divina com a consciência adormecida.

A posição da Bíblia quanto aos sonhos, seus significados e origem é com freqüência ambivalente e algumas vezes completamente contraditória. Portanto, é difícil, se não impossível, encontrar uma teoria unificada dos sonhos e do sonhar na Bíblia. Numerosos exemplos de sonhos e pesadelos como revelações divinas importantes são citados em toda a extensão de ambos os Testamentos, mas há também muitas passagens que os rejeitam, considerando-os inúteis e ilusórios. Algumas passagens bíblicas apresentam os sonhos como sombriamente enganosos e parecem depreciar aqueles que têm a audácia de afirmar conhecer a vontade de Deus por meio deles.

A comunidade hebraica antiga era a única que não acreditava que os sonhos se originassem no reino dos mortos. Em vez disso, eles pensavam serem mensagens proféticas do único Deus verdadeiro. Por conseqüência, e ao contrário de outras sociedades que os rodeavam, não buscavam ativamente induzir seus sonhos. Acreditavam que apenas Deus podia ser a fonte de revelações divinas, e que ele as fazia somente para os que fossem merecedores. A crença era que unicamente alguém da tradição judaica podia interpretar de maneira correta sonhos proféticos. Isso ajudou a consolidar o Judaísmo como uma religião unificada e étnica, e a confirmar seu senso de chamado messiânico. Não é de surpreender que toda uma seção do *Talmude* seja devotada à análise sistemática de sonhos, pesadelos e visões.

É possível separar os sonhos bíblicos em três categorias distintas, embora ocorra uma sobreposição significativa entre elas. A primeira são os *sonhos simbólicos*. Exemplos desse tipo específico podem ser encontrados por toda a literatura remanescente do Oriente Médio, mas na Bíblia eles ocorrem quase exclusivamente com soberanos gentios e outras figuras políticas importantes. Um exemplo bem conhecido dessa categoria é o sonho perturbador do faraó, conforme interpretado por José. O faraó primeiro sonha com sete vacas gordas e depois com sete vacas magras, e então com sete espigas de milho cheias e com sete espigas finas. José usa esses sonhos para prever sete anos de fartura seguidos de sete anos de escassez na terra, dessa forma ganhando o respeito do faraó como interpretador dos sonhos. Ele não aceita o crédito por sua capacidade de adivinhação quando a predição se realiza; em vez disso, a atribui à sabedoria e ao poder de seu Deus.

A segunda categoria de sonhos bíblicos, os *sonhos sintomáticos*, trata da saúde física e espiritual do sonhador. Quando Daniel interpreta os sonhos do rei Nabucodonosor, ele proclama que a grande árvore no sonho simboliza o próprio rei. Usando esse símbolo e outros, é capaz de deduzir que Nabucodonosor irá sofrer um colapso mental inevitável enquanto se recusar a reconhecer Deus como o único deus verdadeiro. Daniel, assim como José, também se recusa a receber o crédito por sua capacidade de interpretação e as atribui à graça e à inspiração de Deus. Esse é outro exemplo em que um israelita é a única pessoa preparada para discernir a mensagem divina apresentada num sonho.

O terceiro e mais altamente respeitado tipo de sonho recontado na Bíblia é o *sonho mântico* ou *profético*. José é um dos sonhadores mais prodigiosos dos tempos bíblicos. No início de sua história, os sonhos são quase a causa de sua ruína, mas também são instrumentais para seu derradeiro triunfo. Alguns documentos da época referem-se a ele como *Baal Chalomot*, que significa "mestre dos sonhos". Demônios também recebem nomes que começam com o epíteto "Baal", que é também o nome da divindade pagã primária, bem como um símbolo cristão de idolatria. Dessa maneira, o título de José pode ter causado alguma confusão, mas o Gênesis nos garante que suas interpretações vêm puramente de influências divinas, e não demoníacas. Os autores da Bíblia admitem que nem todos os sonhos vêm direto de Deus; o anjo Gabriel recebe o nome de "Príncipe dos Sonhos" devido a seu envolvimento na entrega de mensagens divinas por meio de sonhos, visões e até pesadelos.

Embora a Bíblia não use o termo "pesadelo" de forma direta, nem todos os sonhos enviados por Deus são agradáveis. Na verdade, há momentos em que eles são extremamente assustadores para o sonhador e levam uma mensagem de aviso. Jacó vivencia um sonho no qual luta com uma figura escura e misteriosa até a manhã; Abimeleque é avisado num sonho para não tocar a esposa de Abraão, Sara; e Jó sofre horríveis pesadelos durante suas aflições espirituais e físicas. Mesmo a esposa de Pôncio Pilatos, que julgou Jesus antes da crucificação, sofre de pesadelos — um pesadelo especial a incita a falar com o marido e pedir que demonstre misericórdia em relação a Jesus.

As visões do mundo cristão ocidental falante de latim em relação aos sonhos e sua interpretação foram drasticamente mudadas no início do século V d.C., quando o papa Damaso I encarregou Jerônimo da tradução da Bíblia para o latim. Embora a lenda diga que este se converteu de seguidor de Cícero a seguidor de Cristo devido a um sonho, parece que ele deliberadamente traduziu de forma errônea a palavra grega *anan*, ou "bruxaria". Em sete das dez vezes em que a palavra aparece na Bíblia, ele a traduziu de maneira correta. As outras três vezes, quando a passagem condenava especificamente a prática de bruxaria, ele substituiu *anan* pela palavra latina para "observar sonhos". Então, em vez de se ler "não praticareis adivinhações nem bruxaria", a passagem diz: "não praticareis adivinhações nem observareis sonhos."

O fato de ele ter interpretado corretamente a palavra antes parece indicar que o erro de tradução foi deliberado. O motivo exato da interpretação incorreta não está claro; no entanto, o resultado foi que sonhos e pesadelos passaram a ser vistos de maneira muito mais suspeita nos séculos subseqüentes. Nos duzentos anos seguintes à "tradução" de Jerônimo, os cristãos ocidentais foram completamente desencorajados a dar atenção séria a seus sonhos. Em contraste, no entanto, a Igreja Ortodoxa Oriental seguiu as visões da Bíblia grega, e suas posições favoráveis quanto aos sonhos permaneceram basicamente as mesmas.

(Ver também **Apocalipse**, **Sonhos precognitivos** e ***Talmude***)

Bicho-papão

O bicho-papão é, talvez, a criatura mais amedrontadora já criada pelo folclore. O motivo? Ele pode tomar a forma do que quer que assuste ou perturbe o sonhador. Drácula, Frankenstein e o lobisomem, todos têm um "visual" razoavelmente previsível — mas não o bicho-papão. Essa criatura é um transmorfo que normalmente se empenha em cometer travessuras e, ocasionalmente, pura maldade. De acordo com o folclore, o bicho-papão tende a ficar amigo de crianças pequenas para conseguir entrar em suas casas.

A fonte de pesquisa online *Encyclopedia Mythica* traça a etimologia da palavra inglesa para bicho-papão — *boogeyman* — a partir de *bugis*, que eram temíveis piratas da Malásia e da Indonésia. Os marinheiros ingleses provavelmente levaram para casa histórias desses homens e avisavam suas crianças para se comportar ou os *bugismen* (homens *bugis*) iriam pegá-las. As crianças não tinham referências visuais para os *bugis*, então criavam a criatura das profundezas mais sombrias de sua imaginação e seus medos mais primais.

Boca

A boca pode representar a fofoca e a rápida difusão de mentiras ou palavras bondosas e sinceras. Como as portas, simbolizam passagens ou portais de um lugar a outro, portanto, podem significar transição e mudança. Questões relacionadas com a sexualidade e urgências sexuais também podem estar associadas à boca.

Bomba

Uma bomba-relógio é motivo para medo real. Se você não puder desarmar o dispositivo nem se afastar da explosão a tempo, isso significa perdição certa. Num pesadelo, pode representar situações potencialmente explosivas em sua vida acordada, quer dizer, estado de vigília, ou um segredo devastador que você está escondendo a todo custo a fim de proteger os outros e a si mesmo. Alternativamente, o sonhador pode ter uma raiva ou fúria latente que está ameaçando vir à superfície e explodir.

Bosch, Hieronymus

Carl Jung chamou esse pintor do final da era gótica de "o mestre do monstruoso (...) o descobridor do inconsciente". Nascido Jerônimo Bosch em 1450, passou sua carreira na cidade holandesa de Hertogenbosch (da qual seu nome foi derivado). Era membro de uma comunidade religiosa chamada Irmandade de Nossa Senhora e, por essa razão, suas pinturas eram centradas sobretudo em visões religiosas — em especial no lado mais sombrio das profecias e tradições bíblicas.

Uma das pinturas mais conhecidas de Bosch é o tríptico intitulado *As Tentações de Santo Antão*. O trabalho se concentra no tormento mental e físico do santo que permaneceu fiel à sua fé mesmo em face da própria execução. O painel esquerdo representa o tormento físico de Santo Antão, o direito mostra as tentações da comida e do sexo, mas o central representa o elemento mais sombrio e com características de pesadelo: uma missa negra. Uma zombaria da missa católica é realizada nas ruínas de uma igreja, enquanto criaturas demoníacas olham de fora. Nos céus acima da cena, meio-pássaros/meio-veleiros flutuam numa imagem distorcida que é de tal forma estranha e ainda assim tão bem trabalhada que a sensação sinistra e de pesadelo é retratada de maneira ainda mais aguda.

Em *Cristo Carregando a Cruz,* de Bosch, os rostos que rodeiam Jesus enquanto ele empurra a cruz pelo caminho parecem quase cômicos, mas os olhos traem um laivo maligno, e os tons escuros da obra transformam o cômico em horror. As pinturas de Bosch valem mil sermões de "fogo e enxofre" sobre o inferno do pregador mais ardente.

Bosch morreu em 1516, deixando um legado de imagens religiosas horríveis em sua obra e dando ao público alimento para seus próprios pesadelos.

Briga

Brigar num sonho com freqüência sugere um conflito interno na psique do sonhador, talvez sobre ideais e valores. Também pode ser que esteja se sentindo sobrecarregado ou oprimido por uma pessoa que exerce autoridade sobre você, incitando-lhe o desejo de ser capaz de expressar sua opinião.

Bruxa/bruxo

Coloquialmente, o termo bruxa — *witch*, em inglês — é aplicado quase exclusivamente a mulheres, embora, na Inglaterra pré-moderna, também fosse aplicado a homens — bruxos. As bruxas e wiccans modernas, autoidentificadas, continuam a usar o termo para todos que praticam bruxaria. A concepção moderna das bruxas da história adota elementos da bruxa familiar do folclore — o homem charmoso e sagaz ou a mulher sábia (velha), a adivinha e a astróloga.

Hoje, o termo *bruxa* é usado com mais freqüência como um insulto — apenas imagine a bruxa velha representada nos filmes e livros da cultura popular — e vez ou outra é empregado em acusações contra pessoas suspeitas de causar dano via meios sobrenaturais. Algumas vezes, tais acusações explodiram na paranóia em massa da caça às bruxas. No Ocidente moderno, as denúncias de bruxaria têm com freqüência sido acompanhadas das de ritual satânico, abuso e histeria. De maneira interessante, elas podem ser encontradas por toda a história e em quase todas as culturas.

Para pessoas com criação religiosa convencional, as bruxas podem representar o mal — especialmente uma versão feminizada do mal. Em especial para um homem, sonhar com elas pode simbolizar uma mulher maligna (real ou imaginada) ou, de maneira mais geral, ameaças de seu próprio e misteriosamente poderoso inconsciente que ele e a sociedade definiram como feminino. Como em *O Mágico de Oz*, bruxas boas *realmente* aparecem de vez em quando em representações populares — Glenda, a "bruxa boa", se identifica como tal, e ser uma bruxa não detrai de sua beleza ou benevolência. No entanto, nos sonhos da maioria das pessoas, elas normalmente representam algo sombrio, destrutivo e incontrolável.

Buraco

Se, num pesadelo, você se encontra dentro de um buraco, pode tê-lo cavado metaforicamente em sua vida acordada e está em dúvida sobre como fazer para sair dele. Sonhos assustadores em que se está preso em armadilhas ou enterrado em buracos provavelmente indicam ansiedade ou uma sensação de sobrecarga, como se o sonhador precisasse "sair do buraco". Podem também simbolizar o inconsciente e todos os desejos e pensamentos reprimidos e inaceitáveis.

Cabeça

A cabeça tradicionalmente simboliza sabedoria, intelecto e poder político. Pesadelos envolvendo danos à cabeça podem indicar que você está se sentindo despreparado para um desafio intelectual ou que não tem autocontrole ou comedimento. Você talvez esteja "perdendo a cabeça" por causa de um relacionamento ou sua habilidade em exercer poder e domínio sobre os outros talvez lhe tenha "subido à cabeça".

Cabelo

Assim como para Sansão na Bíblia, o cabelo pode denotar força, saúde, sexualidade e virilidade. A falta ou perda de cabelo nos sonhos talvez indique o medo de envelhecer. Cabelo comprido é um tradicional sinal de feminilidade, branco significa sabedoria e conhecimento, e desgrenhado indica despreparo e confusão. No mito da Medusa, seu "cabelo" representa a malevolência feminina. Já os cortes "à máquina" dos militares estão associados à disciplina masculina e ao comedimento. O significado exato dos sonhos envolvendo cabelo deve ser estabelecido pelo contexto do estado emocional dominante do sonhador.

Caça

Os seres humanos estão no topo da cadeia alimentar, mas ainda assim são vulneráveis a ataques de animais selvagens e a predadores de sua própria espécie. Pesadelos envolvendo perseguições e caçadas devem ser interpretados segundo o contexto de emoções evocadas no sonhador. Uma excitante, porém assustadora cena de caça (ver o livro de William Golding, *O Senhor das Moscas*, para uma perturbadora tradução disso) pode indicar que há alguma competição primitiva ou disputa territorial acontecendo na vida do sonhador — talvez em seu ambiente de trabalho, mas também, possivelmente, na rivalidade em relação a uma pessoa conhecida. Talvez até uma competição pelo amor de alguém. Alternadamente, o pavor de ser caçado em um sonho pode indicar que o sonhador está experimentando sentimentos de forte ansiedade e impotência em sua vida acordada. Vítimas de trauma freqüentemente têm pesadelos em que são caçadas, perseguidas ou atacadas.

Cadáver

Um corpo morto num sonho pode representar sentimentos cuja vida foi sugada. Talvez você esteja sendo microgerenciado no trabalho e tenha perdido a capacidade de ser criativo ou pensar livremente no local, ou talvez um vampiro psíquico em sua vida esteja se alimentando de sua vitalidade e energia. Um cadáver em um sonho pode também indicar um sentimento de enervação tal como o que uma pessoa experimenta quando adere a uma rotina enfadonha. Corpos mortos em seus pesadelos também podem representar ainda uma preocupação doentia com a morte.

Cair

Do mesmo modo que existem ansiedades universais, os sonhos são condicionados por temas universais que delas surgem. Sonhos de queda livre, vôo livre, nudez e exames ou provas são alguns dos temas mais comuns, e quase todo mundo já experimentou um ou mais sonhos como esses.

Alguns biólogos sociais sugerem que nosso medo de cair advém de temores herdados de nossos ancestrais, os quais tinham o hábito de dormir sobre as árvores para se proteger dos predadores (idéia que converge com a de inconsciente coletivo desenvolvida por Carl Jung). Todavia, alguns psicólogos acreditam que nosso medo de cair decorre das incertezas e dos machucados oriundos da infância, quando começamos a aprender a andar. Essa teoria, caso seja verdadeira, confirma o impacto das experiências infantis sobre a psicologia dos adultos.

Seja qual for a origem do medo de cair, é a emoção dominante na vida do sonhador que irá contextualizar o sonho e atribuir significado a ele. Sentimentos de culpa ou de desencorajamento, ou uma sensação de fracasso ou de prosternação podem, portanto, encontrar expressão nos sonhos de queda livre. Uma mulher educada segundo costumes conservadores, por exemplo, pode sonhar com uma queda livre depois de um encontro erótico, pois teme ter se tornado uma "mulher decaída". Sonhos de queda livre também ocorrem durante períodos de muito estresse e ansiedade, quando uma pessoa se sente completamente impotente e/ou fora de controle, como durante um divórcio ou a perda de um emprego.

Sonhos de queda livre não são necessariamente simbólicos. Ann Faraday, autora do livro *The Dream Game* (Harper Collins, 1976), por exemplo, relata como um dia notou que a balaustrada da sacada de seu novo apartamento no sétimo andar não estava firme. Preocupada com a mudança, não se deu conta do perigo iminente representado pelo anteparo solto. Naquela noite, ela sonhou que caíra da sacada, e foi isso que a estimulou a atentar para a condição precária da balaustrada no dia seguinte. Faraday também se opõe à idéia corrente de que as pessoas que não acordam antes de bater no solo acabam morrendo. Ela assegura que essa idéia é simplesmente uma superstição, que jamais foi comprovada por experiências com sonhos.

Uma última consideração sobre sonhos de queda livre diz respeito ao "solavanco" que nos desperta de tais sonhos. De acordo com algumas tradições do ocultismo, nossa consciência pode abandonar nosso corpo enquanto sonhamos (Ver também **Projeção astral**). Quando algo acontece que nos faz acordar de repente, nosso eu espiritual subitamente retorna ao corpo como que reproduzindo o som de um estalo. Essa "aterrissagem brusca" resulta no despertar repentino e é registrada em nossa consciência onírica como uma queda livre.

(Ver também **Mioclonia noturna** e **Cama**)

Caixão

O caixão é a parada final em sua jornada da morte. É a caixa em que nossos restos mortais são colocados antes de serem descidos à cova e para longe da vista. A imagem de um caixão num pesadelo pode representar uma situação em deterioração ou morta, ou talvez uma sensação de restrição e confinamento por parte do sonhador. Imagens relacionadas com caixões, como cadáveres, cemitérios e ossos, podem representar preocupação ou obsessão com a morte.

Cama

A cama nem sempre é um lugar de serenidade e descanso. De vez em quando, ela pode ser um cenário de agitação e até de pavor. O espaço embaixo da cama é um local escuro e assustador, cheio de bolas de poeira, na melhor das hipóteses, e de bestas viscosas, na pior delas. Um medo típico da infância é "a coisa embaixo da cama", algumas vezes chamada de bicho-papão — o monstro ubíquo e sem rosto que espera que uma perna desgarrada se balance para o lado para que ele possa agarrar sua presa e puxá-la para baixo. É a mesma criatura que faz as crianças pularem na cama de alguns metros de distância para que seus tornozelos não fiquem numa distância em que possam ser agarrados. Muitos adultos carregam traços desse medo de infância na idade adulta.

Algumas pessoas vivenciam a sensação preocupante de serem acordadas por chacoalhões da cama. Em regiões propensas a terremotos, uma cama chacoalhando pode ter uma razão perfeitamente natural, mas algumas pessoas vivenciam essa sensação mesmo quando não há nenhum tremor. A sacudida em geral é bem leve — mais uma vibração do que um tremor violento, embora em casos raros algumas pessoas tenham achado que um terremoto estava realmente acontecendo. Uma explicação esotérica para esse evento é que, durante a noite, o espírito do sonhador deixa o corpo (ver também **Projeção astral**) e viaja para planos alternativos. Mas o espírito é sempre ligado ao corpo vivo por uma fina corda. Se o corpo físico do sonhador é perturbado, o espírito será assimilado de maneira súbita pelo corpo, o que então fará com que corpo (e cama) chacoalhem. A explicação médica mais comumente aceita para a "síndrome do chacoalhão da cama" é que ela é um subproduto da apnéia do sono ou um caso leve de paralisia do sono.

(Ver também **Paralisia do sono** e **Apnéia do sono**)

Caminho

Andanças introspectivas e espirituais por caminhos desobstruídos significam clareza de pensamento e paz mental. Caminhos sinuosos, perigosos ou cheios de obstáculos, contudo, podem indicar que a direção que o sonhador seguiu na vida ou sua escolha vocacional precisam ser reavaliadas. Nos pesadelos, você pode ser vítima de emboscadas enquanto passeia por determinado caminho — mais uma indicação de que está eventualmente seguindo rumos perigosos.

Câncer

Em geral, os sonhos daqueles que estão morrendo com freqüência contêm imagens que simbolizam a continuação da vida após a morte. Essa expectativa de morte como uma forma de renascimento em outro plano de existência é útil para aqueles que temem morrer, já que isso lhes dá esperança de que a morte seja mais do que esquecimento. Ter algum tipo de fé religiosa muitas vezes ajuda a pessoa a aceitar sua inevitável chegada. A crença na vida após a morte pode ajudar a diminuir o medo que muitos sentem quando examinam sua própria mortalidade; dessa forma, ela diminui também a freqüência de pesadelos de ansiedade conforme a pessoa se aproxima do fim. Por exemplo, uma paciente que estava sofrendo de câncer terminal teve sonhos recorrentes em que uma mão a chamava para o outro lado de um rio. Cada vez que tinha esse sonho, o rio ficava progressivamente mais estreito, até que ela pôde pular por cima dele e atravessar para o outro lado. Esse último sonho ocorreu pouco antes de sua morte. Parecia que o rio em seus sonhos representava o rio da vida, e o fato de cruzá-lo em sonho indicou que ela estava preparada para fazer a travessia também em sua vida acordada.

Não são incomuns sonhos que diagnosticam ou predizem o câncer, ou que ao menos nos inspiram a buscar um parecer médico. Marc Ian Barasch, o premiado autor de *Healing Dreams* (*Sonhos Curativos*, Rodale, 2001) experimentou um pesadelo recorrente que era centrado na região do seu pescoço. Depois de um sonho especialmente perturbador, no qual uma panela de ferro cheia de dolorosos carvões em brasa estava pendurada sob seu queixo, ele decidiu buscar a opinião de um profissional da área médica. A bateria inicial de testes nada detectou, e os pesadelos continuaram. Barasch insistiu em que fossem feitos mais exames. Por fim, os médicos detectaram um caroço duro em seu peito, que se mostrou maligno. Ele foi em seguida tratado de câncer da tiróide (felizmente, nos estágios iniciais) e conseguiu derrotar a doença; no entanto, seu prognóstico poderia não ter sido tão positivo se os pesadelos recorrentes não o tivessem incitad'o a insistir numa segunda opinião. Ao fazer com que a detecção ocorresse logo, os pesadelos provavelmente foram responsáveis por salvar sua vida.

Como no caso de William C. Dement, o pioneiro pesquisador do sono e fundador do primeiro laboratório do sono na Universidade de Stanford, os pesadelos podem nos encorajar a parar com hábitos autodestrutivos. Numa época, Dement foi um fumante contumaz. Durante esse período, sonhou que tinha um câncer nos pulmões que não podia ser operado. No sonho, ele sentia a força total do diagnóstico e sofria o medo de morrer. Quando acordou, a tristeza e a culpa que experimentou ao ser confrontado pela possibilidade de perder para sempre a família o fizeram largar o cigarro de maneira abrupta e por completo no dia seguinte.

Esse tipo de pesadelo, é claro, não significa necessariamente que o sonhador tem câncer, embora possa com certeza refletir medo da doença. O câncer é, com freqüência, um mal notoriamente furtivo e oculto: as pessoas podem tê-lo por meses ou mesmo anos e não perceber, descobrindo tarde demais o diagnóstico verdadeiro. O câncer, em especial o das mamas e o da próstata, tornou-se assunto permanente no noticiário e na mídia. Infelizmente, essa doença passou a fazer parte do discurso de ansiedade de nossa era, de forma que um pesadelo com câncer pode ser uma resposta a um diagnóstico positivo numa celebridade, num conhecido ou num ente querido, ou mesmo à morte por câncer de alguma dessas pessoas.

Alternativamente, muitas vezes usamos o câncer de maneira metafórica para falar de condições ameaçadoras que estão se expandindo de forma destrutiva em nossa vida. Sendo assim, um sonho com câncer pode refletir o sentimento de que algo está consumindo o sonhador.

(Ver também **Veneno**)

Canibalismo

Esse pesadelo indica uma sensação de impotência e vulnerabilidade em algum sentido profundo para o sonhador. Ser vítima de canibalismo num sonho pode sugerir que a pessoa se sente como se estivesse sendo devorada viva pelo trabalho, por um relacionamento ou por outra condição aprisionante em sua vida. Sonhar que se está devorando a carne de outra pessoa é literalmente devorar sua essência, e pode indicar que o sonhador é um "vampiro psíquico" que necessita de uma nova fonte de subsistência. Para a maioria das pessoas ocidentais modernas, o canibalismo, assim como o assassinato e o incesto, representam o ato proibido definitivo — o tabu derradeiro.

Caronte

Na mitologia grega, Caronte é o barqueiro do Hades, do submundo e da morada dos mortos. Ele leva os recém-falecidos pelo rio Aqueronte se eles têm um óbolo (moeda) para pagar pela passagem. De acordo com o mito, aqueles que não podem pagar são condenados a vagar pelas margens do Aqueronte por cem anos. Por essa razão, os mortos eram sempre enterrados com uma moeda embaixo da língua na Grécia antiga. Caronte é normalmente representado como um homem velho decrépito, irritado e magro ou como um demônio alado com um martelo de duas cabeças.

Na peça *Ricardo III*, de Shakespeare, Clarence relata um pesadelo longo e aterrorizante no qual Caronte aparece de maneira proeminente:

> Oh, a confusão começou então para a minha alma
> Cuidei que passava o rio da melancolia
> Com esse sinistro barqueiro de que falam os poetas,
> E que entrava no reino da noite sem-fim...
> Despertei em sobressalto, e por um tempo
> Não ousava crer que estava no inferno,
> Tal a temerosa aflição causada pelo sonho.
> (linhas 44-47 e 61-63)

Casa

As casas são tradicionalmente vistas como projeções ou emanações das pessoas que as habitam. Acredita-se que seus aposentos correspondam às várias partes da psique das pessoas — o porão é o subconsciente, o sótão representa as memórias e assim por diante. Podem ser lugares seguros ou cenários de discórdia, medo e até horror. Uma casa em que houve um assassinato pode ser vendida por um preço muito inferior a seu valor de mercado. As pessoas temem locais onde coisas ruins aconteceram. Pesadelos em que o sonhador se encontra numa casa ameaçadora ou de maus agouros podem indicar problemas domésticos ou de relacionamento ou, mais provavelmente, podem exemplificar a maneira como ele vê a si mesmo.

Casa mal-assombrada

De acordo com uma pesquisa de opinião pública realizada pela Gallup Organization no dia 8 de junho de 2001, 42% dos americanos acreditam que casas mal-assombradas existem. Para milhares de pessoas, assombrações são reais e podem ser aterrorizantes. Indivíduos que experimentaram assombrações dizem ter-se sentido violados, como se um assaltante ou alguém indesejado tivesse chegado de repente em sua casa e resolvido ficar. Outros sentimentos comuns são, é claro, medo e espanto diante da idéia de que existe vida após a morte. Alguns fenômenos típicos relatados em casas mal-assombradas incluem misteriosos "pontos frios" (bolsões de ar perceptivelmente mais frios que as áreas ao redor), vozes desencarnadas e até mesmo as clássicas aparições de fantasmas. Conviver com uma assombração pode certamente afetar seus sonhos. Ter contato em sonho com um espectro exige um modo de pensar abstrato e criativo por parte dos "assombrados". Um pouco do medo e da confusão que sentem os moradores de uma casa mal-assombrada pode se manifestar nos pesadelos, nos quais os sonhadores lutam para compreender a idéia da existência dos fantasmas.

(Ver também **Fantasmas**)

Muitas casas mal-assombradas

Kyra Beck é mãe, tem 34 anos e vive no subúrbio de Cleveland, Ohio. Quando adolescente, teve um pesadelo envolvendo uma casa mal-assombrada que perdura até hoje.

O Pesadelo:

O lugar e as circunstâncias específicas do sonho variam, mas sempre envolvem um espírito/fantasma mau e ameaçador que me assombra dentro de uma casa. Até agora, os cenários desse sonho foram: a casa dos meus avós (que sempre foi um porto seguro para mim quando criança); uma outra na qual vivi dos 5 aos 12 anos; e uma que nunca vi antes, mas meu marido e eu acabamos de comprar ou estamos pensando em comprar.

Tudo começa bem; no entanto, vou gradualmente me dando conta de que há uma presença estranha na casa. Na maioria das vezes, sou a única a perceber. A situação degringola rapidamente: o espírito/fantasma grita, geme, me persegue, atira coisas em mim, bate as portas, etc. Se há outras pessoas presentes, elas desaparecem nesse momento, deixando-me só. Nunca sou capaz de ver a entidade; só consigo ouvi-la, vê-la manipular objetos ou senti-la passando por mim como uma lufada de vento. Os sentimentos são de puro terror. Em geral, tento desesperadamente sair, mas encontro muita dificuldade. Ou, como numa variação do sonho, consigo sair da casa (aquela que meu marido e eu estávamos pensando em comprar) apenas para descobrir que esqueci todas as luzes acesas e as portas destrancadas e que devo voltar lá para apagar as luzes e recuperar as chaves das portas, a fim de trancá-las. Tenho uma sensação de absoluto terror ao pensar em voltar lá e é então que acordo.

O sonho é sempre perturbador e comumente me sinto indisposta durante o resto do dia, rememorando-o na minha mente e pensando em seu significado.

Kyra e seu marido moram na mesma casa desde 1997. Ela afirma querer se mudar há alguns anos, mas ainda não encontrou tempo para fazê-lo. Quando perguntada se achava que sua atual moradia ou aquela onde passou a infância é assombrada, Kyra disse:

Houve algumas pequenas e estranhas ocorrências na nossa casa atual, mas para mim não foram inegavelmente paranormais. Então, não posso ter certeza. Mas talvez algo bizarro tenha se passado na casa em que eu vivi dos 5 aos 12 anos. Despertava no meio da noite para ir ao banheiro sem um pensamento amedrontador sequer, mas de repente ficava com medo de voltar ao meu quarto. Não sei do que tinha medo. Apenas sentia um enorme pavor de voltar lá. E o medo era tamanho que acabava por dormir ao pé da cama de meu irmão ou mesmo sobre o chão de madeira de seu quarto só para não ter de voltar. Meu pai bebia muito e era agressivo com minha mãe no tempo em que morávamos nessa casa. Eles se divorciaram então; meu pai não bebe mais desenfreadamente, nem trata sua atual esposa do mesmo modo. Quando bebia, era como se se transformasse em uma pessoa completamente diferente. Até seu rosto parecia distinto — quase malvado. Além disso, havia um papel de parede em meu quarto durante quase todo o tempo em que vivemos lá. Meus pais quiseram repintar o quarto quando eu tinha uns 10 anos e minha irmã caçula nasceu, então removeram o papel de parede. Embaixo, havia alguns desenhos sinistros de uma mulher-vampiro com sangue escorrendo da boca, um olho sangrando, e um estranho objeto semelhante ao sol. A palavra "lua" estava impressa em todos os batentes das portas, escrita corretamente e de trás para a frente. Então, sabe lá o que significava aquilo tudo. A verdade é que tenho sentimentos lúgubres e algumas lembranças muito desagradáveis daquele lugar. Aquela casa poderia realmente ter sido mal-assombrada. Senão por um espírito, era sem dúvida "assombrada" por vibrações e emoções negativas.

A Análise:

Uma casa é mais que quatro paredes e um teto. Para a maioria das pessoas, é o maior bem que conseguirão adquirir em toda a vida. É também o "ninho" — o lugar onde os relacionamentos mais íntimos e a família são construídos. No sonho de Kyra, a casa representa a família, e o fantasma parece representar um "negócio não terminado". O espírito parece ser oriundo diretamente da sua infância — traduz os sentimentos de medo que ela tinha em relação ao pai quando ele bebia, assim como em relação a seu quarto de dormir.

Kyra menciona que ela e o marido vêm alimentando a idéia de comprar uma casa nova há alguns anos, o que por si só pode ser uma tarefa assombrosa. O pesadelo recorrente representa o medo de Kyra de se estabelecer em uma casa que de alguma forma se assemelhe à antiga ou às condições de vida da sua infância. Quanto mais intensa é a atividade fantasmagórica de seu sonho, menos pessoas há a seu lado, e ela tem de lidar com a assombração sozinha. Isso sugere, ademais, que o problema é de seu próprio passado e não do de outra pessoa.

Castração

Esse tipo de pesadelo normalmente expressa sentimentos de perda da virilidade, incapacidade ou impotência (sexual ou de outro tipo) na vida do indivíduo, mais provavelmente num relacionamento com uma parceira. O sonhador pode sentir que seu poder foi usurpado nos negócios ou em seu relacionamento pessoal, ou em ambos. Na psicanálise, Freud foi o primeiro a postular o termo "complexo de castração" ou "ansiedade de castração", ou medo de perder os testículos e o pênis. Ele acreditava que esse medo de infância representava um papel fundamental no desenvolvimento infantil. Em algumas culturas, de maneira mais notável na Europa do século XIX, não era incomum pais ameaçarem os filhos com castração — fenômeno que Freud documentou diversas vezes. As mulheres, obviamente, não sofrem desse tipo de ansiedade, mas, em vez disso, se sentem insuficientes ou desabonadas sexualmente de maneira mais genérica (por exemplo, não são suficientemente magras, suficientemente *sexy*, suficientemente sensuais e assim por diante).

Cavalo

Se num pesadelo você se vê fugindo sobre um cavalo imprevisível e assustador, isso pode indicar falta de controle ou de capacidade de ação em determinadas circunstâncias da vida. O sonhador talvez tenha se fragilizado por conta de um divórcio, da perda de um emprego ou de outro acontecimento igualmente grave. Falta de mestria e sensações de impotência e de vulnerabilidade compõem, provavelmente, o estado emocional do sonhador que tem pesadelos assim.

Cavar

Cavar ou escavar é algo rico em significado simbólico. Num sonho, a terra pode representar nosso inconsciente; nossa família de origem; ou nossas emoções, pensamentos e desejos há muito enterrados. É algo vital compreender o propósito da escavação em seu sonho a fim de entender o significado por trás do simbolismo. A tarefa contextualiza o símbolo e lhe dá sentido. Você está enterrando algo num pesadelo? Se sim, você pode estar tentando esconder um erro, indiscrição ou transgressão. Se está fazendo um túnel, pode estar tentando encontrar uma maneira escondida de sair de um relacionamento ou outra situação. E se você está procurando algo (um artefato?) que já está enterrado, isso pode indicar uma batalha árdua que enfrenta atualmente. Cavar num sonho pode ser o modo de sua psique indicar a necessidade de tirar a poeira e revisitar questões há muito enterradas.

Muitos problemas subordinados podem surgir durante esse sonho, trazendo as imagens e a narrativa bem para o campo do pesadelo: por exemplo, se seu entorno começa a se encher de água enquanto você cava, isso indica que você provavelmente está perdendo uma batalha árdua. Um desmoronamento pode indicar que o problema representado pela tarefa está dominando sua vida e pode ter potencial para causar um grande dano ou um colapso emocional, se você não lidar com ele.

Caveiras

Caveiras auguram perigo e morte, e emblemas em bandeiras nos quais as notamos sinalizam domínio e alarme. Também são associadas a piratas (ossos cruzados debaixo de uma caveira), aos Hell's Angels e a certas unidades de elite das forças armadas, indicando que são capazes de desferir ataques mortais.

(Ver também **Ossos**)

Cavernas

Cavernas escuras em sonhos representam em muitos casos o útero. Dessa maneira, a imagem tem muitas implicações sexuais. Como porões, fossos, abismos e buracos escuros, as cavernas também funcionam como repositórios metafóricos para impulsos e pensamentos inaceitáveis que residem no inconsciente. Perder-se dentro de uma caverna num pesadelo pode demonstrar uma luta com a culpa em relação a sensações sexuais, e se o lugar for ameaçador e escuro pode representar ansiedades em relação ao próprio ato sexual. Surgir ileso de uma caverna pode simbolizar um nascimento, um renascimento ou uma escapada por milagre. Na sociedade moderna, acredita-se que um homem precisa "entrar em sua caverna" a fim de se recarregar, para ganhar alguma privacidade e isolamento do mundo feminino, e para voltar a entrar em contato com sua masculinidade. Então, um homem que sonha com uma caverna pode ter um desejo não expresso de abraçar seu lado mais masculino. Além disso, a "caverna" metafórica de Platão era um lugar no qual a essência de tudo e todas as idéias residiam.

(Ver também **Porão**)

Cayce, Edgar

"Os sonhos são as respostas de hoje para as perguntas de amanhã", disse uma vez Edgar Cayce. Nascido em Hopkinsville, Kentucky, em 18 de março de 1877, e criado numa fazenda, Cayce foi um dos sensitivos mais renomados do mundo. Era um homem mediano em muitos aspectos: nunca recebeu educação formal, era casado, tinha dois filhos, trabalhava como fotógrafo e era um cristão devoto. Mas sua capacidade psíquica o tornou uma celebridade, e ele teve muitos seguidores em seu trabalho. Tornou-se conhecido na imprensa como "O Profeta Adormecido" e "O Maior Místico dos Estados Unidos da América".

Ele tinha a capacidade de deitar num colchão, fechar os olhos, colocar as mãos sobre a barriga e imediatamente entrar num estado de sono no qual conseguia meditar e acessar a mente cósmica ou "inconsciente coletivo" (como Carl Jung iria chamar). Uma vez nesse estado de sono, fazia "leituras" conforme as pessoas elaboravam perguntas que abarcavam uma diversa gama de assuntos, do mundano ("Como posso remover uma verruga?") ao complexo ("Quais são os segredos do universo?"). Um estenógrafo sentado próximo a Cayce durante as leituras anotava tudo o que ele dizia. Ele parecia trabalhar num tipo de transe de sono ou estado hipnótico inconsciente e guiado.

Cayce encorajava todos a interpretar seus sonhos e usá-los na vida cotidiana. Durante suas "leituras de sonhos", ele com freqüência interrompia o cliente e oferecia uma interpretação antes que o sonho tivesse sido completamente relatado, e algumas vezes preenchia partes que o sonhador supostamente esquecera. Ao contrário da interpretação junguiana ou freudiana, Cayce não enfatizava a importância dos símbolos. Em vez disso, achava que cada indivíduo tinha seus símbolos únicos e, portanto, era a melhor pessoa para interpretar seus próprios sonhos. Encorajava todos a manterem diários de sonhos e a documentarem as imagens para referência posterior. Cayce afirmava que os sonhos eram uma fonte de *insights* valiosos sempre úteis para o sonhador. Além de proporcionar *insights* práticos diários na vida das pessoas, segundo Cayce, os sonhos permitiam-lhes comunicar-se com entes queridos, mortos ou vivos; lembrar-se de experiências de vidas passadas; predizer o futuro; e vivenciar muitos outros fenômenos psíquicos. Ele afirmava que essa capacidade paranormal não era privilégio de alguns poucos dotados, mas sim habilidades que qualquer um poderia aprender.

As duas fontes das quais Cayce afirmava obter suas leituras eram o subconsciente da pessoa que fazia a pergunta e o assim chamado "Registro Akáshico", espécie de biblioteca de informações hipoteticamente capaz de registrar tudo que ocorreu ao longo de toda a história da Terra.

Cayce parecia receber seus *insights* por meio de sonhos durante seu estado meditativo e acreditava que todos tinham a capacidade de vivenciar esses estados de percepção por meio deles. Achava que as imagens dos sonhos podiam ajudar as pessoas a diagnosticar e entender seus problemas de saúde, guiar decisões e até ajudá-las a se manter num caminho moralmente correto. Acreditava que qualquer questão importante que aparecesse no estado de vigília seria antes referida num sonho ou num pesadelo.

Cayce realizou suas leituras diariamente por 42 anos até sua morte em Virginia Beach, Virgínia, em 3 de janeiro de 1945. A Associação para Pesquisa e Iluminação, Inc., grupo fundado por ele em 1931, tem arquivadas cópias de mais de 14 mil das suas leituras.

Cegueira

Como um símbolo de sonho, a cegueira pode representar falta de autopercepção ou de *insight*. Talvez você esteja realmente alheio a suas necessidades emocionais ou físicas, ou possivelmente se entregando a uma "desatenção seletiva" no que diz respeito à importância das necessidades de um relacionamento. Sentir a perda da visão num pesadelo pode indicar que você está fazendo "vista grossa" para o que não quer saber: um exemplo clássico da idéia de simbolização de Freud.

Ceifador Implacável

O conceito de morte como um ser personificado e consciente com características humanas tem milênios de idade. Essa idéia encontrou expressão em muitos textos mitológicos, artísticos e particularmente, religiosos. A Bíblia e o *Corão* contêm muitas referências a uma criatura sombria e misteriosa que entrega uma alma do mundo dos vivos para o mundo dos mortos. Com o tempo, a idéia de morte evoluiu de uma "força" invisível e mais genérica para uma forma encarnada e humanóide. A "morte" como uma imagem dá forma a uma abstração e ajuda os homens a entender melhor o grande mistério a ela associado.

No século XV, a "morte" tomou a forma de uma figura sombria e coberta por um manto com capuz, com freqüência surgia como um esqueleto por debaixo do manto, carregando uma ampulheta para indicar a passagem efêmera do tempo do homem na Terra e uma grande foice usada para ceifar a "colheita" de almas frescas para a vida após a morte.

Num pesadelo, o Ceifador Implacável, ou Anjo da Morte, quase sempre significa mudança — como a própria morte, haverá um fim de uma coisa e o começo de outra. Ele pode também representar um elemento perturbador e atemorizante em sua vida espreitando nas sombras. O Ceifador Implacável é maldito e temido, mas o propósito da figura é ajudar as pessoas a fazerem a transição de um lado para o outro. Essa imagem num sonho talvez signifique a perda de um trabalho, de uma amizade ou de uma empreitada, mas também pode mostrar que há uma parte de sua psique que será capaz de permanecer forte e ajudá-lo durante a crise.

Cemitério

Em um pesadelo, descobrir-se num cemitério pode indicar tristeza profunda, sensação de perda ou pranto não resolvido em sua vida. Pode também ser indicativo de um "passado morto" espreitando na parte escondida e secreta de sua consciência. Sonhos com cemitérios também refletem uma preocupação com a mortalidade e a morte, e o medo em relação a esta última.

Cerca

Uma cerca é uma fronteira, um impasse, mas pode também proporcionar proteção. Se em determinado sonho existe uma área cercada, é preciso analisar de que lado da cerca você está para interpretar seu significado. Estar do lado de dentro da cerca pode significar um desejo de manter outras pessoas afastadas de você, ou também indicar um sentimento de clausura ou de estar sendo vítima de má-fé numa relação pessoal ou num acordo profissional. Ver-se impedido de prosseguir pela cerca pode querer dizer que algo que você deseja encontra-se fora de seu alcance ou lhe é proibido. Podem também significar fronteiras sociais que não temos vontade ou condições de transpor.

Chagall, Marc

Marc Chagall (1887-1985) foi um pintor francês nascido russo. Pertencia a uma família hassídica, e seu avô lhe ensinou a Torá. Viveu em um tempo no qual ele e a família precisavam de uma autorização para morar em São Petersburgo, por causa das leis anti-semitas da época. Associado intimamente com o movimento surrealista, seu trabalho é reconhecido por explorar o subconsciente e expor o humor, a fantasia e o lado mais sombrio de nós mesmos. Os trabalhos imaginativos de Chagall refletem a fantasia e a irracionalidade dos sonhos e suas imagens. Durante a Segunda Guerra Mundial e depois dela, o Holocausto de Hitler e as atrocidades perpetradas contra o povo judeu pesaram muito na mente de Chagall e algumas das suas imagens chegaram às suas telas. Muitos de seus trabalhos retratam refugiados judeus e líderes religiosos perseguidos. Acredita-se que uma dessas pinturas, *Crucificação Branca*, de 1938, que tem Jesus na cruz como tema central, é uma crítica à opressão judia, ao Holocausto e à liderança de Joseph Stalin.

Chaucer, Geoffrey

Nascido em Londres em 1343 (m. 1400) como filho de um rico mercador de vinhos, Geoffrey Chaucer foi talvez uma das maiores figuras literárias de toda a Inglaterra medieval. Aprendeu os ideais de amor fidalgo e cavalaria numa idade precoce, quando serviu como pajem na corte de Lionel, conde de Ulster. Por toda sua vida exerceu atividades diversas, como soldado, oficial do governo, juiz de paz e escriturário dos trabalhos do rei. Como poeta, foi fortemente influenciado pelos trabalhos de Boccaccio e Petrarca, bem como pelo gênero do poema "visão de sonho" (ele próprio um veículo para a poesia de amor fidalgo da literatura inglesa dos séculos XIV e XV). Possivelmente o melhor exemplo dessa escola de poesia pode ser encontrado no *Roman de la Rose* (*Romance da Rosa*) de De Lorris e De Meun, que serviu como modelo para vários poetas da corte, incluindo Chaucer.

Entre os principais trabalhos de Chaucher estão *Os Contos de Cantuária* e *Tróilo e Criseida*. Os primeiros, de 1387, são uma coleção de narrativas recontadas por um grupo de trinta peregrinos fictícios que viajavam de Londres para o altar de São Tomás em Becket. As histórias dos peregrinos, personagens comuns do final da sociedade medieval inglesa, refletem o interesse de Chaucer por atitudes contemporâneas em relação a religião, amor e casamento. Em *Tróilo e Criseida*, adaptação de *Filostrato,* de Boccaccio, Chaucer explora a complexidade do relacionamento amoroso, tecendo uma história de destino, sorte e excesso de confiança que por fim destrói a busca da felicidade dos amantes.

Além de sua tradução do *Roman de la Rose*, Chaucer escreveu quatro poemas de visão de sonho: *O Livro da Duquesa, A Casa da Fama, O Parlamento das Aves* e o prólogo de *A Lenda das Boas Mulheres*. Os três primeiros são apresentados como a narrativa de uma série de visões de sonho. A forma da narrativa liga a experiência de sonho irreal e visionária com a realidade comum, e era típica dos contemporâneos de Chaucer (embora tenha sido usada antes em modelos clássicos e bíblicos). Em seu "Conto do Padre da Freira", dos *Contos de Cantuária*, pede-se ao padre para contar uma história. Ele então relata o conto de Chanticleer, um galo que reina sobre sete galinhas no quintal de uma pobre viúva. Sua galinha favorita, Pertelote, é despertada por sons perturbadores — Chanticleer está tendo um pesadelo no qual um animal semelhante a um cachorro tenta atacá-lo. Quando ele relata o sonho, sua amada afirma que pesadelos são causados por comer demais e então se oferece para lhe fazer um laxativo.

Chanticleer responde com uma longa defesa dos sonhos proféticos, depois da qual declara estar tão radiante pela presença de sua amada que não mais se sente assustado pelo pesadelo. Depois disso ele voa até o jardim e tem relações sexuais com Pertelote. Uma raposa que estava se escondendo numa moita engana o galo, o agarra e o leva com ela. Chanticleer, no entanto, é capaz, por sua vez, de enganar a raposa, e escapa por pouco para o alto de uma árvore.

Chicote

Um chicote simboliza a autoridade e a punição corporal, que o sonhador pode estar impondo ou recebendo. Em qualquer das situações, o castigo representado é com freqüência abusivo e desproporcional ao "crime" — uma ocasião para a culpa e a vergonha latentes que podem estar sendo representadas no simbolismo e na narrativa maior do sonho.

Chifres

Chifres são estruturas pontiagudas que se projetam da cabeça de animais poderosos, como touros, carneiros ou bezerros, e são usados defensivamente. Porém, também podem ter utilidade em estratégias ofensivas, como para exibir domínio sobre outros animais da manada, e podem servir de advertência visual para outros animais agressivos. Nos sonhos, o chifre é um símbolo fálico e assinala sexualidade e/ou agressão.

China

Como muitas das primeiras sociedades, os chineses acreditavam que grande parcela dos sonhos se originava do reino dos mortos. Eles separavam a alma em duas formas distintas: havia o *p'o*, que eles consideravam como a "alma material" ou a essência física que dá vida ao corpo e, portanto, deixa de existir depois da morte; e o *hun*, a "alma espiritual" que pode sair do corpo durante o sonhar e ainda assim manter a aparência do corpo físico. Durante suas jornadas noturnas, o *hun* com freqüência visita a terra dos mortos, onde se comunica com ancestrais do sonhador, bem como com almas de outros que estão dormindo. Como na projeção astral, essas jornadas noturnas são vivenciadas como sonhos.

O registro e as interpretações de sonhos na história chinesa datam de mais de quatro mil anos. O antigo almanaque chinês, o *Tung Shu*, contém uma importante seção sobre sonhos, datada de cerca de 1020 a.C., intitulada "Livro dos Sonhos Auspiciosos e Não-Auspiciosos de Chou Kung". O nome do autor, Chou Kung, até hoje é associado com sonhos e com a interpretação deles.

O *Tung Shu* divide os sonhos em sete categorias cujo simbolismo é discutido de maneira independente. Na seção relacionada com o corpo humano, o autor afirma que sonhar que um dente está caindo indica que os pais da pessoa estão em perigo. Sonhar com o nascer do sol ou o aparecer da lua indica que a família do sonhador será próspera no futuro. Esses e outros sonhos proféticos são discutidos nas seções dos céus e do clima. Sonhos com animais também eram particularmente relevantes na cultura chinesa. De acordo com o *Tung Shu*, aqueles em que um papagaio está chamando o sonhador profetizam uma discussão vindoura que poderá ser bem séria, enquanto sonhos com uma andorinha que voa até o sonhador são presságio da visita de um amigo querido de um lugar distante.

Em contraste, o *Lie-tseu* emprega a abordagem taoísta para a interpretação dos sonhos. A doutrina taoísta postula a unidade do universo e a relatividade do mundo material. Nela, conceitos ou idéias são sem sentido e vazios sem sua contraparte contrastante. O *Lie-tseu* organiza os sonhos em várias classificações:

> *Sonhos comuns, que são meramente subprodutos aleatórios da mente sem nenhuma emoção ou influência prévia;*
> *Sonhos de terror, ou o que nós chamamos de pesadelos;*
> *Sonhos de pensamentos, ou o que dominou a mente do sonhador no dia anterior;*
> *Sonhos de acordado, que são o resíduo das ações do sonhador durante o dia;*
> *Sonhos de felicidade.*

O *Lie-tseu* exemplifica o princípio taoísta *yin/yang* (equilíbrio) no fato de discutir a necessidade de harmonia na vida da pessoa e de como a mente sonhadora compensa vários desequilíbrios em nosso estado de vigília. Por exemplo, alguém que está com fome no mundo acordado pode sonhar em ter comida em abundância ou em comê-la. Um sonho em que se cruza a água pode indicar que o *yin* é particularmente forte na vida do indivíduo, enquanto caminhar por um grande fogo de algum tipo sugere que o *yang* tem maior força. A abordagem taoísta do sonhar também inclui o uso de fatores astrológicos para explicar o significado de símbolos específicos de sonhos.

Os chineses desenvolveram uma concepção bastante complexa de energia (*Chi*), e a prática da acupuntura lhes deu um entendimento mais completo de como os campos energéticos funcionam no corpo humano e ao redor dele. Por causa desse conhecimento, eles consideravam perigoso acordar uma pessoa. Quando o *hun* está viajando fora do corpo, o indivíduo precisa acordar em sintonia com o tempo da alma. Se alguém é agitado de maneira abrupta no sono, as conseqüências podem ser terríveis: caso o *hun* seja incapaz de retornar ao corpo a tempo, a pessoa que está dormindo pode ficar então suscetível a problemas de saúde crônicos ou até à loucura. Relógios despertadores e outros meios abruptos de se acordar o corpo são vistos como violentos para a alma, e acredita-se que resultem numa variedade de efeitos colaterais negativos.

A incubação de sonhos (a busca proposital de sonhos e seus significados) foi também uma prática amplamente seguida em vários templos por toda a China. Até um determinado momento durante o século XVI, a sociedade chinesa esperava que figuras políticas proeminentes buscassem a orientação dos sonhos periodicamente a fim de manter seu equilíbrio e objetividade. A seqüência de rituais preparatórios antes de se receber um sonho normalmente começava com o suplicante queimando incenso como oferenda diante de uma imagem de um deus específico. Com freqüência seguia-se uma prece ou algum cântico cerimonial, tudo isso com o objetivo de invocar as graças da divindade do templo. No entanto, nem todos os sonhos eram buscados num templo: na província de Fu-Kien, por exemplo, as pessoas apelavam a seus ancestrais para ter revelações nos sonhos dormindo sobre um túmulo. Independentemente dos métodos usados, se o suplicante recebesse o sonho requerido, deveria buscar estabelecer se fora um deus que o enviara. Se o sonhador era capaz de determinar que o sonho tivera inspiração divina, ele então estava livre para passar um tempo contemplando o significado simbólico dele ou, como acontecia com freqüência, buscar um intérprete profissional. Quando o significado verdadeiro do sonho era decifrado, o sonhador era capaz de decidir um curso de ação e aplicar a mensagem para seu estado de vigília.

Choque elétrico

O fluxo de energia em um sonho está ligado ao impulso criativo. Sonhar que se está levando um choque pode significar sobrecarga criativa. Dessa forma, talvez seja hora de voltar a uma rotina regrada para que você possa completar alguns dos seus projetos criativos antes de assumir outros.

Cinzas

Depois de qualquer fogo há cinzas — o pó sujo que marca a finalidade da destruição do que foi consumido. Num pesadelo, elas podem representar o fim do perigo e da destruição, e o começo do renascimento e da renovação.

Clones

A clonagem tem sido um provocante tema de notícias nos anos recentes. Suas implicações são tão vastas quanto assustadoras: e se algo der errado e os cientistas bioprojetarem um monstro mutante? E se todos começarem a se parecer? E se alguém clonar você repetidas vezes? E se a clonagem permitir aos proponentes de uma raça "geneticamente pura" realizar seus sonhos? Esse pesadelo pós-moderno reflete um medo latente do que está por vir. O sonhador pode sentir que o mundo está girando cada vez mais rápido e ele simplesmente não consegue acompanhar, e talvez observar versões múltiplas de si mesmo seja um modo de compensar esses sentimentos de inadequação. É bem verdade que, de fato, ninguém consegue jamais acompanhar o ritmo das miríades de mudanças no mundo, e a tarefa do sonhador deve ser se concentrar no que é mais importante para ele mesmo.

Coleridge, Samuel Taylor

As imagens vívidas dos pesadelos inspiraram muitas grandes obras de arte. Mas, em raros casos, a arte toma um ditado direto de um sonho. No verão de 1797, o poeta Samuel Taylor Coleridge estava hospedado numa casa de fazenda entre as cidades de Porlock e Linton, na Inglaterra. Durante um pesadelo induzido pelo ópio, Coleridge viu em sonho o que se tornaria seu poema mais famoso, "Kubla Khan". As linhas iniciais de "Kubla Khan" dizem:

> Em Xanadu, Kubla Klan
> Um grandioso domo de prazer decretou:
> Onde Alph, o rio sagrado, correu
> Por cavernas imensuráveis ao homem
> Até o mar sem sol.
> Então duas vezes cinco milhas de terreno fértil
> Com paredes e torres eram rodeadas em círculo:
> E havia lá jardins brilhantes com riachos sinuosos,
> Onde floresciam muitas árvores produtoras de incenso;
> E ali havia florestas tão antigas como as colinas,
> Revestindo pontos ensolarados de vegetação.

Coleridge incluiu uma nota com o poema publicado, parte da qual afirma:

> Em conseqüência de uma leve indisposição, um anódino foi prescrito [para o autor], devido aos efeitos do qual ele adormeceu em sua cadeira no momento em que estava lendo a seguinte sentença, ou palavras da mesma substância, em *A Peregrinação de Purchas*: "Aqui o Khan Kubla ordenou que um palácio fosse construído, e um majestoso jardim anexo. E então dez milhas de terreno fértil foram encerradas por um muro." O Autor continuou por cerca de três horas num sono profundo, ao menos dos sentidos externos, tempo esse em que teve a mais vívida

> segurança de que não poderia ter composto menos do que duas a três centenas de linhas; se isso realmente pode ser chamado de composição em que todas as coisas surgiram diante dele como *coisas*, com uma produção paralela das expressões correspondentes, sem nenhuma sensação ou consciência de esforço. Ao acordar, pareceu-lhe ter uma lembrança definida do todo, e tomando sua caneta, tinta e papel, instantaneamente e de maneira ansiosa anotou as linhas que aqui estão preservadas. Nesse momento, ele infelizmente foi chamado por uma pessoa para um assunto de negócios em Porlock, e foi retido por ela por mais de uma hora, e, quando de seu retorno à sala, descobriu, para não pouca surpresa e mortificação sua, que embora ele conservasse alguma vaga e turva lembrança do propósito geral da visão, ainda assim, com exceção de oito ou dez linhas esparsas e imagens, todo o resto havia desaparecido como as imagens na superfície de uma correnteza a qual uma pedra foi lançada, mas infelizmente sem a restauração da última!

Esse poema é um exemplo perfeito de "arte de sonho", na qual um sonho ou imagem semelhante a um sonho tem influência direta no tema ou estética de um trabalho.

(Ver também **Arte**)

Comer

Comer é normalmente uma experiência agradável, no estado de vigília. Nos sonhos, comer pode significar, literal ou metaforicamente, preencher-se com algum tipo de alimento, seja no sentido de adquirir conhecimento ou experiências, seja propriamente por meio de calorias. Às vezes, contudo, as coisas que comemos são ruins: o gosto da comida pode ser repugnante e o estômago pode embrulhar conforme ela é ingerida. Sonhar que está comendo um alimento estragado pode significar que você está "cheio" de ser maltratado em seu ambiente de trabalho ou em sua vida particular. Sonhar que está se empanturrando em proporções obscenas pode indicar que você está tentando preencher um vazio emocional. Ou, então, simplesmente querer dizer que você está com fome!

Cometas

No poema "Fogo e Gelo", escrito em 1920, o poeta Robert Frost afirma que "Alguns dizem que o mundo irá terminar em fogo, alguns dizem que será em gelo". De acordo com muitos astrônomos, ambos podem estar corretos. Em algum lugar da vasta galáxia da Via Láctea pode estar um cometa com o nome da Terra nele. O impacto do cometa assassino tem o potencial para uma destruição em massa: primeiro um mar de fogo no local de impacto, que envia ondas de choque por todo o globo, e então milhares de anos de gelo devido à atmosfera cheia de detritos, decorrentes do impacto, que bloqueiam o sol.

O pesadelo com um cometa é um sonho de fim do mundo. Pode também expressar a ansiedade do sonhador quanto a sobreviver a uma grande perturbação da vida, tal como a perda de um emprego ou o fim de um relacionamento.

(Ver também **Apocalipse**)

Comilança

Ser pego numa comilança grotesca é um sinal de extrema necessidade de nutrição. No sonho, isso é representado pela comida, mas a nutrição real pode ser uma necessidade emocional ou física que não está sendo atendida. Também pode indicar problemas com comida, tal como um distúrbio alimentar. Se o objeto de raiva no sonho é o alimento, você pode querer examinar seus hábitos de alimentação. Pessoas que estão famintas costumam ter sonhos extremamente vívidos sobre comida.

Compartilhamento de sonhos

O compartilhamento de sonhos é uma prática comum em muitas sociedades em todo o mundo. Em civilizações tradicionais, as pessoas com freqüência compartilham sonhos ruins na esperança de negar ou evitar os efeitos negativos profetizados pelo espírito ou ancestral visitante.

Na cultura dos índios *hopi*, essa prática é necessária para manter os sonhos bons escondidos. Mantê-los no coração permite que os resultados positivos vistos no sonho se realizem completamente. Da mesma forma, sonhos ruins são compartilhados e "confessados" com o grupo a fim de dissipar sua energia negativa. Os aguarunas do Peru compartilham filosofias semelhantes em relação a seus pesadelos. Por sua vez, os quíchuas acreditam que *todos* os sonhos precisam ser compartilhados, não importa se são considerados bons ou ruins, já que são tratados como um fenômeno universal. As sociedades rastafáris com freqüência discutem os sonhos, e os anciões de um dado grupo muitas vezes confirmam seu papel tutorial na sociedade por meio do seu compartilhamento. Na cultura senoi, acredita-se que os sonhos têm um propósito que vai além do entendimento da consciência do sonhador e que seu compartilhamento representa um papel importante na educação das crianças.

O compartilhamento de sonhos pode ser altamente ritualizado ou pode constituir um evento informal passível de ocorrer a qualquer momento. Os *kagwahiv* [são do Amazonas, região do rio Açuã. Em 1940 eram 300] compartilham seus sonhos a qualquer hora, seja durante a noite, quando são acordados por eles, seja durante o dia. De maneira semelhante, os *raramuri* do norte do México são conhecidos por levantar periodicamente durante a noite a fim de analisar seus sonhos e pesadelos conforme eles ocorrem, originando com freqüência conversas cotidianas. O povo *sambia* de Papua-Nova Guiné desenvolveu rituais de compartilhamento de sonhos particulares e públicos. Os membros de um lar muitas vezes discutem seus sonhos em sessões de conversa informal ou em público e em sessões secretas de narração de histórias. Sonhos são também recontados durante cerimônias de cura, rituais de iniciação e viagens de caça e comércio da comunidade.

Nas últimas décadas, o compartilhamento de sonhos ganhou popularidade considerável nas sociedades ocidentais. Montague Ullman foi um psicólogo com treinamento psicanalítico que fundou o Laboratório de Sonho no Centro Médico Maimonides, em Nova York, durante a década de 1960. Ele estava muito interessado em desenvolver maneiras de tornar os serviços psiquiátricos disponíveis para comunidades que não tinham acesso a eles. Ullman sentiu que a "apreciação de sonhos" deveria ser um foco dos serviços de saúde mental comunitários. Na Suécia, ele conseguiu obter financiamento do governo para apoiar seus grupos de compartilhamento de sonhos comunitários. Ullman acreditava que essa tarefa, quando realizada num ambiente de grupo, era útil para o sonhador porque lhe proporcionava um apoio muito necessário e permitia aos demais oferecerem outras perspectivas quanto ao significado do simbolismo do sonho.

Ullman desenvolveu um processo de cinco etapas que ele descobriu ser eficiente quando se compartilham sonhos num ambiente de grupo. A primeira envolve o relato inicial do sonho e é seguida pela reflexão do grupo sobre o seu conteúdo. Isso inclui emoções, pensamentos e desejos que se acredita serem representados pelas imagens oníricas. Durante essa segunda etapa, o sonhador não comenta sobre as opiniões gerais, mas responde mais tarde, na terceira fase, sem mais comentários do grupo. A quarta etapa envolve o diálogo propriamente dito entre o sonhador e o grupo. A parte final permite ao sonhador refletir sozinho sobre os significados discutidos com os outros. Essas etapas são abordadas de maneira mais extensa no livro *Working with Dreams* (Delacorte Press, 1979), que Ullman escreveu com Nan Zimmerman. Nele, enfatiza-se que só depois que as cinco etapas são completadas é que o trabalho do sonhador realmente começa.

Jeremy Taylor é outro líder na terapia moderna de compartilhamento de sonhos. Pastor da Igreja Unitarista Universalista, ele organizou seu primeiro grupo formal voltado para essa atividade durante um seminário no qual esperava aumentar a conscientização quanto ao racismo. Ele pediu aos presentes para discutirem quaisquer sonhos que tivessem tido com afro-americanos. O texto a seguir é um excerto de seu livro *Dream Work* (Paulist Press, 1982):

> A energia para o crescimento e a transformação da personalidade e de atitudes e medos inconscientes que foram liberados por esse trabalho foi algo realmente impressionante, até para mim. O trabalho com sonhos revelou-se eficiente em trazer à tona ambivalências arraigadas inconscientes e transformá-las, porque cada um de nós se viu forçado a reconhecer tanto as imagens negativas quanto as positivas em relação a pessoas negras em nossos sonhos como representações de nossa personalidade.

É a crença de Taylor de que o aspecto inestimável dos sonhos e de compartilhá-los com um grupo está na maneira pela qual se consegue enriquecer a gama de significados possíveis enquanto se proporciona a oportunidade de explorar múltiplos significados. Ele sugere que um grupo de 6 a 12 pessoas, com uma atuando como facilitadora, tem o tamanho ideal e irá render o máximo de resultados positivos. Também recomenda que se reúnam num lugar silencioso e que tenham um bate-papo no qual possam discutir como estão indo na vida acordada antes de começar o processo de compartilhar sonhos. Depois que o grupo se conhece dessa forma, cada membro deve então prosseguir e compartilhar um sonho, e os participantes escolhem sobre qual deles gostariam de discutir mais. Eles então podem oferecer comentários, fazer perguntas ou sugerir significados que sejam relevantes para esse sonho específico; isso leva de 15 minutos a algumas horas, e Taylor afirma que é melhor discutir mais de um sonho por reunião.

Os grupos de sonhos de Taylor usam o método "se esse fosse meu sonho" quando comentam os dos outros. Isso significa que, em vez de dizer de maneira definitiva "Seu sonho significa...", eles começam os comentários com: "Se esse fosse meu sonho..." Isso serve a todos como lembrete de que o sonho em última instância pertence ao sonhador, e promove um tom respeitoso e não confrontador. Ao considerar esses fatores, a pessoa tem mais uma oportunidade de refletir sobre o que o sonho significa para ela, enquanto leva em conta as sugestões alheias. A meta definitiva do trabalho de Taylor é ajudar indivíduos a superar barreiras pessoais como raça, idade, sexo e *status* socioeconômico.

O movimento de "trabalho do sonho" moderno, um movimento de vanguarda que tem crescido rapidamente, projetado para permitir que as pessoas se comuniquem e comparem seus sonhos num ambiente informal, é outra maneira de compartilhar sonhos, com a meta de aprender sobre nós mesmos por meio do "espelho" distorcido, mas fascinante, que eles proporcionam.

Computadores

Conforme se integra de maneira mais completa e permanente em todos os setores de nossa vida, a tecnologia também se torna presente em nossos sonhos. Para um número crescente de pessoas, o computador representa a forma como ganham a vida, como conseguem seu entretenimento, até mesmo como formam e mantêm relacionamentos. Ele pode até armazenar nossos registros financeiros, nossas estimadas fotos de família, nosso calendário e nossa caderneta de endereços. Não é de surpreender que muitas pessoas com freqüência reportem o sentimento de que seus computadores são uma extensão de si mesmas. Ele representa o lado esquerdo do cérebro — a parte racional e "objetiva" de nós. Algo que acontece de errado, tal como um vírus ou uma falha de disco rígido, pode criar um pesadelo vivo em nossa vida acordada. Sonhar com uma falha de computador simboliza um sentimento de vulnerabilidade. A perda de dados significa a perda de poder, o que nos faz sentir fracos e ineficientes. É hora de fazer *back-ups*, tomar um cuidado extra para estudar assuntos nos quais somos menos do que exímios. Sonhar com uma falha elétrica durante um momento crítico no computador é um sinal de que talvez o lado racional de nosso cérebro esteja trabalhando demais e precise ser desligado, ou inversamente, que o lado criativo de nosso cérebro esteja insistindo em ter influência.

Contaminação

Ar asfixiante, comida ou fontes de água envenenadas ou doenças contagiosas se espalhando de maneira descontrolada são todas causas para alarme. Isso é uma imagem especialmente poderosa para pessoas que ganham seu salário com o trabalho em fábricas que envenenam o ar, a comida e o suprimento de água. Esses são os indivíduos que têm maior probabilidade de sofrer de pesadelos de contaminação tóxica, talvez causados pelo senso de culpa consciente ou subconsciente em relação aos efeitos ecológicos da fábrica do seu empregador. Pessoas que têm fobia de germes também podem sofrer pesadelos de ansiedade nos quais foram contaminadas ou infectadas de alguma forma. Em geral, sonhos de contaminação podem ser indicativos de uma culpa latente relativa a alguma transgressão real ou imaginada.

Controle de pesadelos

Se pesadelos, em especial os recorrentes, se tornaram intrusivos e problemáticos na vida de alguém, a análise do sonho é o primeiro e mais importante passo para tentar controlar ou tratar o problema. Ela permite a descoberta e "escavação" das emoções que são a força motriz por trás do sonho. Uma vez que o sonhador reconhece as emoções negativas de sua vida acordada que estão acionando os pesadelos, estes perdem o poder sobre o subconsciente e não são mais manifestados como uma força aterrorizante. Ao buscar ajuda profissional com a análise dos sonhos, o sonhador pode discutir livremente os detalhes dos pesadelos num ambiente seguro, o qual lhe permite confrontar os aspectos atemorizantes, repugnantes ou indesejados de seu subconsciente. A capacidade de encarar os medos de frente com freqüência resulta no crescimento da auto-estima e da auto-suficiência. Irá também comumente encerrar a ocorrência dos próprios pesadelos ou diminuir sua freqüência.

Muitos pesquisadores de sonhos acreditam que a análise pode permitir ao sonhador alcançar com mais facilidade o estado conhecido como *sonho lúcido*, que ocorre quando o sonhador, sem acordar, está ciente do fato de que está sonhando e é então capaz de controlar as imagens ou a narrativa dos seus sonhos. Um dos primeiros passos para controlar o pesadelo é o ensaio de imagens de sonho agradáveis durante as horas acordadas. Tudo que é usado nessa técnica é o poder da imaginação para mudar elementos do ambiente do sonho ou renarrar toda a experiência negativa. Uma vez que o sonhador já consegue invocar imagens ou cenas agradáveis à vontade, ele pode então começar a influenciar ativamente o conteúdo dos pesadelos. Ao assumir um papel ativo nos temas e roteiros dos sonhos, ele é capaz de manipular um resultado que não seja nem estressante nem amedrontador. Quando alguém que sofre de pesadelos se torna apto a desenvolver um plano de ação e então age a fim de implementá-lo, isso aumenta muito sua confiança e o senso de ação e controle, o que pode ser uma experiência bastante fortalecedora. Essa técnica também se mostrou útil no tratamento de alguns casos de insônia, porque elimina a recorrência dos mesmos pesadelos numa só noite e, portanto, promove uma experiência de sono mais tranqüila e ininterrupta.

Registrar detalhes de um pesadelo num diário de sonhos também pode ser bastante positivo para o controle e o tratamento. É útil a qualquer hora depois que ocorreram, mas quanto mais cedo se anotar, mais detalhes provavelmente serão lembrados. Portanto, em geral é mais eficiente fazê-lo imediatamente depois de acordar. O diário é adequado como referência quando se for interpretar os sonhos mais tarde, mas houve casos de pesadelos pararem completamente apenas pelo mero ato de se registrá-los.

Cooper, Alice

Em 1964, o vocalista Vincent Furnier e quatro de seus amigos do colegial formaram uma banda chamada Earwigs. Tiveram algum retorno inicial, mas sabiam que precisariam mudar para um mercado maior se quisessem fazer um grande sucesso. Em 1967, a banda foi para Los Angeles e finalmente se decidiu pelo nome "Alice Cooper" — a idéia era usar o efeito de choque de um grupo composto só por homens com um nome de mulher. Logo depois, Furnier mudou seu nome para Alice Cooper para aumentar ainda mais o impacto. Em 1970, a banda se mudou para a cidade natal de Cooper, Detroit, onde encontrou público para seu som estridente e suas apresentações selvagens. Em 1972, lançaram *School's Out*, que impulsionou o grupo rumo a uma notoriedade ainda maior com seu primeiro *hit*.

A música e as letras eram pesadas e algumas vezes sombrias, mas a apresentação no palco era com freqüência ainda mais arrepiante. Alice Cooper e sua banda entravam no palco totalmente maquiados, e o programa incluía elementos teatrais dramáticos e semelhantes aos de um pesadelo, tais como uma guilhotina, chicotes, manequins, machadinhas, sangue, dentes e brocas para dentes gigantes, máquinas de fumaça e serpentes. Tudo isso rapidamente levou uma reputação de horror e perversão para a banda. Em 1975, Alice Cooper lançou o disco *Welcome to My Nightmare* (em português, *Bem-vindo ao Meu Pesadelo).* A letra da primeira música, chamada igualmente de "Welcome to My Nightmare", diz:

Welcome to my nightmare
Welcome to my breakdown
I hope I didn't scare you
That's just the way we are when we come down
We sweat and laugh and scream here
'cuz life is just a dream here
You know inside you feel right at home here[1]

Alice Cooper ainda se apresenta hoje, levando seu "pesadelo" para platéias no mundo todo.

---

1. Em português: "Bem-vindo ao meu pesadelo / Bem-vindo ao meu colapso / Eu espero não ter assustado você / Isso é apenas nosso jeito quando descemos / Nós suamos e rimos e gritamos aqui / Porque a vida é apenas um sonho aqui / Você sabe dentro de você que se sente bem em casa aqui." (N. do T.)

Corda

Ser preso por uma corda significa perda de liberdade e controle. Num sonho, também pode indicar que você é incapaz de expressar suas emoções, pensamentos ou desejos numa situação. Um nó de enforcamento mostra que esse sufocamento é claramente prejudicial e irá trazer um fim — a um relacionamento, amizade ou aliança de trabalho.

Cores

A maioria das pessoas (perto de 70% em algumas estimativas) sonha em cores. A minoria apenas em preto-e-branco, e algumas tanto em cores quanto em preto-e-branco. As cores contêm um significado simbólico desde o início dos tempos. Possuem sentido até mesmo para muitas espécies de animais, como ocorre com a plumagem verdejante de um pássaro em acasalamento.

As cores afetam nosso estado de espírito; muitos acreditam que elas têm o poder de curar; e são fundamentais para a forma como nos expressamos em quase todos os aspectos de nossa vida, do vestuário à arquitetura, à arte. Também têm um significado universal para milhões de pessoas. Por exemplo, quando dirigimos, verde significa "prossiga", amarelo significa "cuidado", e vermelho significa "pare". Sem essas convenções, dirigir seria uma tarefa bastante perigosa.

A ciência evoluiu o suficiente para sabermos que todas as cores residem na porção visível da luz do espectro eletromagnético, o qual abrange todo o universo de ondas vibratórias — das de rádio, que são as mais compridas, numa ponta do espectro, aos raios gama, que são as mais curtas, no lado oposto. O espectro de luz visível é apenas uma pequena fatia em algum lugar próximo do meio.

Em 1810, Johann Wolfgang von Goethe estudou as cores por duas décadas antes de publicar seu trabalho em *Zur Farbenlehre*, ou *Teoria das Cores*. Goethe foi o primeiro a identificar as três cores primárias como sendo o vermelho, o azul e o amarelo, e explorou os efeitos psicológicos da cor nas pessoas. Também identificou cores complementares — as que se misturam em harmonia. Como a música, as cores podem ter harmonia e também discordância.

No contexto de um pesadelo, algumas vezes uma cor predominante está presente. Nesse caso, aqui estão os significados gerais para cada uma.

O **preto** é a ausência de cor. Representa o escuro e o desconhecido, talvez um bloqueio de idéias ou possivelmente saúde ruim. O negro não é necessariamente maligno, mas é o oposto do branco e, portanto, o equilibra.

O **branco** é a inclusão de todas as cores. Simboliza pureza, iluminação e divindade. Também é a cor da clareza e pode significar cura.

O **vermelho** é uma cor ardente, cheia de energia vibrante, além de ser a cor do sangue. Mas também é uma cor de aviso e agressão. Moderação é a mensagem quando o vermelho se torna dominante demais nas imagens de sonhos.

O **laranja**, como o amarelo, é uma cor de cautela, mas também representa os desejos do corpo físico do sonhador. Isso pode ser um desejo sexual, mas também de comida ou de exercício. Também representa mudança ou aspiração por mudança.

O **amarelo** é uma cor brilhante e vibrante — um símbolo de cautela que exige atenção. Mas também representa a energia criativa e o intelecto.

O **verde** é a cor da prosperidade e da abundância, mas igualmente da ganância e da inveja. Também é associado com a natureza e a cura.

O **azul** é uma cor tranqüila que significa paz e prosperidade, mas certos tons de azul podem remeter a tristeza ou depressão.

O **índigo** é com freqüência associado com habilidades psíquicas e o reino espiritual. Sonhar com esta cor significa assuntos espirituais em sua mente.

O **violeta** é associado com poder, em especial real ou político, mas também pode ser o símbolo de um distúrbio emocional ou mental.

Correntes

O som de correntes chocalhando ou sendo arrastadas tem sido associado com espíritos atormentados desde antes de Charles Dickens ter escrito *Um*

Conto de Natal. O folclore diz que espíritos são presos a essa terra e têm de suportar o fardo de pesadas correntes como punição por viverem vidas más. Ter visões de correntes em sonhos pode significar que você precisa se libertar das que o prendem a certas condições em seu estado de vigília. Sua sujeição pode ser auto-infligida, da mesma forma que era a de Scrooge, protagonista de Dickens, ou involuntária e circunstancial. Imagens de correntes podem também se referir a um padrão completo ou inteiro numa corrente de eventos — um padrão ignorado por se concentrar em apenas um aspecto de um problema. A solução pode residir em ver como todas as partes se ligam no conjunto.

Correr/fugir

Correr para longe ou escapar de algo mostra o aspecto de "fuga" da resposta "lutar ou fugir" em efeito. Tentar escapar de algo ameaçador ou assustador é uma situação comum em muitos pesadelos. O sonhador pode estar vivenciando estresse indevido — o que faz com que ele queira fugir — ou ansiedade. O sonho pode indicar também uma sensação de impotência ou vulnerabilidade numa situação que ameaça oprimir a pessoa por completo.

Corvo

Os corvos são tradicionalmente vistos como mensageiros de más notícias, de algo ruim ou de morte. Esse pássaro negro pode indicar que o sonhador está pensando na morte ou preocupado com ela.

Corvo, O

Muito antes de Stephen King e Dean Koontz, existiu o avô do gênero de mistério de suspense: Edgar Allan Poe. Em 1845, Poe publicou um dos poemas mais assustadores já escritos: *O Corvo*, que fala sobre amor perdido e lhe rendeu fama nos Estados Unidos.

O poema começa quando o personagem principal é sacudido de seu sono:

> Em certo dia, à hora
> Da meia-noite que apavora,
> Eu, caindo de sono e exausto de fadiga,
> Ao pé de muita lauda antiga,
> De uma velha doutrina agora morta,
> Ia pensando, quando ouvi à porta
> Do meu quarto um soar devagarinho,
> E disse estas palavras tais:
> "É alguém que me bate à porta de mansinho;
> Há de ser isso e nada mais."[2]

Conforme as estrofes prosseguem, mais horrores chegam ao narrador, que está lamentando por seu amor perdido, Lenora. Ninguém está à porta da sala, e ainda assim as batidas continuam. Sua imaginação cresce terrivelmente conforme ele olha pelo corredor:

> Com longo olhar escruto a sombra
> Que me amedronta, que me assombra.
> E sonho o que nenhum mortal há já sonhado,
> Mas o silêncio amplo e calado,
> Calado fica; a quietação quieta;
> Só tu, palavra única e dileta,
> Lenora, tu, com um suspiro escasso,
> Da minha triste boca sais;
> E o eco, que te ouviu, murmurou-te no espaço;
> Foi isso apenas, nada mais.

---

2. Tradução de Machado de Assis. (N. do T.)

Em vida, Edgar Allan Poe era uma pessoa que abusava de drogas e álcool, e lutava com a depressão e até com a loucura. Quando o narrador diz "sonho o que nenhum mortal há já sonhado", é fácil imaginar que as imagens na cabeça dele eram provavelmente mais aterrorizantes do que aquelas em sua obra.

Cova

Uma cova num pesadelo pode representar o fim da linha para um relacionamento ou situação. Se você vê a si mesmo numa cova, talvez esteja numa circunstância bem difícil ou encarando questões graves que exigem questionamento profundo antes que consiga resolvê-las, tais como propostas de negócios. O simbolismo nesse caso pode também indicar preocupação com a morte ou o medo dela.

Crepúsculo

Quando a noite começa a cair, as sombras crescem e se alongam, e as cores parecem desaparecer da paisagem. É a hora da transição entre a claridade e a escuridão, entre a realidade e a fantasia, entre a consciência e o inconsciente, e pode servir de cenário para os pesadelos. Imagens dessa natureza denotam tempos de mudança e confusão: coisas que eram claras se tornaram obscuras e misteriosas.

Crescimento

Descobrir-se crescendo até proporções enormes pode ser um bom presságio, significando que você se sente forte, capaz e no topo do mundo. No entanto, como Alice em seu País das Maravilhas, crescer demais talvez seja desconcertante no melhor dos casos e aterrorizante no pior. Não há lugar para gigantes em nosso mundo acordado, então essa visão é normalmente ligada a um ego que possivelmente terá de ser contido antes que o gigante se torne incômodo ou destrutivo. Observar outra pessoa passar por esse processo pode ter um significado semelhante: você talvez admire o poder dela antes de perceber a força destrutiva que certamente o acompanhará. Um colosso assustador num pesadelo pode ser um símbolo de como vemos o comportamento e o ego excessivamente inflado de alguém.

Culpa

A culpa real ou falsa se transporta para o sono e induz a ansiedade quando vivenciamos nossos sonhos. A *culpa de sobrevivente* com freqüência vem à tona nos sonhos de veteranos militares e de civis que sobreviveram a um acidente traumático quando alguém próximo a eles não conseguiu. Eles então questionam o fato de terem sido "escolhidos" para manter a vida quando alguém morreu ou foi seriamente ferido. Há um sentimento de culpa ("Se eu tivesse simplesmente feito tal coisa, então isso não teria acontecido") — embora eles não sejam responsáveis pelo evento — muitas vezes acentuado pelo estado de sonho e, em muitos casos, o sonhador reprisa os detalhes do ocorrido seguidamente tornando-os mais vívidos. Algumas vezes o subconsciente irá modificar o sonho de forma que o sobrevivente tome o lugar da vítima. Esses tipos de pesadelos recorrentes são um grande sintoma da neurose de ansiedade causada por um trauma emocional profundo. A culpa vivenciada neles é com freqüência acompanhada por luto e raiva.

Sentimentos sexuais, em especial desejos sexuais que são divergentes das normas sociais (por exemplo, o incesto), podem também causar culpa que leva a sonhos de ansiedade. Em sonhos ou pesadelos, o sexo com freqüência representa algo mais complexo do que apenas nossas atitudes em relação ao ato físico e nossos desejos quanto a ele. Em outras palavras, o ato sexual ou mesmo cenas com ênfase em sexo em sonhos e pesadelos podem ser um símbolo de outras questões de relacionamento, e nem sempre representam um desejo ou impulso bem definido.

A culpa também pode se manifestar em sonhos quando o "eu sombra" está se fazendo perceber. Nossa sombra é a parte escura, negligenciada e subterrânea da psique, que muitas vezes contém pensamentos e desejos perturbadores e inaceitáveis. De acordo com Jung, uma personalidade não está completamente formada até encontrar o eu sombra, entendê-lo e integrá-lo. O medo de confrontá-lo pode vir das inseguranças sobre o modo como somos vistos na sociedade e como podemos nos encaixar no molde do que é aceitável ou "normal". Sua rejeição pode promover a criação de um tipo de "dupla personalidade" na qual o lado inaceitável ou sombrio é escondido. No entanto, a sombra pode se fazer ouvir e sentir de maneira insistente nos sonhos. Em tais sonhos, o sonhador pode ser um agente duplo, um criminoso, ou encontrar a si mesmo em outras circunstâncias nas quais é necessário esconder a identidade de alguém ou de algo. Esses sonhos de culpa de um "eu falso" são mais comuns quando se lida com personalidades reprimidas.

Dalí, Salvador

Salvador Dalí (1904-1989) foi um dos mais conhecidos pintores surrealistas do século XX. Seu estilo pode ser reconhecido instantaneamente tanto pelos detalhes como pelas estranhas imagens semelhantes a sonhos (*A Persistência da Memória,* quadro de Dalí de 1931, que retrata relógios derretidos pendurados sobre um ramo de árvore, na extremidade de um bloco e no chão, é provavelmente seu trabalho mais famoso). Dalí descreveu a idéia por trás de sua abordagem da arte como "paranóia crítica", o que pode explicar algumas das imagens perturbadoras e grotescas de seu trabalho. Em *A Face da Guerra,* pintura de 1940, ele retrata um rosto amarronzado em decomposição no deserto, rodeado por muitas serpentes preparadas para atacar. Na boca e na órbita dos olhos estão mais rostos, cada um deles num estágio de decomposição maior do que o do rosto que o envolve. A imagem é perturbadora num primeiro olhar; mas, num exame mais acurado dos detalhes, a feiúra da morte é exposta ainda mais numa imagem de pesadelo. A guerra é o tema de várias das mais aterrorizantes pinturas de Dalí. Para os surrealistas em geral, os sonhos — em especial aqueles com imagens fantásticas absurdas ou mesmo assustadoras — funcionavam primariamente como inspiração para o conteúdo de sua arte.

Daniel, Livro de

O Livro de Daniel contém a exploração da interpretação de sonhos mais detalhada e fascinante encontrada no Velho Testamento. Embora a pessoa histórica de Daniel permaneça um certo mistério, as Escrituras hebraicas dizem que ele viveu sob a opressão estrangeira durante o exílio dos judeus na Babilônia, quando esse povo lutava contra a opressão imposta por Antíoco Epifânio, no século II a.C. As Escrituras o representam como um sonhador prolífico e também como um grande intérprete de sonhos. Tinha freqüentes pesadelos apocalípticos com um monstro de quatro cabeças.

Talvez as mais famosas ocorrências de interpretação dos sonhos na Bíblia sejam as interpretações de Daniel dos sonhos tidos pelo rei Nabucodonosor. Em uma história, esse soberano sofre de insônia e reclama freqüentemente de pesadelos proféticos e perturbadores, mas nunca consegue relembrar os detalhes específicos sobre o conteúdo ou a narrativa do sonho. A fim de remediar isso, ele primeiro consulta os adivinhos do palácio e, quando estes mostram-se incapazes de ajudá-lo, manda que sejam executados. Quando Daniel finalmente se depara com a oportunidade de divulgar o significado dos sonhos do rei, vai um passo além e descreve os detalhes fugidios do conteúdo do sonho que o rei não consegue lembrar. Insistindo que os sonhos são proféticos, Daniel descreve o primeiro como uma cidade de metais magníficos que foram quebrados e esmagados. Ele interpreta o significado disso como a divisão iminente do reino, afirmando que o único reino indivisível e inconquistável é o de Deus. (Isso pode corresponder à queda da cidade de Nínive.) A segunda série de sonhos consiste em uma árvore alta, com ramos chegando até o céu. No sonho, Nabucodonosor recebe instruções de Deus para cortar a árvore e deixá-la se desintegrar por sete anos. Daniel afirma de maneira ousada que o simbolismo desse sonho corresponde ao grande orgulho do rei — ele mesmo é a árvore imensa e arrogante, e, se não remover a si mesmo, Deus o fará. Nabucodonosor não dá importância a esses avisos, e é acometido de intensa loucura, provavelmente o que chamaríamos de licantropia (ele devora carne humana porque pensa que é um lobo). Sua psicose dura sete anos, o que corresponde ao tempo previsto no sonho.

(Ver também **Bíblia**)

Decapitação

Pesadelos sobre ser decapitado podem ter uma variedade de significados, da perda de controle de suas emoções (como na expressão "perder a cabeça") à ruptura ou desconexão entre a mente e o corpo. Esse sonho pode também indicar sentimentos desagradáveis ou ansiedade em relação a uma punição ou à possibilidade de ser punido.

(Ver também **Degola**)

Degola

O sonho de ser degolado pode indicar memórias traumáticas de maus julgamentos e decisões erradas tomadas. A cabeça simboliza o intelecto, então um degolamento pode também representar um sentimento de desconexão com as emoções, com o corpo ou com a espiritualidade. Como na amputação, a parte decepada é normalmente representativa do abandono ou da negligência de talentos que são usados ou simbolizados por aquela parte do corpo. Se sua cabeça é cortada num pesadelo, você pode estar se sentindo intelectualmente inseguro ou estagnado, ou talvez se arrependa do fato de não ter ido além em sua educação.

(Ver também **Amputação**)

Demônios

A crença de que entidades maléficas do mundo espiritual são a força por trás de desastres naturais, doenças, loucura e outros fatos desagradáveis da vida humana é bem antiga, mas a noção ainda está viva em muitas sociedades tradicionais. Antes do advento das descobertas científicas que ofereceram explicações mais neutras para as irregularidades da natureza, não era absurdo postular que seres demoníacos eram responsáveis por desastres naturais e doenças inexplicadas. Embora os argumentos científicos tenham gradualmente suplantado as explicações metafísicas, diabos e demônios atualmente sobrevivem nos arquétipos do inconsciente coletivo de Carl Jung (por exemplo, o eu sombra), bem como em outras correntes da psicologia que interpretam forças malignas e alucinações como projeções de medos e ansiedades humanas.

Embora com freqüência as palavras diabo e demônio sejam usadas de maneira correspondente — diabo, do grego *diaballo*, ou "arremessar" (*ballo*) "na direção de" (*dia*), isso é, o "acusador"; e demônio, do grego *daimon*, ou "espírito" —, seu significado evoluiu ao longo dos séculos e em tradições religiosas diferentes. Diabos sempre tiveram a conotação negativa de forças malignas, enquanto demônios podiam ser bons ou maus, dependendo de sua natureza individual. *Daimones* na Grécia antiga eram espíritos tutelares semidivinos, tanto com tendências boas quanto ruins.

Nos primeiros estágios do judaísmo, os demônios não tinham grande impacto no sistema de crença religioso. Durante a primeira diáspora, quando os judeus estiveram em contato com a visão dualista do zoroastrismo, o judaísmo desenvolveu um papel mais definido para os demônios, em especial na *aggaadah,* que refletia as crenças rabínicas populares. Essas figuras mitológicas tiveram origem nas crenças pagãs locais (tais como os *shedim*) e acreditava-se que eram criações de Deus ou filhos de Lilith, a primeira esposa de Adão. Durante a Idade Média, forças malignas tomaram uma forma mais definida na cabala, com nomes e papéis, embora a idéia dessas forças nunca tenha sido completamente aceita no judaísmo ortodoxo.

O *daimon* do mundo helenístico entrou nos textos cristãos iniciais com a conotação negativa de espírito impuro. A tradição judaico-cristã elaborou o conceito do diabo como o anjo caído que trouxe o pecado e o sofrimento ao mundo, e que foi então banido para sempre do Paraíso e teria uma eterna relação de inimizade com Deus. A literatura cristã também se inspirou em sistemas de crença vizinhos na representação do Apocalipse, com figuras demoníacas que lembram mitos judeus, persas e mesopotâmicos.

Na transmissão dos textos das Escrituras, o diabo (no grego helenista, *diabolos*) veio a ser identificado com Satã (nome usado na Bíblia hebraica para indicar o adversário). A crença em poderes malignos como fonte do sofrimento dos humanos é encontrada em toda a literatura cristã inicial, e a teologia cristã reconhece o mal como necessário para o cumprimento do livre arbítrio. Desde o início de sua história, o cristianismo desenvolveu a prática do exorcismo para expelir espíritos malignos que tomam o controle de seres humanos. Na Europa medieval, a crença na existência de demônios veio a ser associada com a bruxaria e contribuiu para o desenvolvimento da prática do exorcismo e para a caça às bruxas, que só deixaram de existir depois da chegada do ceticismo religioso do Iluminismo.

Referências a demônios e sua associação com pesadelos são freqüentes. Teólogos cristãos muitas vezes atribuem sonhos ou pesadelos com qualquer conteúdo sexual à influência de Satã e de seus servos demoníacos — as raízes desse conceito remontam a Macróbio. Macróbio, que viveu por volta do início do século V d.C., é considerado por alguns um dos primeiros filósofos/escritores a influenciar a teologia cristã com seus textos sobre demônios sedutores. Sua obra, a *Saturnália*, é uma coleção de livros que trata de seus pensamentos sobre a psicologia, a filosofia e a mitologia. Em sua tese sobre sonhos e pesadelos, ele incluiu categorias de aparições e pesadelos que não haviam sido tratados anteriormente por Aristóteles, o que envolvia referências à natureza dos íncubos, dos súcubos e do demônio Lilith — mas não se limitava a elas. Tertuliano, teólogo cristão do século III, retratou os demônios como a causa mais comum dos pesadelos em *Tratado sobre a Alma*. Nele, assegurou que quaisquer pecados cometidos enquanto se dormia não eram culpa do sonhador, porque tais tipos de sonhos eram meramente tentativas de vários demônios de desencaminhar o fiel. Santo Tomás de Aquino também reconheceu a influência direta ou indireta de demônios em sonhos e pesadelos específicos.

Quando se considera a ênfase que o mundo cristão ocidental coloca no celibato, fica claro o motivo pelo qual os demônios eram culpados por sonhos sexuais. Não era comum para o clero desse período reconhecer seus demônios internos (o desejo sexual). Em vez disso, apenas redobravam seus esforços para controlar e eliminar os demônios externos, que, afirmavam eles, eram os culpados.

É possível encontrar igual quantidade de referências pré-cristãs a demônios. Na Mesopotâmia, os demônios eram incluídos entre os instigadores de pesadelos, junto com os espíritos malignos e os espíritos dos mortos. Por exemplo, um demônio de aparência semelhante a de um bode era a causa dos sonhos eróticos. A mulher-demônio Lilith era associada com sonhos sexuais que qualquer pessoa, não importando o sexo, vivenciava enquanto dormia sozinha, porque Lilith podia mudar sua forma física e, presumivelmente, também seu sexo. As irmãs de Lilith, Namaah e Igrath, eram mulheres-demônios responsáveis pelas poluções noturnas.

Pesadelos nos quais demônios aparecem podem representar o mal, um tormento ou impulsos e pensamentos reprimidos e inaceitáveis. Demônios em sonhos também podem representar uma sexualidade devassa e despudorada, ou mesmo uma inteligência sobrenatural.

(Ver também **Íncubos e Súcubos** e **Macróbio**)

Dentes

As mulheres têm sonhos com dentes mais freqüentemente que os homens. Em termos simbólicos, acredita-se que representam a sexualidade do sonhador. Perder um dente pode representar o processo de dar à luz, em que um objeto pequeno é removido do corpo, resultando em dor e sangramento. (Uma crença popular relacionada com isso e muito difundida pelo folclore diz que para cada criança que a mulher dá à luz, ela perde um dente.) Freud apresentou interpretações mais abertamente sexuais, sugerindo que arrancar dentes simboliza a masturbação masculina durante a adolescência.

Em algumas culturas, a perda de dentes nos sonhos é às vezes interpretada como o desejo inconsciente do sonhador de matar um parente; a queda dos centrais representa a morte de um dos pais, e se ocorrer com os molares, a perda de parentes mais afastados. Uma interpretação egípcia de um sonho, datada de cerca de 2000 a.C., sugere o contrário: que a perda dos dentes significa que o sonhador morrerá pela ação direta de seus parentes. Outras teorias afirmam que sonhos desse tipo representam impulsos de impotência ou dependência. Também podem indicar a rejeição do sexo ou do desejo sexual. Por outro lado, talvez signifiquem o medo de envelhecer, já que, conforme ficamos mais velhos, freqüentemente perdemos nossos dentes.

Há pesquisas que comparam os traços de personalidade entre pessoas que têm sonhos crônicos com dentes e as que freqüentemente experimentam aqueles relacionados com vôos livres. Enquanto os "voadores" eram calmos, confiantes e otimistas, os que sonhavam com dentes eram mais ansiosos, propensos à autocrítica e inseguros em situações com as quais tivessem pouca familiaridade. A razão dessas diferenças de personalidade é desconhecida e está aberta à especulação.

Sonhos que envolvem dentes indicam que você pode precisar "meter os dentes em" ou "destrinchar com mordidas" determinada situação. Se você está sendo mordido, talvez esteja disputando o controle em algum relacionamento afetivo ou de trabalho. Também pode indicar a percepção da impotência ou falta de controle sobre a vida. Em casos mais extremos desse pesadelo, o sonhador se vê tentando colocar de volta os dentes caídos, quebrados ou apodrecidos. Como em qualquer outro pesadelo, quanto mais extremas são as imagens oníricas, mais importante é a mensagem que o sonho carrega.

Dentes que caem

Darci Faiello é uma profissional de marketing e vendas que mora em Pittsburgh, Pensilvânia, com o marido. Durante a adolescência, tinha pesadelos recorrentes sobre a queda de seus dentes.

O Pesadelo:

> Meu pior pesadelo é com meus dentes caindo. São sonhos muito reais — tão reais que, depois de acordar, passo o dia todo checando meus dentes, meneando-os para me certificar se não estão soltos. Em geral são os da frente ou os bicúspides, e eles caem de repente — sem dor nem sangue. Simplesmente caem.

> Então, no sonho, fico um tempão tentando colocá-los de volta no lugar. Uma vez, até cheguei a usar cola!
>
> Vários amigos meus com os quais conversei sobre isso já tiveram sonhos semelhantes, mas o meu parece ocorrer mensalmente.

Darci afirma que seus sonhos envolvendo dentes freqüentemente predisseram eventos inesperados. "Lembro-me dos sonhos e imediatamente me recordo de alguma mudança drástica na minha vida", ela disse. "Tive um sonho assim quase um mês antes de ser despedida e outro algumas semanas antes de ser novamente contratada. É tão real que, quando o tenho, fico muito impressionada." Ela afirma que os dentes da arcada superior são os mais afetados no sonho.

A análise:

> É muito interessante notar que Darci sonhou que perdeu os dentes logo antes de ser despedida e, de novo, antes de ser contratada para outro emprego. O sonho pode indicar que, em ambas as vezes, ela sentiu que havia perdido a confiança e o controle sobre sua vida profissional. Talvez ela pressentisse problemas no trabalho, e seus sonhos abordassem essas turbulências. O desemprego também pode tornar as pessoas pouco confiantes profissionalmente, de modo que o segundo sonho talvez tenha mais a ver com esse sentimento do que com a predição de acontecimentos positivos, como a contratação inesperada.
>
> Também é interessante perceber que ela afirmou que o sonho, em determinado momento, repetia-se uma vez por mês. De acordo com alguns folclores, sonhos em que se perdem dentes estão relacionados com o parto. Talvez a maternidade estivesse na mente da Darci e esses sonhos fossem uma maneira de explorar a questão.

Desastres naturais

Em 21 de outubro de 1966, uma ponta de carvão maciça deslizou pela montanha e engolfou a vila de mineração galesa de Aberfan. O desastre matou 144 pessoas, a maioria das quais eram crianças em idade escolar. Depois que o acidente ocorreu, um jornal de circulação nacional fez um anúncio pedindo informações relativas a quaisquer experiências precognitivas que as pessoas tivessem tido. O apelo resultou em 35 casos, 24 dos quais foram relatados a outrem antes de o desastre ocorrer e antes que o anúncio aparecesse no jornal, e 25 casos envolviam sonhos especificamente. O caso mais comovente foi vivenciado por uma jovem garota chamada Eryl Mai Jones. Ela tentava compartilhar seus sonhos com a mãe regularmente, e esta com freqüência os descartava como pura fantasia. Nesse caso, no entanto, ela achou um tempo para ouvi-la. Eryl Mai descreveu o sonho para a mãe: "Nós vamos para a escola, mas não há escola lá, alguma coisa preta a recobriu totalmente." Depois ela afirmou: "Eu não tenho medo de morrer, mamãe. Vou estar com Peter e Jane." Eryl Jones foi uma das 118 crianças enterradas vivas na tragédia.

Ian Stevenson realizou uma investigação sobre sonhos precognitivos relacionados com o naufrágio do transatlântico Titanic. Ele coletou informações de 19 pessoas que aparentemente haviam antecipado o desastre com o grande navio, várias das quais tinham recebido suas visões na forma de sonhos. Um homem, que deveria estar no Titanic quando ele afundou, sonhou duas vezes que o via afundando, emborcado, com pessoas nadando ao redor. Isso não foi o suficiente para fazê-lo desistir da viagem, mas o "destino" interveio e ele foi obrigado a cancelá-la por outras razões pessoais.

O presidente americano Franklin Delano Roosevelt afirmou ter tido esse tipo de sonho precognitivo de desastre natural. Em 25 de maio de 1941, ele sonhou que os japoneses estavam bombardeando a cidade de Nova York enquanto ele estava seguro em sua casa no Hyde Park. A opinião geral sobre esse sonho é que ele indica que o presidente sabia, provavelmente em algum estado inconsciente profundo, que os japoneses eram capazes de um ataque direto ao solo americano, mas que o país conseguiria suportar os danos.

Como em tantos casos de "premonição", a visão em retrospecto parece representar um grande papel na interpretação desse sonho como profético. Tais interpretações são em geral forçosamente retrospectivas, o que, é claro, faz com que sejam alvo de dúvida e discussão.

Descartes, René

O filósofo racionalista e matemático René Descartes (1596-1650 d.C.) nasceu em Touraine, França. A mãe morreu de complicações do parto um ano depois do nascimento dele, e o pai, Joachim Descartes, era conselheiro no parlamento de Rennes e passava metade do ano longe de casa, quando os tribunais estavam em sessão. A freqüência e a duração dessas ausências levaram a um relacionamento um tanto distante entre pai e filho, o que foi ainda mais trágico devido à morte precoce da mãe. Com oito anos, ele deixou o lar para freqüentar La Fleche, o Colégio Real Jesuíta em Anjou, e seu relacionamento com o pai deteriorou ainda mais.

Com a idade de 16 anos, Descartes mudou-se para Paris, onde estudou música, matemática e filosofia. Enquanto estava na capital francesa, teve uma filha, que viria a falecer com cinco anos de idade. Historiadores indicam que durante seu tempo em Paris ele começou a exibir qualidades maníaco-depressivas, bem como sintomas indicadores de distúrbios de personalidade esquizóide. Sua falta de afeição e de sentimentos de apego era comum entre indivíduos que perderam a mãe quando pequenos, e é provável que o distanciamento do pai apenas tenha servido para exacerbar o problema.

Em 1618, Descartes deixou a França e foi para a Holanda servir no exército de Maurício de Nassau. Também viajou pela Alemanha, Polônia, Itália e Hungria. O primeiro trabalho substancial atribuído a ele foi o tratado inacabado *Regulae ad Directionem Ingenii*, primeiramente impresso em 1701. A obra mostra a preocupação do pensador com o método como chave para o avanço da ciência.

Entre outras coisas, Descartes é lembrado por seu método de dúvida sistemática como o meio mais confiável para a descoberta da verdade. Ao revisar de maneira crítica suas próprias crenças, ele esperava responder à questão básica "O que sei eu?". Com freqüência, citava os julgamentos falsos que fazemos como resultado de truques de nossos sentidos bem como os sonhos (que parecem reais, mas são ilusões) como evidência do motivo pelo qual uma "metodologia da dúvida" era tão importante. Em seu trabalho *Meditações,* Descartes rejeitou tudo o que sentia haver a menor possibilidade de dúvida, até mesmo a existência do universo físico e espiritual, de Deus, do passado e das verdades da matemática. A dúvida sistemática de Descartes o levou a concluir que o único fato não duvidoso era que o pensador precisa existir: "Penso, logo existo."

As perguntas propostas pelos sonhos apresentavam um obstáculo difícil para o pensador. Ele perguntou como alguém poderia determinar de forma definitiva que as percepções que ocorrem em sonhos eram falsas quando pareciam com freqüência tão vívidas quanto aquelas vivenciadas quando acordado. Concluiu que os sonhos são meramente um resultado da atividade dos órgãos sensoriais do sonhador em resposta a experiências e desejos de quando acordado. Assim, usou a forma abstrata dos sonhos para lançar dúvida sobre a autenticidade e a confiabilidade da percepção dos sentidos. Descartes afirmou que, como não podemos distinguir de maneira conclusiva entre as percepções dos sonhos e as da vida acordada, também não podemos tratar a informação derivada dos sentidos como fornecedora de uma função estável para a expansão do conhecimento. Isso parece se opor ao próprio método científico, que se vale somente da evidência empírica reunida pelos sentidos.

Apesar de Descartes ter usado a forma abstrata dos sonhos para lançar dúvida sobre a realidade da percepção dos sentidos, ele vivenciou alguns sonhos pessoais importantes nos quais colocou grande fé. Tinha o hábito de sempre registrá-los num diário, ao qual se referia como *Olympica.* Em algum ponto do século XVII, esse diário foi perdido, mas seu conteúdo é conhecido hoje devido aos esforços do abade Adrien Baillet, que teve acesso ao *Olympica* antes de ele ter sido perdido e publicou uma versão parafraseada e biográfica, *La Vie de M. Descartes:*

> Depois que caiu no sono ele imaginou ter visto fantasmas e estava aterrorizado por eles. Sentiu uma grande fraqueza no seu lado direito e, acreditando estar caminhando por ruas, foi forçado a se apoiar no lado esquerdo para poder continuar a jornada.
>
> Envergonhado de estar caminhando dessa forma, fez um esforço para ficar ereto, mas foi frustrado por um vento violento que o fez girar três ou quatro vezes sobre o pé esquerdo. Com grande dificuldade, conseguiu se arrastar, temendo cair a cada passo. Então, vendo uma faculdade que estava aberta, entrou esperando conseguir algum alívio para sua aflição.
>
> Ele estava surpreso em ver que as pessoas que se juntaram em volta do homem num quadrilátero para conversar umas com as outras eram capazes de ficar de pé eretas, enquanto Descartes ainda tinha de andar de maneira torta e instável, embora o vento tivesse amainado.
>
> Nesse ponto ele acordou com dores, temendo que algum espírito maligno estivesse tentando desencaminhá-lo. Tendo caído no sono deitado sobre seu lado esquerdo, virou-se então para o direito. Rezou a Deus para protegê-lo dos infortúnios que pudessem ameaçá-lo como punição para seus pecados, reconhecendo que eles eram graves o suficiente para incitar a fúria dos céus sobre ele, embora, aos olhos dos homens, tivesse vivido uma vida relativamente impecável. Permaneceu acordado por duas horas, ponderando sobre o problema do bem e do mal, e então uma vez mais adormeceu.

Na primeira parte do sonho de Descartes, cheio como foi de angústia e terror, ele se viu forçado a se apoiar pesadamente sobre o lado esquerdo, que corresponde ao inconsciente, para ter condições de continuar a andar. Isso é devido ao fato de que o lado direito, que corresponde ao consciente, estava tão fraco que não podia mais sustentá-lo. Nesse sonho, o significado maior é dado ao lado esquerdo ou subconsciente, tendo lembrado Descartes da importância e da necessidade de seu lado não-racional ou intuitivo.

A última parte do sonho continua, conforme Descartes se depara com dois livros que não reconhece. O primeiro é um dicionário e o segundo é uma antologia de poesia, intitulada *Corpus Poetarum*, que contém pequenos retratos gravados em talho-doce. Duas frases se destacam nesse sonho mais do que as outras. A primeira se traduz como: "Qual é o caminho para o estilo de vida?"; a segunda é *Este et non*, ou "Ser e não ser". O dicionário no sonho representa "todas as ciências reunidas", e a antologia significa o valor da emoção e da imaginação. Para Descartes, os dois livros tomados juntos parecem representar uma união feliz da filosofia e da sabedoria, do racional e do "irracional", da ciência e da arte. Esses não são mais termos mutuamente exclusivos, hostis um ao outro, e isso parece ter constituído a resposta que Descartes buscou em seus esforços filosóficos.

A primeira parte do sonho/pesadelo do pensador é um exemplo único e ilustrativo de um sonho existencial, um sonho — com freqüência um pesadelo — que envolve emoções intensas no final (normalmente alguma combinação de sentimentos perturbadores, tais como desânimo, agonia, culpa, raiva, vergonha ou tristeza), mas que pode na verdade ajudar o sonhador de algum modo em sua vida acordada.

Deserto

O deserto é um dos ambientes mais duros e menos clementes da Terra. O cenário é desolado e arenoso, normalmente vazio de vegetação e com pouca ou nenhuma água. Se alguém está equipado para a jornada, pode ser um lugar pacífico e até bonito. Mas o calor causticante do dia e o frio da noite podem ser mortais para quem está despreparado. De maneira interessante, o deserto tem sido tradicionalmente um lugar de despertar espiritual, renovação ou *insight*/visão. Num cenário de pesadelo, pode indicar que você está sentindo um vazio ou passando por um período de aridez espiritual. Os sentimentos extremos de desidratação e sede talvez indiquem o desejo de um conhecimento ou senso de propósito superior na vida. Um deserto é também um lugar de solidão e isolamento, então suas imagens podem sugerir que você está se sentindo não amado ou abandonado.

Desmembramento

Sonhos que envolvem desmembramento são normalmente acompanhados por fortes emoções de medo e ansiedade, as quais possivelmente refletem uma desintegração significativa na vida acordada do sonhador. Esse pesadelo pode estar lhe dizendo que, como em uma iniciação, uma parte de você está sendo destruída para que um novo eu possa emergir. O estresse e o luto que cercam uma morte ou em um divórcio, no qual o sonhador sente que está sendo feito em pedaços, podem também ser refletidos nesse tipo de imagem. Se você está observando alguém ser desmembrado num pesadelo, talvez haja alguma hostilidade ou raiva latente infiltrando-se sob a superfície.

Despreparo

Alguns símbolos e temas de sonhos são tão comuns que quase todo mundo os vivencia ao menos uma vez na vida. Incluem cenas tão familiares como cair ou voar, a nudez pública e o despreparo. Freud defendia que todos os sonhos são realização de desejos, mas o fato de que pessoas sonhavam com voar antes do advento da aviação pode indicar que esses sonhos encontram seu fundamento no inconsciente coletivo da humanidade. A verdade é que tais motivos compartilhados provavelmente surgem de experiências e ansiedades comuns a todas as pessoas.

O tema do despreparo com freqüência se expressa em sonhos de exames. Por exemplo, durante as provas finais, estudantes de faculdade com freqüência têm sonhos de ansiedade nos quais não estudaram de forma adequada. Esses sonhos não parecem estar relacionados com quanto alguém estudou ou se preparou — na verdade, é possível dizer que quanto mais responsável o estudante, mais representativo pode ser o medo do fracasso, e, dessa forma, maior a chance de sonhos de despreparo. O tema também pode emergir na forma de pesadelos sobre falar em público. Nestes, o sonhador normalmente estará de pé em frente a uma multidão num palco ou fórum público e será incapaz de lembrar suas falas, ou irá perceber que não preparou nada. Embora alguns sonhos de despreparo sejam a expressão de ansiedades reais em relação a fazer um teste ou falar em público, também podem representar medos e ansiedades mais amplos, tais como sentimentos de inadequação, medo do fracasso ou de ser "descoberto" de alguma forma. O sonhador pode sentir que não tem o nível necessário ou não é capaz de passar pelo teste em alguma circunstância ou realização de vida atual, tal como um emprego ou um relacionamento.

Diário de sonhos

Muitos analistas de sonhos recomendam que as pessoas mantenham um diário para documentar o que sonham. Para ser realmente eficiente, o diário (e um lápis ou caneta) deve ser mantido ao lado da cama, de maneira que, sempre que o sonhador acorde, a primeira coisa que busque seja a caneta e o papel para registrar o que quer que lembre do sonho. Acordar naturalmente de manhã, sem a ajuda de um despertador, com freqüência produz resultados mais claros em termos de memória, embora no ritmo acelerado do mundo atual isso nem sempre seja algo prático ou possível. Ao anotar a data e o conteúdo dos sonhos, os sonhadores com o tempo costumam se lembrar mais deles e passam a assumir um papel mais ativo, efeito conhecido como sonho lúcido (ver também **Sonho lúcido**). O diário de sonhos é igualmente uma ferramenta de análise crítica que pode ajudar a pessoa a interpretar o significado dos sonhos e comparar as narrativas com eventos em sua vida.

Dicionários de sonhos

A pessoa comum passa cerca de um terço de sua vida dormindo, e durante esse período vivencia o fenômeno que chamamos de sonhar. Embora nem todo mundo se lembre de todos os seus sonhos (e algumas pessoas não se lembrem deles de forma alguma), é raro o indivíduo que não tenha acordado de um sonho especialmente vívido ou pesadelo e sentido que havia uma mensagem escondida em algum lugar de seu conteúdo. Como nem todos nós somos analistas ou intérpretes de sonhos, nem psicólogos, precisamos de ajuda para interpretar o que sonhamos. É aí que um dicionário de sonhos se prova útil.

Dicionários de sonhos não são um fenômeno moderno. Por exemplo, a *Oneirocrítica*, de Artemidoro de Dalis, do século II, é um dicionário de sonhos extenso e antigo. Coleções menores também existiram na literatura egípcia e mesopotâmica. A abordagem dominante nesses textos é ver os sonhos, incluindo pesadelos, como presságios, bem como mensagens do divino.

Embora o entendimento básico de alguns dos símbolos de sonhos tenha permanecido intacto ao longo dos tempos, a influência da psicologia moderna deu uma inclinação distintamente psicológica às interpretações encontradas nos dicionários atuais. Eles se apresentam mais como um ponto de partida para a interpretação e, portanto, são menos rígidos do que os textos antigos. Depende mais do sonhador descobrir que significado particular é representado considerando as circunstâncias de seu estado de vigília.

Apesar do molde psicológico dos dicionários de sonhos modernos, psicoterapeutas em geral permanecem fortes críticos deles. Isso ocorre em parte porque o significado simbólico é um conceito bastante nebuloso: pode variar, dependendo do contexto maior do sonho ou pesadelo, bem como das circunstâncias da vida do sonhador. Fornecer qualquer tipo de significado definitivo para o conteúdo de um sonho e seus símbolos é problemático no melhor dos casos, mas um bom dicionário de sonhos irá transmitir essa complexidade e essa nuance para os leitores. Alguns até sugerem manter um registro pessoal daquilo que determinados símbolos representam para o indivíduo sonhador. Um dicionário de sonhos personalizado, utilizado em uma referência cruzada com um dicionário padrão, pode ajudar o sonhador a interpretar o sonho de maneira mais correta. A meta da consulta deve ser fornecer um ponto inicial ou guia, que o sonhador pode usar para enriquecer sua resposta criativa e interpretação.

(Ver também **Interpretação de sonhos**)

Dieta

Várias tradições folclóricas e histórias antigas costumam tentar demonstrar a correlação entre a dieta de uma pessoa e os tipos de sonhos que ela vivencia como conseqüência. Por exemplo, é comum a crença de que comer comidas apimentadas antes de dormir irá causar pesadelos vívidos ou perturbadores. Há também a concepção de que ingerir qualquer coisa logo antes de dormir irá resultar em pesadelos. Na realidade, ambas as atitudes podem ou não "causar" pesadelos, mas com certeza resultam em indigestão, o que, por sua vez, pode perturbar os padrões de sono e assim desencadear pesadelos.

Indulgência excessiva e gula têm sido com freqüência associadas com pesadelos, bem como com "sonhos falsos" (aqueles que, acredita-se, oferecem previsões desorientadoras ou falsas). Muitos escritores antigos afirmaram que tais pesadelos eram induzidos por demônios e eram presságios de incidentes negativos no futuro da pessoa, enquanto o filósofo romano Macróbio insistiu em que tais pesadelos eram indicativos do estado mental atual do sonhador e não se relacionavam de maneira alguma com seu subconsciente ou com o futuro. Macróbio sempre sustentou que tais sonhos não eram inúteis na pesquisa teológica. (Ver também **Macróbio**)

Os primeiros cristãos acreditavam que o jejum criava condições ideais para visões divinas verdadeiras. Eles esperavam agradar a Deus, e, dessa forma, convidar sua presença por meio da humilhação do corpo humano. Isso é refletido tanto no jejum intencional e voluntário do Daniel bíblico quanto no forçado de Perpétua. Aqueles que jejuavam intencionalmente por períodos extensos esperavam impedir a ocorrência de sonhos naturais em geral; dessa forma, podiam ter certeza de que quaisquer sonhos que ocorressem eram enviados por Deus.

A pesquisa moderna mostra que uma redução drástica na ingestão de calorias diárias resulta na diminuição do interesse sexual enquanto a pessoa está acordada. Isso também causa menos emissões noturnas em homens e um decrescimento de temas sexuais nos sonhos de ambos os sexos. Os padrões dos sonhos de indivíduos que sofrem de anorexia nervosa diferem drasticamente daqueles com hábitos de alimentação saudáveis. Em geral, os anoréxicos dormem menos do que a pessoa comum, e seu sono é leve e intermitente, já que acordam repetidamente durante a noite. Têm também uma quantidade proporcionalmente maior de sono REM, embora se lembrem bem menos de sonhos do que suas contrapartes saudáveis. No entanto, depois que anoréxicos se recuperam e retornam a hábitos de alimentação saudáveis, também voltam a seus padrões de sono originais, dormindo com mais freqüência e mais pesadamente.

Dinamite

Pesadelos podem ser válvulas de escape para a raiva e a agressão explosivas ou destrutivas, e a dinamite é um símbolo natural para esses sentimentos. É sábio prestar atenção em uma imagem como essa, já que pode ser um aviso de que uma pessoa — você ou alguém que você conhece — ou uma situação está prestes a explodir.

Dinossauros

Dinossauros são alguns dos muitos "monstros" que podem invadir um pesadelo. Mas esses são reais, já que perambularam pela Terra milhões de anos atrás. Vimos os ossos em museus e observamos a restituição de artistas em documentários e filmes de bilheteria, tais como *Parque dos Dinossauros*. Ter um pesadelo sobre dinossauros pode indicar que um problema enorme e de difícil manejo está pesando sobre você, embora provavelmente seja um problema "extinto" — algo que já foi resolvido. Dinossauros também são alguns dos "monstros", junto com dragões e lobisomens, que povoam os pesadelos de crianças bem pequenas.

Distúrbio de Estresse Pós-Traumático

Quando temos pesadelos, acordamos e dizemos a nós mesmos: "Foi só um sonho." Acreditamos nisso e, pouco a pouco, nos acalmamos. Instilamos essa idéia nas crianças quando elas despertam de sonhos assustadores. Mas e se seu pesadelo retrata algum evento verídico e horrível de sua vida? Nesse caso, não é só um sonho; ser forçado a reviver suas piores experiências é uma espécie de tortura.

O Distúrbio de Estresse Pós-Traumático está associado a uma série de sintomas característicos, que incluem pesadelos e *flashbacks* do evento ou eventos traumáticos, sinais de "torpor psíquico", sensações genéricas de afastamento e capacidade reduzida de responder emocionalmente. Vítimas de Distúrbio de Estresse Pós-Traumático evitam situações ou sentimentos que associam à precipitação do trauma ou traumas.

Pesadelos repetitivos que retratam o evento traumático tal e qual ele ocorreu, com pouca variação de detalhes, são o primeiro sinal de Distúrbio de Estresse Pós-Traumático. Por exemplo, pessoas que estavam próximas ou dentro das torres gêmeas no dia 11 de setembro de 2001 podem reviver a experiência assustadora em sonhos envolvendo terroristas, desastres aéreos, prédios que desabam, incêndios, pessoas pulando de edifícios, etc. Sobreviventes de estupros podem ter sonhos perturbadores sobre o estupro em si ou algum aspecto desse evento que foi particularmente amedrontador. Esses sonhos também podem vir acompanhados da "culpa de sobrevivente", nos quais o sonhador assume o lugar daqueles que foram mortos.

Passado algum tempo, a situação pode se tornar crônica, e o processo onírico "encalha", sem que nenhum progresso ou nenhuma conexão proveitosa seja estabelecida entre o conteúdo dos sonhos e o processo de cura. Por causa da natureza extremamente pesarosa desses sonhos, o sonhador pode "erguer um muro" que o isola de seu lado emocional, e qualquer tentativa de firmar compromissos afetivos — ou mesmo de iniciar um tratamento — é freqüentemente rechaçada. Em vez de enfrentá-lo, é mais comum que sobreviventes isolem o evento traumático. As fronteiras de proteção que possibilitam que o sobrevivente continue levando sua vida tornam difícil, senão impossível, manter relacionamentos ou lidar com emoções em geral.

O abuso do álcool é uma forma muito comum de amenizar a dor associada a esse distúrbio. Isso pode diminuir a gravidade e o número de pesadelos assustadores comumente experimentados no Distúrbio de Estresse Pós-Traumático, mas também pode promover o ciclo de escape.

Distúrbio de Estresse Pós-Traumático e os gritos de uma menina pequena

Em março do ano 2000, Mark B. servia o braço médico do exército canadense e foi enviado para Kosovo, um país destruído pela guerra. Ele e sua unidade ajudavam nos esforços de pós-guerra. Hoje, Mark B. vive em Barrie, Ontário. Para alguns, as imagens contidas nos pesadelos são simples metáforas de outras emoções, sentimentos e objetos presentes em sua vida. Para aqueles que sofrem de Distúrbio de Estresse Pós-Traumático, os pesadelos são respostas para os mais (senão *o* mais) horripilantes eventos de sua história.

O Pesadelo:

> Estou num pronto-socorro num país destruído pela guerra. Estou abatido, cansado e passo fome. A porta de repente se abre e entra uma mãe carregando a filha de cinco anos no colo. A menina tem queimaduras de segundo e terceiro graus no rosto e nos braços por causa de uma explosão. Ela grita de dor; a mãe chora. A equipe de trauma me olha à espera de instruções, mas não consigo pensar em nada além da minha filha — estou congelado e não consigo me mexer. Desperto com lágrimas nos olhos e os sons dos gritos ainda ecoando na minha cabeça.

> É possível conviver com pesadelos simbólicos e superá-los, mas somente aqueles que têm pesadelos sobre eventos reais sabem o quanto é difícil espantá-los.

Mais tarde, Mark descreveu o fato que gerou esse pesadelo recorrente.

> A história que a família nos contou é que a menina estava acendendo o fogão e houve uma explosão. O fogão era abastecido por algum tipo de gás que, aparentemente, estava vazando e se acumulou no forno antes de a menina riscar o fósforo. Ficamos chocados ao ouvir que uma garota de cinco anos pudesse ser responsável por acender o fogão da casa; no entanto, tratava-se do pós-guerra e, além do mais, a cultura deles é diferente da nossa. Ela sofreu queimaduras de segundo e terceiro graus no rosto e nas mãos.
>
> A família havia recebido um pacote de ajuda humanitária no qual havia um tubo de algum tipo de creme, mas eles não podiam ler a embalagem porque estava em inglês. Supuseram que servia para aliviar queimaduras e o passaram na menina. Mas era pasta de dente. Antes que pudéssemos começar a tratar as queimaduras, tivemos de remover a pasta. Você pode imaginar a gritaria que se seguiu. Ministramos doses de anestésicos; porém, demoraram a fazer efeito.

Logo depois de ter tratado a menina, Mark teve o mesmo pesadelo quase todas as noites.

> Na verdade, toda vez que fechava os olhos, via o rosto dela. Chegou num ponto em que ficava acordado o máximo que conseguia, até ficar exausto o bastante para não ter escolha senão dormir. Quando a freqüência dos pesadelos estava no auge, dormia algumas poucas horas por noite e nunca me sentia suficientemente descansado.

> Quando aconteceu, foi difícil lidar com o incidente. Todavia, consegui deixá-lo de lado e seguir com minha vida. Três anos depois, estava treinando um jovem soldado que também sofrera queimaduras no rosto durante um incêndio relâmpago — esse acidente disparou o Distúrbio de Estresse Pós-Traumático.

Mark continua tendo esse pesadelo, ainda que não com a mesma recorrência. Ele diz que o sonho agora o surpreende uma ou duas vezes por semana e que toma medicamentos para reduzir as chances de acontecer. Também aprendeu a se concentrar nos aspectos positivos da sua vida ao se deitar. "Isso refreia as imagens; contudo, o pesadelo ainda volta", diz. "De acordo com meu médico, posso ter isso para o resto da vida. Tenho de aprender a enfrentar o problema."

Ele não sabe se a menina de Kosovo sobreviveu ou não, mas gosta de pensar que sim. Depois que Mark e sua equipe a trataram, a garota foi transferida para o hospital da universidade local que, por causa da guerra, era limitado em equipamentos e pessoal treinado, de modo que ele teme que as chances de infecção fossem altas.

Mark pediu que seu nome verdadeiro não fosse usado quando seu pesadelo e os detalhes da sua experiência traumática fossem publicados por causa do estigma do Distúrbio de Estresse Pós-Traumático nas forças armadas. Quando perguntado a respeito do mesmo, ele afirmou:

> O estigma que vem com o Distúrbio de Estresse Pós-Traumático é de fraqueza. O problema é que se trata de um ferimento real; contudo, não pode ser visto — é um ferimento no cérebro. Se alguém perde um braço ou uma perna, as pessoas entendem — a lesão é visível. Mas não compreendem aquilo que não podem ver. Os militares são treinados para ser fortes — você tem de ser para suportar esse tipo de trabalho. Também são ensinados a trabalhar em equipe. Quando um membro não pode mais colaborar, o restante tem de trabalhar dobrado para suprir a falta. Quando você está incapacitado de fazer sua parte, acaba sendo

isolado. A equipe não pode esperar que você melhore; tem de continuar a fazer o trabalho que lhe foi designado. Uma das piores respostas que ouvi de alguém foi: 'Eu estava lá e vi o que ele viu, mas nem por isso tenho problemas.' Como disse, trata-se de uma ferida invisível e, até o momento em que você começa a sofrer de Distúrbio de Estresse Pós-Traumático, não pode compreender do que se trata. As pessoas que nunca tiveram o distúrbio se perguntam por que não é possível simplesmente superá-lo, colocando-o de lado e prosseguindo com a vida. Nossas forças armadas evoluíram muito. Temos assistentes sociais, psiquiatras e enfermeiros especializados em saúde mental que lidam com isso. Temos também uma rede de auxílio mútuo para a qual podemos ligar para conversar com outras pessoas que também sofrem da mesma lesão — pessoas que entendem.

A Análise:

Não há muito que analisar em sonhos de Distúrbio de Estresse Pós-Traumático. As imagens do pesadelo são representações literais de eventos verídicos e, em geral, indicam questões que o sonhador deverá enfrentar. Pessoas que sofreram com eventos traumáticos têm de aprender a lidar com os acontecimentos que ocorreram.

A boa notícia é que Mark está recebendo ajuda. "Estou me consultando com um psiquiatra e com um assistente social que estão me ajudando a recuperar a competência para lidar com situações problemáticas. Meus companheiros de trabalho e supervisores também têm sido extremamente pacientes e compreensivos comigo e tentado me ajudar. Talvez porque sejam médicos e enfermeiros, ou seja, pessoas que conhecem e entendem o Distúrbio de Estresse Pós-Traumático. Progredi bastante, mas ainda tenho um longo percurso pela frente."

Quando os sonhos se realizam

Em 1995, Cathy J. era mãe, tinha 32 anos e morava em Naugatuck, Connecticut. Ela namorava o mesmo homem desde 1989. Durante o verão de 1995, Cathy começou a ter um pesadelo recorrente:

O Pesadelo:

> Eu não parava de ter esse sonho em que meu namorado me traía. Pouco a pouco, ele ficou mais claro, até o ponto em que eu podia de fato ver a outra mulher, o lugar onde morava, etc. Uma vez, em sonho, cheguei até a me ver saindo de casa com o objetivo de flagrar meu namorado e a mulher juntos: estava no meu carro e me vi colidir contra o muro protetor que divide as duas pistas da estrada.
>
> Quase seis meses depois, tive de atuar nesse sonho. Saí do trabalho mais cedo, e você acredita que perdi o controle do carro quando passei por um pedaço da pista onde havia gelo? Bati contra o muro protetor cinco vezes conforme derrapava. O carro ficou completamente destruído e eu tive de fazer uma operação no ombro. Também fiquei com hematomas por todo o corpo. O acidente foi idêntico ao do meu sonho!
>
> Quando me recuperei, continuei a ter o sonho com meu namorado e a mulher — era tão real... Eu até conseguia reconhecer onde ela estava e os lugares que freqüentavam — via-os no carro dele, indo a bares, ao cinema e coisas assim. Era tão real que sentia como se estivesse lá de verdade. Cheguei até a cogitar a projeção astral, como se estivesse vendo-os de cima. Durante um desses sonhos mais vívidos, vi os dois no apartamento dela. Pude ver o endereço do prédio — e até mesmo o andar em que morava. No sonho, vi os dois olhando pela janela.
>
> Uma noite, contratei uma babá e fui até um dos lugares que vi nos meus sonhos. Lá, encontrei meu namorado com a tal mulher

— era uma mulher com a qual trabalhava. Fiquei tão furiosa que peguei o carro dele e… vamos dizer que o veículo teve de ser vendido porque realmente judiei bastante do automóvel.

Cathy disse que não suspeitava que seu namorado a estivesse traindo durante o período em que teve os sonhos. Ela afirmou que, naquela época, o namorado cuidava bem dela e dos filhos.

A Análise:

Cathy acredita que o sonho foi uma premonição de algo de que não tinha consciência. Ele claramente não requer nenhuma interpretação, já que era uma predição literal de acontecimentos futuros. Cathy experimentou o acidente de carro e depois descobriu que seu namorado de fato estava saindo com outra mulher. O sonho a permitiu resolver seu problema definitivamente. Como ela foi capaz de ver as feições da mulher tal qual realmente eram permanece um mistério.

Divinação

A divinação de sonhos é a prática de interpretar sonhos e pesadelos numa tentativa de encontrar padrões significativos e previsíveis na vida cotidiana, e, em especial, previsões ou presságios do futuro. A tradição mais importante da divinação do sonho existiu na Mesopotâmia antiga, onde mais interesse foi demonstrado do que em qualquer outra civilização conhecida. Essa cultura ancestral foi a primeira a registrar as tradições divinatórias na escrita; várias tabuletas cuneiformes que tratavam a divinação foram encontradas, e algumas dessas abordam sonhos e fazem previsões baseadas no conteúdo dos mesmos. Para avaliar adequadamente o papel atribuído a eles na civilização mesopotâmica, é necessário colocar os presságios dos sonhos no contexto da amplitude total da arte do adivinho.

A tradição mesopotâmica da oneiromancia (a divinação por meio de sonhos) foi transmitida tanto para o mundo helenístico quanto para a civilização islâmica. A oneiromancia é a forma mais antiga de divinação no Islã, em que a influência do passado pré-islâmico é notável. A *Oneirocrítica*, de Artemidoro, grego do século II, representa a base da tradição popular de classificação e interpretação de sonhos. De acordo com esse autor e com aqueles que o seguiram, a análise de sonhos é baseada na observação da semelhança da experiência diária, e não na crença na existência de um espírito divino. A civilização islâmica se apoderou da tradição grega de interpretação de sonhos, que sobrevive até hoje em países muçulmanos.

A divinação de sonhos representa papel fundamental em muitas culturas tradicionais contemporâneas. Por exemplo, o poder dos adivinhos *temne* (uma tribo do oeste da África) depende de uma realização ativa no sonho. Eles derivam suas habilidades de um sonho iniciatório no qual estabelecem um relacionamento contratual com um espírito patrono, enquanto a maioria das pessoas comuns sofre passivamente em seus sonhos a ação de espíritos, ancestrais e feiticeiros. Durante a divinação, adivinhos não pronunciam meramente o significado do sonho de um cliente — eles também podem atribuir um sonho específico a ele que até então não estava ciente de que o havia sonhado.

A divinação de sonhos pode representar um papel político significativo em culturas tradicionais, especialmente em sociedades nas quais a sucessão para a liderança ou outros *status* políticos são determinados por sonhos. Pode ser usada como forma de decidir entre um pretendente ou candidato em vez de outro, algumas vezes chegando mesmo a efetuar a seleção de um sucessor entre aqueles que não haviam anteriormente reclamado o *status* de candidatos.

Doenças sexualmente transmissíveis

Na era do HIV e da aids, do herpes e da gonorréia, as doenças sexualmente transmissíveis (DSTs) preocupam quase todas as pessoas com vida sexual ativa, já que podem até representar sentenças de morte. Pesadelos envolvendo encontros sexuais que conduzem às DSTs indicam que saúde sexual e promiscuidade ocupam a mente do sonhador. Esse pesadelo pode também indicar dúvidas a respeito da fidelidade de parceiros íntimos.

Dor

Sentir dor nos sonhos pode ser um reflexo de dores reais em alguma parte do corpo do sonhador. Outra possibilidade é que o sonhador considere alguém ou alguma coisa "dolorosos" de suportar. A supressão de recordações penosas também pode estar em jogo.

Dragões

Lendas de dragões remontam aos primeiros registros escritos, e o folclore envolvendo essas criaturas míticas gigantes data de época significativamente anterior. Os sumérios escreveram sobre monstros que foram combatidos por Deus. Antes que os gregos da Antigüidade dessem ao monstro o nome de "dragão", outras culturas já haviam escrito e falado sobre essas fantásticas criaturas. Os antigos chineses eram cativados pelo dragão, e em quase toda parte do mundo há lendas sobre criaturas gigantes que andavam sobre a terra. Em lendas medievais, bravos cavaleiros partiam para matar dragões e salvar vilarejos.

Atualmente, os dragões são mais parte de nosso mundo de fantasia do que da nossa história. Mas permanecem populares como sempre foram. Sonhar com essa imagem significa que existe uma grande problemática em sua vida com a qual você precisa lidar. Apenas problemas grandes e importantes irão tomar a forma de dragões. E derrotar a fera, e o problema, não será tarefa pequena. Crianças em particular têm pesadelos envolvendo dragões e outras feras míticas grandes e ameaçadoras. De qualquer forma, pesadelos sobre ser perseguido por tais criaturas são mais provavelmente sonhos de ansiedade.

Drogas

Houve várias pesquisas sobre diferentes drogas e sobre as maneiras pelas quais elas afetam o padrão do sono, mas houve significativamente menos estudos sobre os efeitos de drogas nos sonhos e sua contribuição para os pesadelos. A maioria das pesquisas se preocupa com o impacto das drogas no sono REM, que é a fase mais propícia ao sonhar. Estudos sobre álcool e sonhos indicam que a quantidade do sono REM diminui, enquanto o quarto e mais profundo estágio aumenta. Isso cria a impressão de que a pessoa dormiu mais profundamente sob a influência do álcool. Alcoólatras que estão sofrendo privação (bem como aqueles que estão sofrendo privação de barbituratos) com freqüência relatam aumento na quantidade de sonhos e pesadelos. (Ver também **Álcool**)

Foi demonstrado que alguns medicamentos para alergia vendidos sem prescrição médica podem causar sonhos e pesadelos tão intensos ou incomuns que são agora mencionados como um possível efeito colateral resultante da ingestão dessas substâncias. Há relatos de que adesivos de nicotina e até a melatonina, um auxiliar para o sono vendido sem prescrição médica, aumentam a vividez de sonhos e pesadelos. Dizem que o adesivo de nicotina, em particular, é capaz de intensificar sonhos ao ponto da distração, com freqüência fazendo com que o sonhador acorde.

O impacto de muitos remédios controlados sobre o sonhar também foi estudado. Os usados para regular o sistema endócrino, para controlar a pressão sangüínea e para tratar distúrbios neurológicos podem causar danos na forma, no conteúdo e na freqüência dos sonhos. "Bloqueadores alfa-um", empregados no tratamento de hipertensão, estão entre as drogas reconhecidas por causar pesadelos. Essa categoria inclui substâncias usadas para tratar o mal de Parkinson, como L-dopas, bromocriptina e selegilina, também conhecidas por causar psicoses. Inibidores seletivos de reabsorção de serotonina (SSRIs), como Prozac, Paxil, Zoloft e Celexa, aumentam a freqüência e a intensidade de sonhos vívidos no estágio não-REM do processo do sono. Embora os efeitos dessas drogas nos sonhos sejam profundos, é preciso destacar que descontinuar subitamente sua ingestão também irá causar uma ocorrência repentina de sonhos e pesadelos vívidos normalmente associados com a recuperação REM (a tentativa do corpo de recuperar o tempo perdido de sono REM ficando mais tempo neste estágio do que o normal). Obviamente, interromper o uso de qualquer medicação não é recomendado sem a aprovação do médico.

A influência de drogas ilícitas no conteúdo dos sonhos também é um tópico de interesse. O LSD inunda o sistema nervoso com serotonina e isso resulta em alucinações ligadas a todos os sentidos — visual, auditivo, olfativo, gustativo e tátil. Em termos de resposta biológica, é o mais próximo de uma experiência semelhante a um sonho que uma pessoa pode ter sem estar dormindo.

A ligação entre drogas alucinógenas e sonhos tem sido reconhecida desde as mais antigas sociedades. A beladona era a droga dos antigos oráculos de Delfos, usada para induzir transes e sonhos. Os primeiros persas usaram o haoma para o mesmo propósito geral. O uso de drogas é comum em quase todas as sociedades antigas para o propósito de incubação de sonhos e/ou para alcançar mais facilmente um estado de sonho ou de transe semelhante ao de um sonho.

Egito

A história da civilização egípcia estende-se ininterrupta de 4000 a.C. até a conquista do Egito por Alexandre, o Grande, em 332 a.C. Informações sobre as crenças dessa cultura eram consideradas perdidas para o mundo até que o século XIX inaugurou as primeiras escavações arqueológicas sistematizadas e empreendeu a tradução dos hieróglifos. Os egípcios antigos, assim como os mesopotâmios, acreditavam que os sonhos eram mensagens enviadas por uma ampla variedade de divindades e utilizavam-nos no exercício da divinação (adivinhação do futuro).

Aproximadamente a partir de 3000 a.C., a religião oficial do Egito passou a reconhecer o faraó (o rei do Egito) como o filho do deus do sol, Re, e, portanto, também como o próprio deus. Os sonhos do faraó eram mais significativos do que os de uma pessoa comum, pois acreditava-se ser mais plausível que um deus se comunicasse com outro deus. Um dos mais importantes sonhos egípcios foi do faraó Tutmósis IV, que, mais ou menos em 1400 a.C., encontrou a divindade Hormakhu durante seu sono. No sonho, Hormakhu propôs uma aliança pela qual prometeu unir o reino egípcio e enriquecer Tutmósis se este se comprometesse a desenterrar a Esfinge (àquele tempo, parcialmente soterrada). Ao que parece, ambos os lados cumpriram as promessas e Tutmósis mandou erguer uma coluna de pedra em frente à Esfinge, na qual a história do sonho foi gravada.

A miríade de deuses e deusas do panteão egípcio comandava domínios que abarcavam desde fenômenos naturais como o ar (o deus Shu) até manifestações culturais como a escrita (a deusa Safekht). Os egípcios tinham até um deus masculino dos sonhos chamado Serápis, em cuja homenagem ergueram diversos templos. Um deles, particularmente significativo, está localizado em Mênfis e data de cerca de 3000 a.C. Nesses templos, moravam intérpretes profissionais de sonhos, que se diziam "escolados na biblioteca da magia". As pessoas iam a esses locais para dormir, com o objetivo de receber dos deuses um sonho que pudesse providenciar uma resposta para uma determinada tormenta ou angústia (prática conhecida como *incubação*, muito comum no mundo antigo). Posteriormente, nos templos de sonhos dedicados a Asclépio, um deus do panteão grego, filho de Apolo, o sonhador jejuava e se engajava em outros rituais antes de se deitar para dormir. Quando o templo era muito distante da morada da pessoa que buscava orientação idílica, ela podia contratar um substituto para se submeter aos mesmos rituais e buscar os sonhos *in absentia*.

Outra divindade associada com os sonhos era o deus Bes, um anão jovial que tinha o dever de proteger as casas dos pesadelos. Seu retrato era freqüentemente entalhado nas cabeceiras e nos suportes de nuca das camas egípcias. Os egípcios antigos também desenvolveram rituais que acreditavam poder prevenir ou desfazer infortúnios preditos em sonhos de mau agouro.

Tudo o que se sabe sobre as tradições relacionadas com os sonhos no Egito antigo vem de duas coleções de *omina* de sonhos que sobreviveram até os nossos dias. A mais antiga data da 12ª dinastia, que durou de 2050 a.C. a 1790 a.C. A coleção é conhecida como o Papiro Chester Beatty III, em louvor a Chester Beatty, que a doou ao Museu Britânico. Não se sabe quem a compilou originalmente, já que ambas as extremidades da *omina* estão incompletas, mas o estilo cursivo dos hieróglifos indica que foi escrita por um sacerdote. Por conta dessa suposição, ela é classificada de *hierática*. O papiro completo é composto de 143 sonhos bons e 91 sonhos ruins, além de suas respectivas interpretações. Essa parte do documento é seguida de uma lista de rituais de proteção que supostamente resguardariam o sonhador dos infortúnios retratados nos sonhos ruins ou pesadelos.

A segunda coleção de *omina* de sonhos que temos hoje foi escrita por escribas públicos e é por isso conhecida como *demótica*. Diferentemente do

Papiro Chester Beatty III, que data de um período mais antigo e é constituído quase exclusivamente de tradições egípcias relativas a sonhos, a segunda coleção de *omina* data do século II d.C. e foi pesadamente influenciada por conceitos mesopotâmicos de astrologia e astronomia. A versão original dessa coleção de *omina* era composta de 250 verbetes, mas o tempo danificou quase 100 deles, deixando-os ilegíveis. Uma das mais singulares características da coleção é que ela contém uma seção exclusivamente dedicada aos sonhos das mulheres. Antes disso, eles eram aparentemente ignorados por culturas do Oriente Próximo.

Elevador

Nos pesadelos, os elevadores podem ter muitos significados, desde o medo da morte até a elevação ou rebaixamento da consciência ou da posição social. São comumente vistos como ameaçadores e perigosos porque, como os aviões, confinam as pessoas, provocando nelas um sentimento de impotência ou perda de controle. Sonhar com um elevador em queda livre pode ser indício de que você sente que sua vida está fugindo de controle. Sonhar que se está preso em um elevador pode significar claustrofobia ou simplesmente a sensação de confinamento numa determinada situação particular ou de trabalho.

Emboscada

Uma emboscada é um ataque surpresa, então esse pesadelo pode representar vulnerabilidade em relação a alguma surpresa desagradável simbólica ou real. Vivenciar uma emboscada em seus sonhos pode indicar uma perda súbita ou uma reviravolta emocional. As pessoas que sofreram uma emboscada ou que foram atacadas na vida acordada (tais como na guerra ou em uma situação de violência doméstica) podem ter pesadelos traumáticos nos quais os eventos que os precipitaram são repetidos seguidas vezes.

Enchente

Com freqüência, a água é um símbolo diretamente relacionado com o inconsciente. Vivenciar uma enchente em um pesadelo pode sugerir que seus pensamentos e desejos reprimidos ameaçam transbordar para sua vida acordada e consciente. Talvez também indiquem que circunstâncias da vida que estão além de seu controle podem o estar oprimindo e minando sua capacidade de se manter calmo e tranqüilo. Imagens de enchentes também estão comumente relacionadas com as finanças: o sonhador talvez tenha perdido ou gasto muito dinheiro ("desperdiça dinheiro como água"). Não é raro que pessoas que sofrem de pesadelos traumáticos encontrem imagens de enchentes ou ondas gigantes em seus sonhos. Uma enchente pode também representar uma urgência sexual incontrolável.

Encolher

Nos sonhos, encolher até se tornar minúsculo enquanto o mundo à sua volta assume proporções inconcebíveis indica sentimentos de insignificância ou abandono. Você pode se sentir desprezado ou negligenciado em antigos relacionamentos, o que o faz ter a sensação de estar só nesse pesadelo, cujo cenário é opressor e temível. Esse sonho pode também representar os medos internalizados da infância; ele invoca a impressão que se tem quando pequeno de que tudo e todos são enormes, aterradores e poderosos.

Enfermidade

Quando tiver um sonho de má saúde, preste atenção especial ao local do corpo que ele enfatiza. Há muitos casos no qual sonhos repetidos de enfermidade ou doença pressagiaram um problema de saúde real. Se esse pesadelo é sobre outra pessoa, faça o máximo para determinar se se trata de alguém que você conhece ou se é meramente uma projeção de si mesmo.

Enforcamento

Quando uma pessoa é executada por enforcamento, a morte pode chegar rápido como uma bênção, se o pescoço se quebra, ou terrivelmente devagar, se a traquéia se rompe e a vítima sufoca. Ter pesadelos envolvendo forcas (sentir uma corda esmagar seu pescoço) pode significar que você se sente sufocado num relacionamento. Assim como outros sonhos de execução, você pode sentir como se estivesse "na berlinda" — há muito em risco e você teme o fracasso. Além disso, sentimentos de culpa no subconsciente podem estar emergindo e castigando o sonhador por meio dessas imagens.

Enter Sandman

Em agosto de 1991, a banda de heavy metal Metallica lançou seu sexto álbum, com o título homônimo *Metallica*. Uma das canções do álbum, "Enter Sandman", escrita por James Hetfield, Lars Ulrich e Kirk Hammett, ficou 20 semanas na lista das mais ouvidas da *Billboard*. "Enter Sandman" conta a história de uma criança que é colocada para dormir antes de ingressar numa noite repleta de pesadelos. O nome da canção faz referência ao conceito original do *Sandman* do século XIX. (Ver também **Sandman**)

Um trecho do segundo verso da canção diz:

> Sonhos de guerra, sonhos de mentirosos
> Sonhos de fogo de dragão
> E de coisas que mordem
> Durma com um olho aberto

E agarrado ao seu travesseiro
Sai a luz
Entra a noite
Segure a minha mão
Vamos partir para a terra do nunca

Enterro

Sonhar com comparecer ao serviço funerário de alguém simboliza despedir-se de condições e relacionamentos antigos em sua vida. Se você está sendo enterrado vivo num pesadelo (e acredita em reencarnação), pode estar relembrando uma experiência de vida passada. Ou talvez você sinta necessidade de sair de uma situação *nesta* vida que o está enterrando ou inundando de maneira figurada.

Entorpecimento

Ser incapaz de sentir o corpo ou de movimentá-lo num sonho ou pesadelo indica que o sonhador está num estado do sono REM (movimento rápido dos olhos), no qual o corpo é temporariamente paralisado. Além disso, o fornecimento de sangue para o membro do corpo pode ser cortado, resultando em formigamento e entorpecimento, que acaba por nos acordar e nos dizer para mudar de posição. Como em sonhos de amputação, uma parte do corpo entorpecida pode indicar negligência, perda ou falta de fé no talento ou na capacidade refletidos por esse membro. Por exemplo, um pianista de jazz que já foi famoso, mas não é mais, pode sonhar com entorpecimento ou imobilidade das mãos, enquanto um dançarino de balé hábil, porém inseguro, talvez sonhe com entorpecimento dos pés.

Envelhecimento

O envelhecimento é um processo natural para todas as coisas vivas, e ainda assim visto como anormal — algo que deve ser evitado e suprimido a todo custo. Tememos seus sinais: as rugas anunciam a perda da beleza jovem, o corpo se torna mais frágil e fraco, e até a mente perde o vigor e a elasticidade. Ter um pesadelo sobre envelhecimento pode ser um sinal de narcisismo ou meramente de que a pessoa se sente vulnerável à inevitável perda de virilidade. Na versão mais extrema desse pesadelo, o sonhador pode ver a si mesmo ou outra pessoa envelhecer de maneira anormalmente rápida, de forma que anos são convertidos em segundos. Essa visão mais terrível pode representar o medo de crescer para além da zona de conforto, seja numa situação de trabalho, seja num relacionamento.

Epilepsia

Algumas doenças neurológicas podem ser associadas aos pesadelos. Pessoas com epilepsia por vezes têm pesadelos extremamente vívidos e perturbadores, os quais anunciam e imediatamente precedem convulsões durante a noite.

Erupção

Gêiseres, vulcões ou até mesmo a erupção cutânea de pus podem indicar uma ruptura violenta de material inconsciente, como pensamentos, sentimentos e urgências reprimidas. Em outros casos, imagens como essas podem representar uma mudança drástica na vida do sonhador.

(Ver também **Vulcão**)

Escuridão

A escuridão pode ser assustadora mesmo no mundo desperto — quando as luzes se apagam, o familiar se torna instantaneamente estranho. A falta de luz pode significar o mal, a morte, o medo do desconhecido, saúde ruim ou apenas o sentimento de estar perdido. Qualquer lugar escuro num sonho (por exemplo, um buraco, caverna ou fosso) pode também significar o inconsciente, com todos os seus pensamentos e impulsos inaceitáveis. Um sonho no qual a luz está sumindo em geral se relaciona com situações de trabalho e pode significar que você precisa de ajuda com o projeto ou tarefa que o está ocupando, ou que está perdendo o foco numa tarefa que desempenha atualmente. Como a cegueira, a escuridão num pesadelo pode significar falta de visão ou percepção. Talvez haja algo que o perturbe e você não saiba o que é — se tiver coragem para olhar na escuridão e não para longe dela, poderá descobrir.

Esgoto

Esgotos podem significar os restos "podres" de antigas circunstâncias ou relacionamentos. Dejetos também fertilizam e podem, portanto, simbolizar regeneração.

Esmagamento

Sonhar que está sendo pressionado por um grande peso é uma indicação de que um problema está "pesando bastante" em sua mente. A ansiedade e o pânico aumentam em proporção direta à quantidade de pressão que sentimos — esse é um problema que precisa ser enfrentado antes que esmague você completamente. Talvez você esteja numa situação de trabalho de muita pressão ou existam expectativas no relacionamento pessoal que lhe estão tirando o fôlego para viver. Algumas pessoas também têm a sensação de pressão durante a paralisia do sono (também conhecida como "Síndrome da Bruxa Velha", em que acordam parcialmente e descobrem que não conseguem se mover ou respirar.

(Ver também **Paralisia do sono** e **Síndrome da Bruxa Velha**)

Espada

"Aquele que vive pela espada, morre pela espada", diz o velho ditado. Nos sonhos, as espadas são símbolos de poder — especialmente de poder masculino — e coragem. Se o sonhador é quem a brande, está exercendo poder e domínio sobre outras pessoas. Se quem sonha que está sob sua lâmina, provavelmente se sente dominado e/ou impotente na sua vida acordada. A espada pode também representar sexualidade masculina hostil.

Espasmos mioclônicos

Espasmos mioclônicos são contrações musculares repentinas que podem ser observadas em qualquer mamífero durante o sono. Pesquisadores do sono os comparam às ações reflexas que chamamos de soluços. Uma das hipóteses que explicam o fenômeno é que o "espasmo" faz parte de mecanismos ingênitos de alerta que foram adquiridos na evolução. A teoria afirma que esses mecanismos permitem que o dormente desperte de maneira súbita em resposta a possíveis ameaças externas, como agressores ou animais selvagens. Espasmos mioclônicos são muitas vezes concomitantes a sonhos de queda livre — os músculos do sonhador se contraem e o acordam no momento exato em que ele atinge o solo.

Espelho

Os espelhos não mentem, e isso é duas vezes verdade nos sonhos, momento em que podem refletir as profundezas das emoções, que às vezes são desagradáveis (como nos pesadelos). Durante esse estágio, somos mais propensos a procurar falhas do que a admirar o que vemos. Se o espelho está límpido, pode ser que o sonhador esteja fitando sua verdadeira e integral identidade. Se está rachado ou embaçado, reflete visões distorcidas ou a visão de identidades fragmentadas.

Espinho

Assim como a "coroa" de Cristo, os espinhos são normalmente associados a fardos terríveis e ao sofrimento. Nos sonhos, podem significar que o sonhador está se sacrificando por outras pessoas e, assim, tornando-se um mártir. Esse símbolo talvez indique também que o sonhador está com "espinhos cravados na carne" — relacionamentos ou situações inevitáveis possivelmente lhe estão provocando essa aflição.

Esquizofrenia

Pessoas com esquizofrenia (que significa, literalmente, "mente dividida") com freqüência têm alucinações e podem expressar crenças claramente delirantes. Indivíduos saudáveis que reclamam de pesadelos recorrentes exibem personalidades esquizóides — isto é, demonstram tendências ou predisposição à esquizofrenia ou até mesmo apresentam casos "suaves" da doença. Inversamente, aqueles diagnosticados como esquizofrênicos tendem a sofrer de pesadelos, especialmente durante ataques de psicose e antes de começar a tomar medicamentos.

Estar aprisionado

A sensação de estar aprisionado nos pesadelos pode ser um sintoma de relações pessoais ou profissionais sufocantes. Ou, talvez, o sonhador de fato sofra de claustrofobia, e o pesadelo seja a expressão desse medo. Mulheres no último trimestre de gravidez freqüentemente têm sonhos em que se sentem presas em lugares pequenos — talvez uma forma de identificação com o feto a que, em breve, vão dar à luz.

(Ver também **Sufocamento**)

Estrangular

Sonhos em que se estrangula alguém ou se é estrangulado podem indicar que você está reprimindo (ou que outras pessoas estão reprimindo) aspectos vitais da sua maneira de se expressar e, portanto, da sua alegria de viver.

(Ver também **Sufocamento**)

Estranho Mundo de Jack, O

Em 1993, Tim Burton lançou seu filme de animação *stop-motion* indicado ao Oscar *O Estranho Mundo de Jack*. No universo com características de pesadelo que Burton cria dentro do filme, cada um dos principais feriados tem uma terra toda sua e, uma vez por ano, durante a época apropriada, cada uma tem a oportunidade de "apresentar seu lance" para o mundo. O personagem principal do filme, Jack Skellington, é o rei abóbora da Cidade do Halloween, onde todos os dias são preenchidos com espíritos e monstros arrepiantes e rastejantes que se preparam e ensaiam para o próximo Halloween — seu único momento para brilhar. Mas Jack vai ficando entediado com a rotina de matar de susto as pessoas todos os anos, então vagueia na floresta e se perde. Quando se depara com a Cidade do Natal, se vê cativado pelas luzes brilhantes e coloridas, pela bola de neve branca e pelo homem alegre numa roupa vermelha ("Papai Comeu") — Jack quer sua chance de organizar o Natal. A história que se segue é macabra, amalucada e comovente — o Tim Burton clássico.

O cenário exagerado e sombrio apresentado em *O Estranho Mundo de Jack* é tão essencial para a história quanto os personagens. Burton cria uma terra onde todos os dias é Halloween, e se inspira em tudo, desde a tradição folclórica até as histórias de terror, a fim de tornar seu pesadelo uma realidade.

Estranho, O

Em 1919, Sigmund Freud escreveu um ensaio intitulado *Das Unheimlich*, ou *O Estranho*. Ele examinou a literatura e a cultura subjacentes a eventos e conceitos que nos assustam ou nos fazem pensar. "O estranho é a classe daquilo que é assustador, que nos leva de volta ao que é antigo e há muito familiar", escreveu. Examinou as maneiras pelas quais o familiar se torna assustador. Por exemplo, o quarto de uma criança é um lugar agradável, mas quando chega a noite e ele está escuro, ela pode ficar com medo. Por quê? Não há razão racional, visto que é ainda o mesmo quarto. Mas, por causa da escuridão, o familiar é agora estranho. "O estranho é assustador precisamente porque *não* é conhecido e familiar."

Estranho era também o termo geral que Freud usava para descrever todos os medos inexplicáveis, porém persistentes, universais aos seres humanos. Exemplos incluem os conceitos de uma vida após a morte e fantasmas. "A alma 'imortal' foi o primeiro 'duplo' do corpo", ele escreveu. "Essa invenção de duplicação como uma preservação contra a extinção tem sua contraparte na linguagem dos sonhos [...]" Freud acreditava que o conceito de alma era criado pela necessidade do ego por imortalidade, bem como proteção contra o desconhecido. A morte — e o que vem depois — é o maior desconhecido de todos, e as almas, fantasmas, espíritos, anjos e demônios que povoam esse desconhecido são todos extensões ou projeções desse medo.

O relacionamento do estranho com os sonhos e os pesadelos é óbvio. Com freqüência ficamos com medo ao sonharmos porque vivenciamos algo familiar que também transmite um elemento de desconhecido. Exemplos incluem sonhos com cadáveres ou objetos inanimados que ganham vida, ou mesmo com pessoas que conhecemos e que de repente e de maneira assustadora mudam ou transformam sua aparência. A idéia central do estranho é "parecido e ainda assim diferente". Não é o medo do desconhecido, mas sim o medo de que algo *conhecido* tenha de repente se tornado desconhecido, outro — aterrorizante. Em alguns sonhos, podemos também vivenciar premonições que se realizam, e as implicações disso podem ser assustadoras. Freud podia explicar essas premonições como meras coincidências "estranhas", mas o sonhador pode ficar firmemente convencido de que alguma força sobrenatural está em ação.

(Ver também **Freud, Sigmund**)

Estresse

A ansiedade e o medo fornecem o contexto emocional dominante de muitos sonhos — como os de queda livre, nudez e perseguição —, sendo que o temor domina o cenário onírico dos pesadelos. Sonhos permeados de ansiedade podem emergir como resultado de conflitos internos, em particular aqueles reprimidos que tentamos esconder de nós mesmos. Sigmund Freud e outros terapeutas alinhados com a psicologia de profundidade exploraram exaustivamente essas dinâmicas, em especial os conflitos provenientes da infância.

No entanto, o conteúdo da vida onírica das pessoas é também moldado por fatores externos que operam independentemente de conflitos psicológicos. Esses fatores podem invadir nossa consciência e assim provocar sonhos desagradáveis e pesadelos. O estresse, seja ele oriundo de dificuldades pessoais, sociais, vocacionais ou financeiras, pode ser a maior causa dos sonhos permeados de ansiedade. A distinção entre as razões de ser internas e externas dos sonhos é razoavelmente clara, mas aqueles que envolvem ansiedade podem derivar das duas áreas. O estresse no trabalho, por exemplo, pode trazer à tona antigas questões de auto-estima típicas da adolescência; conflitos domiciliares, por sua vez, podem lembrar o sonhador de certos conflitos da infância.

Alguns sonhos comuns experimentados em situações de estresse são os de ser perseguido, ser pego em armadilhas ou ser atacado. Sonhar com animais ou criaturas ameaçadoras também é freqüente.

Estupro

Um sonho com estupro pode simbolizar um ataque violento no ambiente físico do sonhador ou um golpe devastador na sua segurança financeira. Sonhar que se violenta outra pessoa pode evidenciar um desejo de dominar e controlar por quaisquer meios necessários. Um sonho que envolva estupro pode na verdade significar que o sonhador está se sentindo destituído de poderes, e, por mais perturbadora e terrível que a imagem seja, ela é uma forma do inconsciente de reafirmar a necessidade de ação.

Exames

Assim como os sonhos de nudez ou perseguição, os que envolvem exames ou provas são tão comuns que ganharam o imaginário popular. O típico pesadelo desse tipo começa com o sonhador iniciando a prova, quando percebe que será incapaz de terminá-la. Às vezes, as questões nela encontradas são incompreensíveis, o tempo designado para sua feitura é insuficiente, a matéria do exame é completamente estranha ao sonhador ou sua caneta ou seu lápis não funciona. Independentemente do motivo, a pessoa não consegue passar no exame. Outras variações desse mesmo sonho retratam o sonhador chegando atrasado ao exame ou totalmente perdido, incapaz de encontrar o lugar onde ele será realizado.

Às vezes, sonhos relativos a exames incluem cenários em que o sonhador deve falar diante de um grupo grande de pessoas, mas é tomado pelo mutismo, ou então situações em que ele deve representar uma peça, mas esquece ou não sabe suas falas. Todos os sonhos com provas compartilham do mesmo tema: ser escrutinado e julgado por algum tipo de autoridade ou por seus iguais. Esses sonhos acontecem geralmente quando o sonhador está em dúvida quanto a suas habilidades e/ou num estado de muito estresse e/ou ansiedade.

Excremento/fezes

O excremento é um material residual que serve como fertilizante para enriquecer a terra, dando a ela condições para germinar. Esse símbolo em um pesadelo pode representar o "lixo" de questões antigas com as quais você não precisa mais se preocupar, ou, então, talvez reflita o sentimento de estar numa situação "desfavorável". Freud associou a continência das vísceras a questões de controle — alguém que tem prisão de ventre é hipercontrolado e irritável; alguém que tem o ventre solto é descuidado e não possui nenhum controle sobre si mesmo, tendendo a comprometer suas relações pessoais.

Explosão

Uma explosão em um pesadelo talvez signifique que algo obscuro e destrutivo precise ser reconhecido por você. Pode ser um símbolo de raiva ou cólera destrutiva. Há, possivelmente, algum tipo de ira mal resolvida em sua vida com a qual você precisa lidar diretamente. Examine com cuidado sua vida pessoal e seus negócios em busca de uma bomba-relógio — talvez seja uma boa idéia desarmá-la antes que seja tarde.

Explosão nuclear

Uma explosão nuclear é um evento que irá destruir tudo em seu rastro, e, uma vez lançada, uma bomba nuclear começará uma guerra que ninguém vai ganhar. Como qualquer explosão em sonho, a detonação de uma bomba atômica num pesadelo pode representar a raiva ou a fúria extrema do sonhador. No entanto, como esse é um ato de guerra, o problema/frustração pode ser com algo que está fora do controle de quem sonha.

(Ver também **Apocalipse**)

Faca

A faca é uma ferramenta importante para a sobrevivência, mas também é uma arma. "Facas" simbólicas podem atingir o âmago e expor as fraquezas e medos mais profundos. Imagens de facas ameaçadoras num pesadelo podem indicar que o sonhador está se sentindo "apunhalado pelas costas" por rumores maliciosos ou por uma traição. Se o sonhador está usando a faca, isso pode significar raiva ou o desejo de perpetrar violência. Para Freud, a faca era um símbolo da sexualidade agressiva masculina.

(Ver também **Assassinato**)

Falar em público

Para muitas pessoas, não existe medo maior que o de falar em público. Estar sob os holofotes e na mira de uma platéia que ouve e escrutina tudo o que lhe é dito pode ser o pior dos pesadelos. Sonhos ruins sobre falar em público indicam medo de julgamentos alheios e de ser considerado incapaz. A "platéia" pode ser formada pelos seus pares, chefes ou pais. Na maioria dos casos, o medo vem da falta de preparo. Quando você "sabe do que está falando", geralmente há menos para temer.

(Ver também **Humilhação pública** e **Exames**)

Fantasma

O conceito de fantasmas existe em todas as culturas ao redor do mundo. Teorias sobre por que eles podem permanecer por aí depois de mortos incluem: eles não percebem que estão mortos, têm assuntos inacabados ou são meramente algum tipo de impressão ou eco psíquico deixado para trás. Num pesadelo, você precisa se perguntar o que seu fantasma representa. Se ele não percebe que não deveria estar lá, isso pode indicar que há um problema "morto" em sua vida que você não está abandonando. Se seu fantasma tem assuntos inacabados, então você pode precisar examinar um problema do seu passado que necessita de algum tipo de resolução antes de seguir em frente. E se seu fantasma é uma impressão psíquica, isso simboliza algo que se foi e não é mais alcançável.

Um fantasma num pesadelo pode representar seu "eu sombra", o lado mais escuro do eu — os pensamentos e impulsos imorais e ações vergonhosas que são suprimidos pela psique do sonhador. O "fantasma" está então comunicando o que é proibido mencionar e exprimir. Está falando porque a psique do sonhador não pode ou não quer reconhecer esse lado de si mesma.

Sonhos de casas mal-assombradas

Brian Leffler é um investigador paranormal de 40 anos, que vive em Keewatin, Minnesota. De agosto de 2001 a junho de 2003, Brian morou numa verdadeira casa mal-assombrada em Chisholm, Minnesota. Enquanto estava na casa, vivenciou um pesadelo recorrente relacionado com assombrações.

O Pesadelo:

> Eu não tinha esse sonho todas as noites, mas era um tema que se apresentava em diversas ocasiões.
>
> Essa casa em Chisholm teve muitas ocorrências sobrenaturais durante o tempo em que estive lá: portas difíceis de abrir se escancaravam sem ninguém por perto, havia sombras e vozes estranhas que podíamos ver e ouvir em muitas ocasiões e nossos *springer spaniels*, normalmente quietos, começavam a latir para

algo que não podíamos ver, depois ganiam e iam se encolher de medo embaixo da mesa. Isso tudo era chocante às vezes, mas não necessariamente assustador. Esse sonho, por outro lado, me fazia sentar ereto na cama e ter de limpar o suor da testa.

No pesadelo, estou dormindo profundamente em minha cama, mas sozinho. Minha namorada da época não está lá. A noite é bem clara e tem uma lua bastante iluminada e brilhante. Começo a sentir como se tivesse alguém ali, me observando dormir, mas não me sinto nem um pouco desconfortável. Na verdade, ocorre o contrário. Logo percebo que estou observando a mim mesmo, e depois de um tempo pareço me fundir com a versão de mim que está dormindo e começo a ver as coisas pelos olhos de minha versão de sonho. Acordo calmamente no meu sonho e vejo uma bela jovem loira flutuando na janela do quarto. Ela usa um vestido branco e brilhante solto e se aproxima de uma maneira bem sensual. Ela se desloca lentamente até em cima de mim, e quando estou pensando que a coisa não pode ficar melhor, ela me ataca e começa a arranhar todo o meu peito, tirando sangue. Isso machuca, mas não consigo me mover. Então sinto que ela começa a arranhar minhas pernas, tirando sangue lá também. Daí, percebo que ela agarra meus tornozelos e me puxa. Ela faz isso com tanta força que começa a me puxar para a ponta da cama. No entanto, embora pareça incrível, não caio no chão. Em vez disso, começo a sair pela janela com ela. Nesse ponto eu acordo encharcado de suor.

Brian teve esse mesmo sonho três vezes, e apenas enquanto estava na casa em Chisholm. Sua opinião sobre essas imagens é provavelmente diferente da maioria das idéias das pessoas sobre o que os pesadelos significam. Para Brian, esse sonho representa algo mais significativo. “Eu definitivamente acho que foi um contato com um espírito no sonho”, ele disse. “Houve uma ocasião em que ouvi uma voz feminina na casa." Talvez fosse o mesmo espírito feminino que estivesse estabelecendo contato? Mas com que propósito?

Com base na investigação de sua casa por uma equipe que incluía pessoas paranormais, Brian acredita que o espírito feminino tinha um problema com homens. "Acho que não pensei muito a respeito até começar a ter o sonho", ele disse.

A Análise:

> Em pesadelos típicos, fantasmas representam algo que o subconsciente pode estar tentando comunicar ao sonhador — parte do espírito interior tentando vir à luz dentro do sonho. Por causa da formação excepcional de Brian como investigador paranormal, e por ele afirmar que estava vivendo em uma casa mal-assombrada, as imagens de fantasmas são bem mais literais. Mesmo que a pessoa não acredite em fantasmas, a mulher fantasmagórica no sonho representa a personificação (embora personificação de *espírito*) dos problemas que a assombram em relação à casa. Viver num local assombrado pode fazer uma pessoa sentir-se como se estivesse de certa forma sob um cerco. No sonho de Brian, a representação da assombração estava se dando a conhecer de maneiras mais profundas do que durante o dia com algumas vozes sem corpo e portas abrindo sozinhas. Vale notar que os sonhos pararam desde que ele deixou a casa — aquele fantasma não é mais um problema em sua vida.

Febre

Sonhos decorrentes de febre são, em geral, surreais e incrivelmente bizarros, muito mais estranhos do que os "normais". A febre é uma das causas principais (ou um dos fatores determinantes) do terror noturno, do sonambulismo e dos pesadelos. Durante ela, o corpo se encontra em "marcha alta" e funciona numa temperatura mais elevada que a normal. O sistema imunológico trabalha dobrado e o corpo muito provavelmente não desfruta da quantidade de sono produtivo de que precisa para sarar e se regenerar. Por conta desses fatores, os médicos com freqüência recomendam a seus pacientes muito repouso para ajudar a combater a infecção. Sonhos febris incluem imagens assustadoras e são especialmente penosos para crianças (que tendem a ter febres mais altas que os adultos).

Fenômenos somáticos

Fenômenos somáticos se referem às sensações físicas que o corpo experimenta durante os sonhos. Quando ele sente o desconforto inoportuno da pressão ou da dor, ou quando percebe o incômodo de determinadas posições que machucam pernas ou braços enquanto dormimos, esses dados sensoriais são freqüentemente incorporados a nossos sonhos.

A mente usa os sonhos para nos informar a respeito do desconforto do nosso corpo e, pelo fato de ela, adormecida, não nos apresentar a realidade da mesma forma como quando estamos despertos, essa mensagem chega de maneira exagerada ou simbólica. Herbert Silberer, psicólogo alemão, registrou um sonho que teve durante uma crise de laringite e febre alta — tinha muita dificuldade de engolir. Ele relatou que, no sonho, tomava uma garrafa de água atrás da outra sem jamais saciar a sede. O sonho provavelmente representou a saliva que ele tinha de engolir constantemente, apesar da dor. Num outro estudo, braçadeiras de medidores de pressão sangüínea foram atadas aos tornozelos dos sujeitos da experiência e infladas enquanto eles dormiam. Cada pessoa relatou variações do mesmo sonho: todas estavam amarradas, seja por cobras, seja por cordas ou outros objetos similares.

Ferida

Feridas em sonhos são representações metafóricas do impacto de experiências emocionais negativas que são reveses pessoais muitas vezes dolorosos, mas em última análise parte do amadurecer. De maneira alternativa, a "cura de velhas feridas" pode ser positiva — o tecido conjuntivo de velhas feridas é, freqüentemente, mais forte e resistente do que o material original. Na iconografia cristã, as feridas de Cristo são redentoras e representam esperança e cura. Como em qualquer pesadelo, preste atenção ao que está sendo ferido, às circunstâncias em torno do ferimento e em especial às emoções que fazem parte do contexto do evento e são evocadas por ele.

Finley, Caroline

Caroline Finley foi uma médica que recebeu diversas condecorações por seu trabalho como cirurgiã durante a Primeira Guerra Mundial e que até hoje é reconhecida por suas pesquisas concernentes às causas fisiológicas, ou biológicas, dos sonhos. Suas descobertas sobre os efeitos dos hormônios pituitários e adrenais sobre os sonhos e o sonhar representaram uma ruptura radical com as teorias freudianas em voga no começo do século XX.

Na primeira metade do seu estudo, ela administrou doses diárias de um extrato pituitário para um paciente de meia-idade com influenza. Após uma semana e meia, o sujeito começou a experimentar sonhos vívidos extremamente aprazíveis. Quando o mesmo paciente passou a tomar doses diárias de extrato adrenal, em poucos dias lembrou-se de uma quantidade muito inferior de sonhos, dos quais só conseguia recordar os pesadelos mais estressantes. Estes continham bem menos cores que os sonhos bons anteriores e as emoções neles predominantes eram o medo e a raiva. Os resultados levaram Finley a concluir que a causa dos sonhos e dos pesadelos (e também do seu conteúdo) é, em primeira instância, física.

Flashback

Um *flashback* é a reprodução imaginária de um ou mais acontecimentos traumáticos enquanto a pessoa está acordada — quase um pesadelo acordado, no qual o acontecimento inicial que precipita o restante do trauma é revivido, muitas vezes em detalhes. *Flashbacks* podem ser disparados por dados sensoriais comuns, como sons ou cheiros, que de alguma forma fazem a vítima recordar o trauma inicial. Freqüentemente são uma experiência tão intensa e "real" que a vítima é incapaz de identificá-los como "apenas" uma memória. Os *flashbacks* geralmente acompanham pesadelos traumáticos recorrentes em vítimas de Distúrbio de Estresse Pós-Traumático.

(Ver também **Distúrbio de Estresse Pós-Traumático**)

Floresta

Uma floresta pode ser um local muito sereno, mas também perigoso. É fácil se perder numa mata com a qual não estamos familiarizados: quando caminhamos por muito tempo, as árvores começam a parecer idênticas, e pessoas que se perdem podem andar em círculos durante dias. Sonhar que se está perdido numa floresta pode ser um prenúncio de insatisfação no trabalho ou indicar que você se sente oprimido por alguns acontecimentos da sua vida ou despreparado em relação a eles.

Fogo

Imagens de fogo nos sonhos podem ter uma ampla extensão de significados, como paixão, raiva, purificação, transformação, espiritualidade, iluminação ou destruição. Alguns teóricos dizem que o fogo aceso pelo próprio piromaníaco possui um significativo componente sexual. O sentido particular desse símbolo para o sonhador depende de outros fatores relativos à sua vida acordada e ao cenário do pesadelo. Você talvez esteja se sentindo "incendiado" por emoções intensas em relação a uma idéia, um projeto ou um novo caso amoroso. Esse pesadelo talvez esteja lhe dizendo o quanto essa situação é desgastante e que você deve proceder com cautela para não se queimar. Se vir uma casa em chamas ou um incêndio a distância, o pesadelo pode estar comunicando que você está com pressão alta e/ou que deve se manter tranqüilo em relação a desarranjos emocionais. No caso de se ascender de um braseiro, como uma fênix, essa imagem tem a ver com regeneração e renovação.

Folclore

Todas as diferentes culturas têm suas próprias crenças informais e anedóticas a respeito de sonhos e pesadelos. A cultura ocidental contemporânea não é diferente. Algumas das lendas mais comuns acerca dos temas mais recorrentes nos sonhos são:

Se você sonhar que está caindo e não acorda antes de atingir o solo, você morrerá. Muitos de nós provavelmente já ouvimos e divulgamos essa lenda urbana. O fato é que, embora a maioria das pessoas acorde antes de atingir o solo, algumas conseguem aterrissar com segurança nos seus sonhos. Um problema óbvio dessa pseudo-informação é que nenhum de nós conhece alguém que tenha morrido durante um sonho de queda livre e que foi capaz, em seguida, de relatar se essa visão foi ou não sua última experiência antes de morrer.

É perigoso acordar um sonâmbulo. Essa é uma noção romântica que tem origem na antiga crença de que a alma abandona o corpo durante o sono. Acreditava-se que acordar uma pessoa de repente podia romper o vínculo entre seu corpo e sua alma, provocando doenças, um ataque cardíaco ou a insanidade. Isso é evidentemente falso. É comum pensar que um sonâmbulo jamais irá se machucar se deixado à própria sorte. Mas isso também é incorreto, pois sabe-se de casos de sonambulismo nos quais as pessoas andaram direto através de portas de vidro, quebrando-as, ou rolaram escadas abaixo. Pode ser *difícil* acordar um sonâmbulo, por isso, uma atitude mais eficaz que o despertar é guiá-lo de volta para a cama.

Algumas pessoas não sonham. Pesquisas modernas provaram que todas as pessoas sonham, ainda que algumas delas não se lembrem dos sonhos.

Você sonhará com sua futura esposa se dormir com um pedaço de bolo de casamento sob seu travesseiro. Um folclore muito romântico, mas tão eficaz quanto lançar alpiste sobre os noivos durante um casamento para garantir que tenham muitos filhos. Além do mais, quem de fato vai dormir com um pedaço de bolo debaixo do travesseiro?

Deixar uma faca no pé da cama afasta os pesadelos. A crença de que os demônios eram responsáveis pelos pesadelos pode ter inspirado essa prática — se entidades conscientes atacam uma pessoa enquanto ela dorme, então dormir com uma arma para se proteger faz algum sentido. No entanto, a sensação de segurança que se sente por ter uma arma por perto pode, de fato, tornar o sono mais sereno.

Outros folclores sobre sonhos e pesadelos são *quase* verdadeiros. É comum se dizer, por exemplo, que comer alimentos bem temperados antes de dormir induz pesadelos. Isso é impreciso, ainda que eles possam causar indigestão, e esta, por sua vez, possa desarranjar o sono e agitar os sonhos.

Formigas

Se formigas estão rastejando pelo seu corpo num pesadelo e você as sente mordendo ou picando, talvez esteja vivenciando a soma total das situações em sua vida como uma ameaça real, ou quem sabe esteja sendo incomodado por muitos problemas pequenos que estão fora do seu controle. Se está sendo atormentado por pesadelos recorrentes sobre formigas (ou outra coisa rastejante), tome medidas preventivas e "refaça" o sonho decidindo chamar um dedetizador em seu próximo pesadelo.

(Ver também **Sonho lúcido**)

Fosso

Fossos são símbolos tradicionais do inferno, da morte, da vida após a morte e do inconsciente. Sonhar que você está num fosso pode indicar sentimentos de impotência ou desespero. Fossos podem também simbolizar "trabalhos sombrios", nos quais o sonhador está descobrindo ou cutucando os aspectos desconhecidos e obscuros da psique.

Frankenstein

Mary Shelley disse ter recebido a inspiração para escrever esse épico do horror durante uma visita a lorde Byron (irmão do seu futuro marido, Percy Byron Shelley) na casa de campo dele, na Suíça, em 1816. Ainda com tenros 18 anos, ela experimentou um pesadelo extraordinário após ter participado de uma reunião em que Percy Byron Shelley, lorde Byron, a ama deste e um médico local, para espantar o tédio, resolveram contar histórias fantasmagóricas. Ao final do encontro, lorde Byron propôs que todos escrevessem uma história de terror. Mary Shelley teve um pesadelo tão vívido naquela noite que baseou nele seu romance. O seguinte trecho é parte de seu relato:

> Minha imaginação, espontaneamente, me possuiu e me guiou, presenteando minha mente com sucessivas imagens muito mais vívidas que os limites usuais da fantasia... Eu vi o estudante pálido de artes profanas ajoelhado ao lado da coisa que ele havia remendado... eu vi o fantasma medonho de um homem estirado começar a demonstrar sinais de vida e a se mexer com movimentos bruscos e semivitais no momento em que um motor poderoso foi acionado... Ele esperaria que, deixado à sua própria sorte, a breve faísca de vida que havia transmitido esmorecesse; que aquela coisa, a qual havia recebido animação tão imperfeita, cedesse e morresse e que ele pudesse dormir crente

> que o silêncio da cova havia extinguido para sempre a transitória existência do cadáver medonho por ele venerado como o berço da vida... Imediata como a luz e estimulante foi a idéia que me ocorreu: "Eu encontrei! Aquilo que me aterroriza vai aterrorizar os outros; só preciso descrever o espectro que assombrou meu travesseiro durante a madrugada." No dia seguinte, anunciei que havia pensado a história.

Também conhecido como *O Prometeu Moderno*, o romance foi publicado em 1818. O livro é baseado, em parte, no cientista Luigi Galvani, que concluiu, por meio de uma série de experiências, que a eletricidade é o segredo da vida. Ele acreditava ser possível reanimar um cadáver utilizando impulsos elétricos.

Em *Frankenstein*, Shelley narra uma história de terror científico em que Victor Frankenstein cria um ser vivo a partir de membros de corpos em decomposição. Shelley descreve o monstro como uma imitação burlesca e viva da morte, constituído de pedaços de mortos recém-enterrados. Mas, apesar da aparência horripilante, o monstro Frankenstein criado por Shelley é um ser inteligente, dotado das habilidades de falar e raciocinar. Possui sofisticada capacidade de leitura e todas as facilidades do conhecimento, mas sua fraqueza ou insolência resulta da repreensível irracionalidade de seu temperamento.

A luta do monstro pela vida e a antipatia dele por Victor são, em alguns aspectos, um paralelo com o conflito bíblico entre Deus e o Diabo. No fim, o monstro triunfa, mas exibe sinais de remorso, arrependimento e ódio em relação a si mesmo. O reconhecimento do vazio da retribuição demonstra um senso de compaixão e empatia não existente na maioria dos vilões. No fim, a criatura jura que irá se matar, mas a história termina com ela desaparecendo em meio a uma nevasca.

Em 1931, James Whale dirigiu um filme baseado no romance de Shelley. Alguns ainda consideram este o melhor filme sobre Frankenstein. Whale fez seu filme como se reconstituísse uma cerimônia, permanecendo mais ou menos fiel ao tom do livro, senão a cada detalhe. Na versão de Shelley, a criatura é um ser complexo: não é má por natureza; sua maldade é resultado da rejeição e do abandono. Mas o monstro de Whale é apenas um monstro — fisicamente parecido com o homem de Neandertal e dotado de um cérebro de assassino. Por isso, a maldade está presente no instante em que ele é reanimado. Esse Frankenstein primitivo só sabia rosnar e possuía pouca ou nenhuma sensibilidade emocional. No fim do filme, ao contrário do romance, a criatura é destruída por uma multidão de cidadãos, representando o triunfo da humanidade sobre as forças do mal.

Freud, Sigmund

Sigmund Freud (1856-1939) foi o fundador da psicanálise e possivelmente um dos maiores pensadores da história. A interpretação dos sonhos foi um dos principais instrumentos usados por ele para identificar e diagnosticar as perturbações mentais.

Como médico, Freud se interessou pelo papel da mente no desenvolvimento de doenças. Em parte por conta do seu trabalho com pacientes com histeria (uma doença neurótica e psicossomática) e, em parte, por causa do seu treino em hipnose com o brilhante neurologista francês J. Marin Charcot, Freud acabou se especializando em distúrbios psicológicos. Suas primeiras teorias a respeito das origens sexuais das doenças mentais escandalizaram a sociedade vitoriana contemporânea e, por isso, alguns anos se passaram antes que ele conseguisse convencer os colegas da área médica de que suas descobertas continham um fundo de verdade. Ainda que poucos ou nenhum dos analistas atuais sejam adeptos do freudismo "ortodoxo", algumas noções freudianas fundamentais, como a idéia de que somos influenciados por motivações inconscientes, são amplamente aceitas entre os psicoterapeutas.

A teoria da natureza humana de Freud (o que os psicólogos contemporâneos chamam de *teoria da personalidade de Freud*) apresenta um retrato muito desagradável do ser humano. De acordo com Freud, as pessoas são essencialmente animais interessados apenas em si mesmos, impelidos por ímpetos agressivos e pelo desejo de sentir prazer. A única maneira que os homens encontram de viver em sociedade é aprendendo a reprimir esses impulsos animais. Todavia, o ser primitivo jamais é completamente dominado ou erradicado. Freud chama esse ser animal, essa identidade que constitui o âmago da psique, de *id*. Ele afirma que os outros aspectos da psique, o *ego* e o *superego*, são desenvolvidos posteriormente e nascem da necessidade de se adaptar ao (e de sobreviver no) meio social. O ego é a porção racional da psique e tem a função de ajustar os nossos ímpetos interiores às demandas e restrições da sociedade. Já o superego representa a internalização das regras sociais, que nos providenciam um compasso moral.

Alguém poderia imaginar corretamente que o superego está em constante conflito com o id e que certas demandas da realidade externa também colidem de frente com determinados impulsos do id. De fato, a psique é um campo de batalha no qual diversos componentes da personalidade estão engajados em combates perpétuos. Freud sentiu que a negação de urgências inaceitáveis, aqueles impulsos que as pessoas preferem não admitir que façam parte delas mesmas, poderia desencadear doenças mentais. Por exemplo, o desejo de ter uma relação sexual com o pai ou a mãe (termo denominado *complexo de Édipo* para os homens e *complexo de Electra* para as mulheres) é um tabu tão grande e tão alheio aos limites daquilo que nossa sociedade considera razoável que reprimimos nossa ciência do impulso, tornando-o inconsciente. As doenças mentais surgem quando desejos como esse se tornam fortes demais para se lidar normalmente com eles.

A terapia freudiana envolve a descoberta do impulso ou dos impulsos reprimidos que causam a disfunção. Uma vez que o paciente é confrontado com seus desejos verdadeiros e os aceita e integra como parte de si mesmo, a cura é possível. A psique não carece mais esconder da consciência a "verdade terrível". Freud inicialmente esperava que a hipnose pudesse ser um instrumento útil para acessar o inconsciente, mas logo abandonou a técnica em favor da livre associação e da interpretação dos sonhos.

Ele sentiu que a análise dos sonhos era uma das mais poderosas vias de acesso para desvendar desejos reprimidos, referindo-se àqueles como a "estrada real" que conduz ao inconsciente. O principal trabalho de Freud a esse respeito, *A Interpretação dos Sonhos*, foi publicado originalmente em 1900 e alcançou oito edições enquanto ele viveu. A certa altura, Freud escreveu que *A Interpretação dos Sonhos* "contém, até mesmo de acordo com meu julgamento atual, a mais valiosa de todas as descobertas que tive a sorte de fazer. Idéias como essa acontecem uma única vez na vida." Não obstante algumas revisões mínimas, sua teoria dos sonhos permaneceu notavelmente inalterada desde a formulação inicial. Na visão de Freud, o propósito dos sonhos é simplesmente a consumação dos desejos — os sonhos nos permitem satisfazer, no universo da fantasia, os impulsos instintivos que a sociedade vê como inaceitáveis. No processo que ele chamou de trabalho do sonho, a parte da mente responsável pela censura transforma esse impulso (ou impulsos) em um determinado conteúdo onírico (conteúdo manifesto) no sentido de disfarçar seu significado verdadeiro (conteúdo latente), evitando que as fortes emoções subseqüentes nos perturbem ou despertem.

Freud identificou cinco processos inerentes ao trabalho do sonho: transferência, condensação, simbolização, projeção e elaboração secundária (ver também **Trabalho do sonho**). Durante a transferência, reprimimos um impulso, o qual é redirecionado para outro objeto ou pessoa. Se, por exemplo, um indivíduo sonhasse que mata os pais (um impulso reprimido), as fortes emoções evocadas pelo sonho o acordariam. Portanto, em vez de assassinar os pais, sua agressão é "transferida" e ele sonha que o automóvel deles é esmagado por um trem. A condensação, como a própria palavra denota, é o processo no qual um pensamento, impulso ou emoção particular é comprimido num evento breve ou numa imagem presente no sonho, de modo que seu significado mais profundo deixa de ser imediato. Durante a simbolização, o impulso reprimido é expresso em ações de forma simbólica. Por exemplo, num sonho, o ato de inserir uma chave na fechadura pode ter um significado sexual. A projeção se refere à tendência da mente de projetar nossos desejos reprimidos em outras pessoas. Assim, em vez de sonharmos em ter relações sexuais com parceiros proibidos, podemos, por exemplo, sonhar que um parente consangüíneo do mesmo sexo (que, no sonho, pode ser um símbolo projetado de nós mesmos) o faz. Elaboração secundária é a expressão que Freud usou para denominar o estágio final da produção dos sonhos. Depois de passar por uma ou mais das outras operações, os processos secundários do ego reorganizam os componentes do sonho, de outra maneira estranhos, para dessa forma lhe atribuir um significado superficial minimamente compreensível. O processo de interpretação dos sonhos na psicanálise envolve a "decodificação" da superfície do sonho (o conteúdo manifesto) para assim chegar a seu significado verdadeiro (conteúdo latente).

A noção de que os sonhos são uma maneira de consumar desejos levou Freud a ignorar os pesadelos. Os pesadelos, e especialmente os mais vívidos, os quais podem até acordar o sonhador, contradizem a visão freudiana de que os sonhos são os "guardiões do sono". Freud abordava os pesadelos como experiências desagradáveis somente enraizadas no conteúdo manifesto dos sonhos — caso analisados com mais cuidado, revelariam o conteúdo latente da satisfação do desejo. Ele reconheceu, no entanto, a existência de sonhos "contrários ao desejo", os quais resultavam do medo ou da ansiedade. Postulava que essas emoções negativas também existiam no âmbito do conteúdo manifesto e que geralmente advinham das tendências masoquistas do sonhador.

Quando a noção de impulsos agressivos ganhou espaço em sua teoria, Freud chegou a afirmar que os pesadelos eram expressões de "impulsos imorais, incestuosos e perversos ou de desejos homicidas e sádicos". Porém, ele percebeu que isso não se aplicava a casos de pesadelos induzidos por traumas. Então, elaborou a idéia de que os sonhos traumáticos, que são caracteristicamente pesadelos recorrentes, surgiam de uma "compulsão pela repetição" para reproduzir experiências desagradáveis (de novo, devido às tendências masoquistas do sonhador).

Em seu livro *A Interpretação dos Sonhos*, quinta edição (Franz Deuticke, 1918), Freud oferece uma análise de um de seus próprios sonhos que parece ser uma das primeiras premonições acerca da morte do papa:

> Em outro sonho, fui igualmente capaz de afastar uma possível interrupção do meu sono oriunda, desta vez, de um estímulo sensorial. Nesse caso, no entanto, foi por acaso que pude iden-

> tificar o vínculo entre o sonho e seu estímulo acidental e assim o entender. Numa manhã de alto verão, enquanto estava em um hotel no Tirol, acordei consciente de que tivera um sonho em que o papa morria. Falhei em interpretar esse sonho — um sonho não visual — e só me lembrei de parte do seu fundamento porque pouco antes havia lido que Sua Santidade estava sofrendo de uma leve indisposição. Ao longo da manhã, todavia, minha esposa me perguntou se eu havia escutado o aterrorizante som de sinos. Não havia notado o barulho, mas pude entender meu sonho. Foi uma reação da minha necessidade de dormir ao barulho com o qual os devotos tiroleses tentaram me despertar. Eu havia me vingado deles ao desenhar a interferência que formulou o conteúdo do meu sonho e continuei dormindo sem prestar mais atenção aos sinos.

Ainda que muitos psicólogos tenham descartado a maioria das teorias de Freud, é fato que seus estudos serviram de base para os pesquisadores que o sucederam e que a análise dos sonhos ainda é um aspecto vital da psicanálise.

Frio

Calafrios são com freqüência associados com o medo. Uma sensação de estar com frio num pesadelo pode indicar o medo de ser excluído ou deixado de fora de algo, posto numa geladeira (isso é, "deixado fora no frio") ou a inibição ou o atrofiamento de certas emoções.

Fritar

Fritar: bom para os frangos, ruim para a carne humana. Nossa cultura preza o *fast-food*, logo o som e o cheiro de algo fritando em óleo fervendo nos faz lembrar de imediato uma deliciosa refeição altamente calórica e engordativa. Uma vez que a obesidade continua sendo uma das principais causas de problemas de saúde e que nossa obsessão por comida saudável e dietas não pára, os alimentos e a arte culinária invadirão nossos sonhos simplesmente porque estamos sempre pensando nisso. Pessoas que fazem dieta ou sofrem de disfunções alimentares são especialmente propensas a ter sonhos envolvendo comida. Mas, às vezes, nos pesadelos, nós é que nos tornamos o alimento. Sonhar que você é fritado ou cozinhado indica questões relacionadas com a auto-estima. Nosso subconsciente, culpado ou envergonhado, pode estar nos dizendo: tanto faz, sejamos fritos vivos e nos tornemos parte da cadeia alimentar para que todos possam compartilhar da nossa penúria! Imagens oníricas como essas indicam que provavelmente está na hora de corrigir a dieta e nosso olhar sobre nós mesmos.

Fuga

Tentar escapar de alguma coisa ou de alguém em um pesadelo é característico de um sonho de ansiedade. É muito comum que a identidade da coisa ou da pessoa de quem se está fugindo permaneça desconhecida. Um sonho como esse pode indicar que você está sendo forçado a encarar um problema que vem tentando esconder ou ignorar na esperança de que ele simplesmente desapareça. Esse pesadelo também pode indicar que você está se colocando numa situação perigosa ou comprometedora e que precisa urgentemente sair dela.

Fumaça

Nos sonhos, estar cercado de fumaça, sendo asfixiado, pode indicar que o sonhador está confuso ou sofrendo por conta de ansiedade e falta de clareza. Com freqüência, ele verá que está sufocando e se sentirá desorientado, o que sugere a necessidade de "esclarecer as coisas".

Funerais

Funerais de verdade pouco têm a ver com a morte ou com os mortos; cerimônias e rituais desse tipo existem para amparar e consolar os vivos. Participar de um funeral num sonho pode estar relacionado com suas questões particulares em relação à morte: talvez você esteja preocupado com a morte ou pode recentemente ter perdido alguém querido, de modo que o cenário onírico do funeral é apenas a reprodução de uma situação real. Os funerais nos sonhos possivelmente também significam o fim de algo — um mau hábito, uma amizade ou um acordo profissional. Investigue os momentos em que você pode ter de enterrar algo ou alguém e siga adiante.

Fuseli, Johann Heinrich

Em 1781, o suíço Johann Heinrich Fuseli pintou *O Pesadelo*. O quadro, que é um dos mais famosos do romantismo, adorna a capa deste livro. Ele retrata uma criatura demoníaca de feição meditativa, semelhante a uma gárgula, descansando sobre o estômago de uma mulher desfalecida. A criatura parece ponderar sobre que visão terrível ela deverá proporcionar à mulher. A vítima, vestida de linho branco, está claramente inconsciente e à mercê do espectro. Bem à esquerda do quadro, uma cabeça de cavalo escura os observa — talvez em referência à etimologia escandinava da palavra que designa pesadelo, que em inglês resultou em *nightmare* (literalmente "égua da noite").

Aqueles que estudaram o folclore relativo a distúrbios do sono acreditam que o quadro de Fuseli descreve com perfeição um fenômeno chamado "Síndrome da Bruxa Velha" (ou, em português, paralisia do sono). A pintura é também um excelente exemplo de arte onírica, em que tanto o tema quanto a estética da obra são inspiradas pelos sonhos e pelo sonhar.

(Ver também **Síndrome da Bruxa Velha** ou **Paralisia do sono**)

Gabriel

Na Bíblia, o arcanjo Gabriel é um dos mensageiros sagrados de Deus, também considerado o arcanjo do parto, das emoções e dos sonhos. A idéia de um espírito ou presença divina ser responsável pelos sonhos, em especial pelos proféticos, não é nova. No Velho Testamento, no livro de Daniel, Gabriel desce à Terra em forma humana para interpretar as visões de Daniel. No Novo Testamento, ele é mencionado em Lucas 1:19, em que visita o idoso Zacarias e anuncia o nascimento iminente do apóstolo João (que iria se tornar o evangelista João Batista). Seu nome é também citado em Lucas 1:26, quando ele visita a Virgem Maria em Nazaré e fala a ela sobre sua gravidez vindoura. Alguns estudiosos bíblicos acreditam que Gabriel faz outras aparições no Novo Testamento (embora não seja especificamente nomeado): talvez seja ele que tenha inspirado a José o sonho profético para levar Maria e o menino Jesus para o Egito, a fim de escapar do rei Herodes; ou seja, ele que se encontrou com Jesus no Jardim de Getsêmani na noite antes da crucificação.

Embora seja ostensivamente um espírito ou anjo "bom", a presença de Gabriel é, no entanto, sempre aterrorizante, e suas mensagens são quase sempre prefaciadas pela expressão "Não tema".

Gaiman, Neil

Em 1988, Neil Gaiman publicou sua primeira série de *graphic novels* chamada *The Sandman* para a linha Vertigo da DC Comics. *Sandman* gira em torno das aventuras de Sonho, personagem que é a personificação das imagens da hora de dormir. Sonho tem seis irmãos — Morte, Destino, Desejo, Desespero, Delírio e Destruição — e toda a família é conhecida como Os Perpétuos. Gaiman foi proclamado um dos principais escritores pós-modernos, e seu *Sandman 19* foi o primeiro quadrinho a ganhar o Prêmio World Fantasy em 1991. Na primeira coleção de dez livros da saga de *Sandman*, *Prelúdios e Noturnos*, o Rei dos Sonhos foi aprisionado por um místico por setenta anos. Quando finalmente escapa, seu reino noturno é uma paisagem de ruína e horror, e ele precisa percorrer a terra a fim de reconstruí-la. Em 2003, Gaiman publicou o livro para crianças *The Wolves in the Walls* (Harper Collins). O escritor disse ao *Pittsburgh Post-Gazette* que foi baseado nos pesadelos que sua filha de quatro anos estava tendo sobre lobos vivendo nas paredes do quarto. Gaiman disse na entrevista ao *Post-Gazette*: "Era um desses sonhos 'grudentos' que ficam com você. Então comecei a inventar histórias sobre lobos e paredes para animá-la." A heroína do livro é uma jovem chamada Lucy, e ninguém na família dela acredita que há mesmo lobos nas paredes até que é tarde demais e os mesmos escapam para fora delas e forçam a família a fugir para onde estiveram.

Gangue

Um pesadelo sobre participar de uma gangue pode representar um desejo inconsciente de alcançar coisas por meio de força e intimidação, ou talvez seja uma indicação de que o sonhador tem uma necessidade profunda de pertencer a um grupo ou ser aceito por ele. Ser ameaçado ou atacado por uma gangue pode indicar que você sente que todos estão unidos contra você.

Garganta

Sonhar com rouquidão ou com a constrição da garganta significa que o sonhador está se sentindo sufocado e não consegue expressar com clareza determinadas idéias ou sentimentos. De alguma forma, ele não tem mais "voz" em determinados relacionamentos ou situações. Esse sonho indica a percepção genérica de que o sonhador perdeu o controle sobre sua vida acordada.

(Ver também **Sufocamento**)

Gatos

Muitos dizem que os gatos representam o aspecto negativo da mística feminina. Se você está sendo arranhado ou mordido por um felino bravo num pesadelo, é possível que alguém que conheça (provavelmente uma mulher) tenha algum problema com você e possa estar procurando uma forma de lhe dar "uma patada". De acordo com certas histórias do folclore, os gatos têm a capacidade de roubar o fôlego de uma criança durante o sono. Essa é uma explicação primitiva para a SMSI (síndrome da morte súbita infantil).

Gelo

Uma paisagem congelada é uma imagem lúgubre e austera. O frio que a acompanha drena nossa força, e calafrios violentos podem fazer os músculos e até os ossos doerem. Um pesadelo numa paisagem congelada fala de isolamento e anseio de amor. Blocos de gelo representam questões do coração com as quais é necessário lidar. Para o gelo derreter, a chave é a comunicação.

Caminhar por um corpo de água congelado talvez indique que você está isolado de uma ligação emocional, enquanto andar sobre gelo fino significa que você se sente tanto mais temeroso quanto mais próximo chega de uma resolução. No final de *Frankenstein,* de Mary Shelley, o monstro é visto pela última vez andando por um terreno congelado e desolado, sugerindo que ele está separado da humanidade e de toda possibilidade de redenção.

Gestalt

Gestalt (no sentido de "todo") é a teoria psicológica ou escola de pensamento na qual os fenômenos devem ser interpretados como um todo distinto que é maior do que a soma de suas partes. Em 1890, o filósofo Christian von Ehrenfels cunhou o termo para descrever experiências que exigem mais do que os cinco sentidos para serem compreendidas. O movimento gestáltico entrou pela primeira vez na linguagem da consulta psicológica em 1912, quando os teóricos alemães Max Wertheimer, Wolfgang Kohler e Kurt Koffka incorporaram o conceito à psicologia como uma rejeição dos métodos predominantes de análise da época, os quais se concentravam mais em examinar as partes díspares de distúrbios e problemas. Críticos da teoria gestáltica sentem que não é científico tentar encontrar sentido no quadro geral sem primeiro examinar os detalhes.

O método Gestalt de análise de sonhos envolve ver todas as partes destes como emanações de aspectos subconscientes do sonhador. Ele afirma que a mente é capaz de organizar a experiência do sonho num todo compreensível, mesmo que a informação sensorial disponível esteja incompleta. O foco da terapia de sonho gestáltica é descobrir os "buracos" emocionais que foram encobertos pelo subconsciente ou reprimidos pelo consciente e então reintegrá-los num todo psicológico maior. Todas as imagens de sonhos são vistas como uma mensagem em si mesma relacionada com a situação presente do sonhador. Essa visão difere da de Freud, que afirmava que os sonhos eram apenas a realização de desejos, bem como da de Jung, que acreditava que eram um presságio de coisas por vir. Se uma pessoa sonha com uma árvore, na abordagem gestáltica, ela diria: "Eu *sou* uma árvore" e então descreveria os detalhes da imagem na primeira pessoa; por exemplo: "Eu sou um carvalho alto com grandes folhas verdes e vários ramos voltados para baixo que se precipitam em direção ao chão e então para fora, mas um ramo parece estar quebrado e morrendo." Essa auto-análise leva a pessoa a um maior entendimento de como as imagens se relacionam com sua própria vida e de como ela vê a si mesma. O objetivo do sonhador é entender seu sonho e fazer sua própria análise. Frederick Perlz, o fundador da terapia Gestalt, disse uma vez sobre a análise de sonhos: "Qualquer interpretação por um terapeuta é um erro terapêutico."

(Ver também **Perlz, Fritz**)

Gilgamesh

A área entre os rios Tigre e Eufrates no Iraque moderno já foi a localização de um grupo de civilizações antigas que juntas eram referidas como Mesopotâmia (ou "entre dois rios"). A primeira cultura mesopotâmica urbana antecedeu a alta cultura do Egito em milhares de anos.

Os mesopotâmicos escreviam com caracteres cuneiformes em tabuletas de argila, muitas das quais sobreviveram até os dias de hoje. *O Épico de Gilgamesh* é a mais antiga história de herói da humanidade de que se tem registro e data de no mínimo 2000 a.C. Gilgamesh foi um soberano lendário que reinou sobre a cidade-estado de Uruk por volta de 2600 a.C. Filho da deusa Ninsun e do rei Lugalbanda, ele, ao que se diz, tinha sangue divino em suas veias. Mas como, apesar disso, permaneceu mortal, o tema central do épico é a busca da imortalidade.

A primeira parte da epopéia começa com o sonho de Gilgamesh que prediz que ele irá encontrar um amigo, o qual irá "aceitar como uma esposa". Como a mensagem do sonho é expressa em símbolos, Gilgamesh busca a ajuda da mãe, que o interpreta para ele. Depois, acaba por conhecer o ex-selvagem Enkidu, do qual se torna amigo, e juntos eles viajam para matar Humbaba, o gigante da floresta de pinheiros. No caminho, Gilgamesh tem o que acredita ser um pesadelo de mau agouro, mas Enkidu age como intérprete e prediz, em vez disso, um resultado favorável para sua busca.

O triunfante Gilgamesh é tão atraente que a própria deusa do amor, Ishtar, propõe que ela e o jovem rei se tornem amantes. Ele responde relembrando os fins terríveis que tiveram os parceiros dela, e rejeita a proposta. Não acostumada à rejeição, Ishtar fica tão ofendida que convence o Touro do Céu a descer e punir a cidade de Uruk. Gilgamesh e Enkidu, no entanto, derrotam o touro com facilidade.

Infelizmente, o assassinato do Touro do Céu evoca a fúria dos deuses, que decidem que um dos dois amigos precisa morrer como punição. Enkidu tem um sonho com um presságio ruim no qual descobre que os deuses o escolheram para esse destino, e ele mais tarde adoece e por fim morre. Gilgamesh fica perturbado pela morte de seu melhor amigo. Mas, como resultado, ele também começa a considerar sua própria mortalidade. De acordo com o pensamento religioso mesopotâmico, os deuses criam as pessoas da argila para serem seus servos na terra; a humanidade não é dotada de uma alma propriamente dita, e o pós-vida é apenas uma sombra pálida da vida terrena, bem parecido com o Sheol judeu ou o Hades grego inicial. Antes de morrer, Enkidu sonha com o outro mundo e oferece a seguinte descrição:

> Há uma casa onde as pessoas se sentam na escuridão; pó é sua comida e argila sua carne. Elas estão vestidas como pássaros com asas como cobertura, não vêem nenhuma luz, sentam na escuridão. Eu entrei na casa do pó e vi os reis da terra, suas coroas colocadas de lado para sempre...
>
> (Extraído de *www.aina.org/books/eog/eog.htm*)

Como outras culturas que enterravam seus mortos na terra, os mesopotâmicos conceberam a vida após a morte como sendo um submundo escuro, empoeirado e desagradável.

Com essa visão assustadora diante dele, Gilgamesh resolve sair numa busca pela imortalidade. Ele ouve que o homem mortal Utnapishtim, o equivalente mesopotâmico do Noé cristão, recebeu a imortalidade dos deuses. Para descobrir como Utnapishtim obteve tal dádiva, Gilgamesh realiza uma árdua jornada. Quando eles se encontram, Utnapishtim relata como os deuses, num ataque de raiva, destruíram toda a humanidade num grande dilúvio. Apenas a sábia divindade Ea teve a perspicácia de avisar Utnapishtim, que construiu um grande buraco no qual ele e sua família sobreviveram. Os deuses rapidamente perceberam o erro de suas atitudes, mas apenas depois do fato. Eles descobriram que os seres humanos não são apenas servos, mas também "comida" para os deuses; sem a humanidade, eles morreriam de fome. Depois da inundação, Utnapishtim fez as oferendas adequadas e os deuses puderam comer. Por gratidão, concederam a imortalidade a ele e a sua esposa. A fim de determinar se Gilgamesh é digno de ser coroado com a imortalidade, Utnapishtim o desafia a permanecer acordado por uma semana. Gilgamesh imediatamente falha no teste e, em vez disso, dorme por uma semana. No entanto, recebe um "prêmio de consolação", uma planta com poderes de rejuvenescimento (a melhor coisa depois da imortalidade). Infelizmente, em sua jornada para casa, uma serpente come a planta e Gilgamesh volta de mãos vazias. (Isso provavelmente é uma referência ao fato de que os antigos acreditavam que as serpentes eram sábias porque a perda de suas peles demonstrava uma capacidade quase infinita para o rejuvenescimento.)

Gilgamesh reflete o fato de que os sonhos eram muito respeitados na antiga Mesopotâmia como presságios do futuro, e valorizados como um canal entre realidades paralelas (como quando Enkidu recebe uma visão antecipada da pós-vida durante um sonho). Em *Gilgamesh*, os sonhos também funcionam como uma ferramenta literária, prenunciando eventos que ainda não aconteceram.

Goya, Francisco

Francisco Goya começou a carreira pintando tapeçarias decorativas, e então seguiu para se tornar um artista de retratos profissional. Viveu durante um período conturbado da história européia, sobrevivendo à devastadora invasão da Espanha por Napoleão. O expressionismo simbólico de suas últimas obras iria servir como inspiração para gerações posteriores de artistas. Suas representações de pesadelos, violência e sofrimento humano são consideradas precursoras do Romantismo do século seguinte. Goya é especialmente lembrado pelas obras de arte com visuais de pesadelo que ele produziu na segunda metade da vida. Na pintura *Saturno Devorando os Filhos*, ele mostra o deus no meio de um banquete aterrador; de alguma forma, Goya consegue transmitir o deslumbramento da divindade com sua própria participação no ritual canibalístico. Seu trabalho *O Sonho da Razão Produz Monstros* representa o medo de que a libertação da imaginação possa resultar no reino livre de aspectos não gerenciáveis e indesejáveis da psique humana. Goya também é conhecido por suas representações dos internados num hospício em Saragoça, Espanha, e pelas cenas de vários sabás de bruxas.

A qualidade de pesadelo do mundo acordado de Goya provavelmente foi o que permitiu a ele retratar sonhos assustadores de forma realista. Ele tinha o hábito de "apontar" as cerdas de seu pincel com a boca, e por causa disso começou a exibir sintomas do que conhecemos hoje como envenenamento por chumbo (provavelmente causado pelo chumbo na tinta que ele estava inconscientemente ingerindo). A doença progrediu até o ponto no qual ele estava constantemente lutando contra a paralisia intermitente e a surdez, bem como contra os tremores que afetaram as pinceladas do seu trabalho, em especial próximo ao fim da vida.

Gravidez

Os níveis elevados de estresse — tanto o bom quanto o mau — que as mulheres grávidas experimentam podem ser responsáveis por incidências maiores de pesadelos e sonhos de ansiedade. Patrícia Maybruck realizou uma pesquisa sobre sonhos de mulheres grávidas em que coletou 1.048 relatos. Ela descobriu que 70% dos sonhos eram desagradáveis e, desses 70%, 40% eram de fato pesadelos. Ela não encontrou nenhuma relação direta entre a taxa de ocorrência de pesadelos e a duração do trabalho de parto de cada mulher. Todavia, percebeu uma relação entre a duração do trabalho de parto e a maneira como certas mulheres confrontavam corajosamente os medos envolvidos em seus pesadelos. Das mulheres que tiveram trabalhos de parto inferiores a 10 horas, 94% mostravam segurança em pelo menos um pesadelo; 70% das mulheres que tiveram trabalhos de parto longos (mais de 10 horas) eram vitimizadas em seus pesadelos.

O folclore e as histórias antigas atribuem qualidades precognitivas aos sonhos e pesadelos de mulheres grávidas. A realidade *parece* confirmar isso: há inúmeros relatos de mulheres que sonharam que estavam grávidas e depois confirmaram a suspeita. A maioria desses relatos foi confirmada *a posteriori* e, portanto, não pode ser usada em investigações sistemáticas ou científicas. São declarações suspeitas porque, em geral, são feitas somente depois que os acontecimentos preditos aconteceram.

A arquitetura parece ser um símbolo ou tema comum nos sonhos de mulheres grávidas, já que estruturas, edifícios ou quartos podem representar seu corpo ou útero. Durante o primeiro trimestre de gravidez, as gestantes tendem a sonhar com animais pequenos — provavelmente porque as lembram do feto. Sonhos relativos a parecer feia ou indesejável bem como ligados a cuidados maternais mal resolvidos e medo de inadequação são mais freqüentes durante o segundo trimestre. As feições dos bebês não se manifestam em detalhe até o terceiro trimestre de gravidez. Sonhos assustadores sobre assaltantes, invasores, incêndios, terremotos e coisas assim se tornam mais comuns durante esse período. Podem refletir o medo das mulheres em relação ao trabalho de parto e às responsabilidades maternais subseqüentes. Temas ligados à água e a canais fluviais são também comuns, provavelmente simbolizando fluidos amnióticos e canais de nascimento, e sonhos com plantas crescendo e jardins são igualmente freqüentes durante toda a gravidez.

Em geral, mulheres grávidas se lembram dos seus sonhos com maior freqüência que outros grupos já estudados. As mudanças hormonais radicais, os padrões de sono irregulares, as ansiedades e as emoções concomitantes podem ser responsáveis por isso. Sonhos durante a gravidez são muitas vezes descritos como anormalmente vívidos.

Futuros pais também têm pesadelos como os das mulheres grávidas, ainda que o estresse emocional seja a causa mais provável. Esses pesadelos em geral refletem preocupações que os futuros pais enfrentam (por exemplo: "receberei menos afeto da minha esposa?"), preocupações específicas relacionadas com ser ou não capaz de apoiar sua nova família emocional e financeiramente, assim como zelar pela saúde da mãe e do filho.

Guerra/batalha

Pesadelos traumáticos que envolvem guerras e batalhas ocorrem com freqüência em veteranos que sofrem de Distúrbio de Estresse Pós-Traumático. Pesadelos de pessoas que estão se recuperando de outros tipos de trauma podem envolver cenas de batalha nas quais elas estão sendo perseguidas, são presas numa armadilha ou atacadas. Para a maioria das outras pessoas, um pesadelo em que haja um campo de batalha pode ser a reencenação de um conflito interno, ou simbolizar um conflito interpessoal que vem assumindo grandes proporções.

(Ver também **Distúrbio de Estresse Pós-Traumático)**

Hades

O termo Hades se refere tanto à morada dos mortos da mitologia grega antiga quanto ao deus desse mundo subterrâneo. A palavra originalmente dizia respeito só ao deus. *Haidou*, seu genitivo, era a forma curta de designar "a casa de Hades". Mas, por fim, Hades acabou também por se referir à morada dos mortos. Os cristãos com freqüência usam a palavra "Hades" como eufemismo para inferno. (Ver também **Inferno** e **Seul**)

Hamlet

Shakespeare escreveu a história eponímica do filho do rei da Dinamarca em 1601 e, assim como o resto de sua obra, essa peça é recheada de decepções, assassinatos, reviravoltas e sonhos. No segundo ato, cena 2, Hamlet é o primeiro a mencionar os sonhos na peça:

> *— Ó, Deus, eu poderia viver recluso numa casca de noz e me achar o rei do espaço infinito se não tivesse maus sonhos.*

Aqui, o jovem Hamlet, Rosencratz e Guildenstern discutem a natureza da Dinamarca e falam de como ela aprisiona e sufoca o primeiro. Ao comentário de Hamlet sobre os sonhos, Guildenstern responde:

> *— Sonhos que são, de fato, a ambição. A substância de um ambicioso é a sombra de um sonho.*

Ao que Hamlet retruca:

> — *O sonho em si mesmo é uma sombra.*

A fala de Hamlet reflete o modo como Shakespeare usava os sonhos em muitas de suas peças. De fato, eles são sombras para Shakespeare. Somente objetos reais podem projetá-las; da mesma forma, as imagens presentes nos sonhos de suas peças não apenas se baseiam na narrativa, como também comentam sobre coisas reais presentes nela. O público que assiste a uma peça de Shakespeare não precisa despender grandes esforços para interpretar os sonhos de suas personagens, pois eles são bem literais.

No terceiro ato, cena 1, Hamlet profere o mais famoso monólogo da peça, que começa assim:

> *Ser ou não ser — eis a questão.*
> *Será mais nobre sofrer na alma*
> *Pedradas e flechadas do destino feroz,*
> *Ou pegar-me em armas contra o mar de angústias*
> *E, combatendo-o, dar-lhe fim? Morrer; dormir;*
> *Só isso. E com sono — dizem — extinguir*
> *Dores do coração e as mil mazelas naturais*
> *A que a carne é sujeita; eis uma consumação*
> *Ardentemente desejável. Morrer, dormir —*
> *Dormir! Talvez sonhar. Aí está o obstáculo!*
> *Os sonhos que hão de vir no sono da morte*
> *Quando tivermos escapado ao tumulto vital*
> *Nos obrigam a hesitar: e é essa reflexão*
> *Que dá à desventura uma vida tão longa.*
> *(linhas 55-68)*

A maneira como o sono e os sonhos se relacionam com a morte é um tema significante na obra de Shakespeare. Conforme a mente aguçada de Hamlet problematiza a existência, Shakespeare reflete sobre a grande questão: o que o eterno sono da morte traz? Se acaso os pesadelos nos esperam, então não existe a possibilidade de acordar e escapar do tormento.

Hartmann, Ernest

O psiquiatra Ernest Hartmann é célebre por seus estudos sobre os sonhos e os pesadelos. Seu pai, Heinz Hartmann, também psiquiatra, foi aluno de Freud (o Hartmann mais velho é às vezes chamado de "o filho de Freud"). O Dr. Ernest Hartmann dirige o Sleep Disorders Center (Centro de Distúrbios do Sono) do Hospital Newton-Wellesley, em Boston, Massachusetts, e é professor de psiquiatria na faculdade de medicina da Universidade de Tufts.

Um dos primeiros estudos conduzidos pelo Dr. Hartmann envolveu 38 adultos que sofriam de pelo menos um pesadelo semanal durante seis meses ou mais. A maioria deles havia sido atormentada por pesadelos desde a infância. Cada sujeito da experiência foi submetido a um prolongado processo de entrevistas em que o histórico geral dos pesadelos e seu conteúdo específico foram detalhadamente documentados. Onze pessoas do grupo original foram observadas dormindo em laboratórios durante um período de quatro noites. Hartmann, todavia, não ficou satisfeito com o resultado dessa abordagem, pois sentiu que suas descobertas haviam sido "manchadas" pelo ambiente sintético dos laboratórios.

Um segundo estudo envolveu três subgrupos: o primeiro consistia em indivíduos que sofriam de pesadelos freqüentes e antigos, o segundo, em pessoas que tinham sonhos vívidos, mas não pesadelos repetitivos ou especialmente aterrorizantes, e o terceiro, em gente que não se lembrava em absoluto dos próprios sonhos. Testes psicológicos e entrevistas em profundidade foram realizados e o conteúdo dos sonhos dos sujeitos foi analisado. Após o término da experiência, Hartmann concluiu que, por um lado, os indivíduos do grupo dos pesadelos não compartilhavam um número significativo de traços característicos com os membros dos demais grupos, mas, por outro, seus perfis de personalidade se assemelhavam muito com os dos sujeitos do estudo original. Todas as vítimas de pesadelos eram profissionais de áreas "criativas", como as artes, e nenhum deles se encaixava nos padrões sociais tradicionais.

Usando as informações que colheu nesses estudos, Hartmann desenvolveu suas famosas teorias sobre as "fronteiras" da mente. Ele sentiu que o desenvolvimento das fronteiras de uma pessoa está intimamente ligado ao das estruturas e faculdades mentais durante a infância. Essas faculdades tornam a pessoa apta a distinguir entre opostos, tais como entre ela mesma e os outros, entre dentro e fora e entre fantasia e realidade. Aqueles que sofriam de pesadelos crônicos foram classificados como tendo "fronteiras finas"; compartilhavam características como abertura emocional incomum, vulnerabilidade e dificuldades com certas funções do ego. Hartmann compreendeu que fronteiras finas podem ser benéficas, pois tornam os indivíduos mais atentos aos próprios sentimentos e aos das pessoas à sua volta e mais inclinados para atividades artísticas. Todavia, essas mesmas características também os deixam dolorosamente mais sensíveis não só às ameaças do mundo exterior, mas também a seus próprios desejos e impulsos. Uma pessoa de "fronteiras grossas" possui defesas mais fortes em relação ao mundo exterior e aos próprios medos e impulsos subconscientes e é, portanto, muito menos propensa a sofrer a intrusão de pesadelos.

Havaí

Para as tribos polinésias das ilhas havaianas, assim como para muitas sociedades tribais tradicionais, os sonhos são uma maneira de se comunicar com os deuses e os ancestrais. Entre essas pessoas, são conhecidos como *moe'uhane*, ou o "sono da alma", durante o qual a alma pode abandonar o corpo e regressar a ele por meio do canal lacrimal, ou *lau'uhane*, que significa "fosso da alma". Depois de abandonar o corpo, acredita-se que a alma viaje por mundos terrenos e espirituais e, à semelhança da idéia de projeção astral, essas viagens sejam apreendidas pela consciência como sonhos. A crença se reflete no compartilhamento dos sonhos, em que o sonhador usa a expressão "meu espírito viu..." em vez de "eu vi..."

As crenças tradicionais havaianas sugerem que os pesadelos são provocados por espíritos que adentram o corpo das pessoas enquanto a alma está ausente. Por isso, é possível que um mortal tenha relações sexuais com um espírito; tais espíritos são chamados com freqüência de "maridos" ou "esposas" noturnos. Quando transmitem previsões negativas sobre o futuro, são comumente invocados para que intervenham a favor do mortal e sejam clementes. Mesmo que a profecia infeliz não possa ser inteiramente evitada, acredita-se que o espírito possua o poder de ao menos mitigar seus efeitos negativos.

Os kahunas, como tradicionalmente são chamados os xamãs havaianos, às vezes investigavam o conteúdo dos sonhos em busca da cura para doenças. Se a informação obtida se provasse verdadeira e a cura se fizesse efetiva, o xamã poderia incorporá-la a seu sistema medicinal. Como os kahunas, o chefe de um lar também podia rezar para ser iluminado por um sonho; este fornecia informação sobre qualquer coisa — desde onde encontrar o melhor lugar para pescar até o nome mais apropriado para um novo membro da casa. Se o suplicante se provasse digno, os espíritos condescendiam em responder às suas perguntas.

Sonhos que requeriam interpretação externa eram raros. Nesses casos, o sonhador buscava um reconhecido intérprete, que podia ou não ter feito parte do sacerdócio regular. Era muito comum ver grupos familiares dividindo seus sonhos e os discutindo entre a comunidade da mesma casa todas as manhãs. Discussões informais como essas eram levadas a cabo com avidez quando os sonhos diziam respeito ao bem-estar ou ao futuro da família.

Hécate

Na mitologia grega, Hécate é a deusa da magia e das feitiçarias. Uma das divindades menos mencionadas, era a filha única da deusa-estrela Astéria. Hécate é descrita como tendo três cabeças: uma de cavalo, outra de serpente e a terceira de cão. Sua presença é usualmente anunciada pelo som de latidos; dizem que possui dois cachorros fantasmas, seus companheiros fiéis, que a seguem por todos os lados. Atualmente, os seguidores da Wicca adotaram Hécate em seus cultos e rituais, já que ela é também considerada a deusa da religião feminina e dos partos.

Hitler, Adolf

Hitler é uma das mais poderosas figuras políticas que experimentaram sonhos ou presságios precognitivos de todos os tempos. Enquanto dormia numa casamata durante a Primeira Guerra, Hitler sonhou que fora enterrado vivo por uma avalanche de terra e de lava derretida. Despertado do sono por esse pesadelo, abandonou a trincheira em estado de transe para buscar ar fresco e esvaziar a cabeça. Vagou até um descampado próximo, o próprio campo de batalha. Apesar do perigo extremo, Hitler insistia que agia em resposta a uma vontade que não era a sua. Ele só saiu do estado de semiconsciência em que se encontrava quando o fogo inimigo lhe devolveu os sentidos. Imediatamente percebendo o perigo, deu meia-volta, correu para se refugiar na casamata, mas a encontrou destruída — fora fulminada por uma bomba e todos os seus companheiros haviam morrido. Hitler interpretou esse evento como uma confirmação de que havia mesmo nascido para ser um grande líder para sua gente, atribuindo-o a uma força que o protegeria enquanto levasse a cabo seu destino. Por conta dessa "confirmação", sentia-se invencível. Alguns analistas contemporâneos duvidam que o sonho tenha sido de fato um sinal de eleição divina. Todavia, outros sustentam que ele guardava uma natureza profética — um prenúncio da morte de Hitler, numa casamata subterrânea ao final da Segunda Guerra. O psicanalista Carl Jung citou o sonho de Hitler como exemplo de "sincronicidade".

Holocausto

Um holocausto é o assassinato em massa de seres humanos em proporções horríveis. O mais infame aconteceu, é claro, durante a Segunda Guerra, na Alemanha nazista. Não está claro em que momento o líder do partido nazista, Adolf Hitler, começou a nutrir seu ódio profundo ao povo judeu, mas as conseqüências foram claras: sua execução foi uma prioridade para ele durante a ascensão ao poder. Na sua autobiografia de 1925, *Mein Kampf* (*Minha Luta*), volume I, ele escreveu:

> Acaso houve algum excremento, alguma desfaçatez, sobretudo na vida cultural, em que pelo menos um judeu não esteve envolvido? Alguém que se arriscasse a fazer uma incisão cuidadosa num tumor assim, encontraria nele, como vermes num corpo em decomposição, freqüentemente cegado pela luz repentina, um judeuzinho.

Em seus discursos, conversas e escritos, Hitler usava os judeus como bode expiatório para os problemas sociais, econômicos e políticos da Alemanha. Assim que a perseguição a eles se tornou a ordem do dia durante a hegemonia nazista, foram prontamente enxotados para campos de concentração onde eram torturados, morriam de fome ou eram assassinados a tiros ou em câmaras de gás. Os nazistas mataram mais de 6 milhões de judeus — além de presos de guerra, homossexuais, russos, polacos, testemunhas de Jeová e católicos — até o fim da Segunda Guerra.

Aqueles que sobreviveram ao pesadelo dos campos de concentração de Hitler com freqüência sofriam de Distúrbio de Estresse Pós-Traumático, culpa de sobrevivência ("por que sobrevivi se tantos outros morreram?") e intenso pesar por ter perdido entes queridos e amigos. Boa parte do Distúrbio de Estresse Pós-Traumático se deve aos pesadelos recorrentes sobre o evento ou os eventos que os precipitaram.

Para a maioria das pessoas, pesadelos sobre holocaustos, que envolvem mares de tortura e morte, indicam sentimentos de isolamento e rejeição. O sonhador pode sentir que não tem lugar na sociedade ou que é um exilado e/ou uma alma torturada. Se essas imagens são recorrentes, a depressão é um fator provável.

Hora do Pesadelo, A

Wes Craven é reconhecido como um dos mestres dos filmes de terror moderno. Em 1984, ele apresentou ao mundo o personagem Freddy Krueger — um homem severamente queimado que usa chapéu marrom, suéter listrado vermelho e verde e uma luva na mão direita, com longas navalhas no lugar dos dedos. A história de fundo de Freddy Krueger indica que ele já foi um assassino de crianças na rua Elm, que encontrou seu fim nas mãos de uma multidão de linchadores. Mas Freddy estava destinado a retornar. Quando este livro foi escrito, tinha havido sete filmes na série *A Hora do Pesadelo*, e um oitavo se incluirmos *Freddy vs. Jason* — um lançamento de 2003 que colocou os populares monstros de *A Hora do Pesadelo* e *Sexta-feira 13* em confronto.

Uma das principais falhas dos filmes de terror tradicionais é que eles acontecem num lugar específico, tal como uma casa mal-assombrada. Embora eles tenham condições de oferecer um bom susto, as pessoas que estão na platéia podem se perguntar em algum ponto do filme: "Por que você simplesmente não sai da casa?" *A Hora do Pesadelo* e Freddy Krueger são muito eficientes porque ele só ataca suas vítimas em seus pesadelos. Não há lugar para se esconder e não é possível permanecer acordado para sempre. As vítimas adolescentes primeiro encontram Freddy num pesadelo brando. Mas cada sonho se torna progressivamente mais aterrorizante, a ponto de os jovens ficarem com medo de dormir. Os adolescentes da rua Elm rapidamente descobrem que, se Freddy os mata nos sonhos, eles também morrem na vida real. A única maneira de detê-lo é confrontá-lo, o que é verdadeiro para muitos de nossos próprios pesadelos.

Hospital

Muitas pessoas temem os hospitais por causa de sua atmosfera de doença, dor, sofrimento e morte — são lembretes da nossa própria mortalidade e da fragilidade humana. Outros os temem num sentido mais imediato, por conta das potenciais dores, injeções e procedimentos cirúrgicos que podem ser necessários para curar o que foi danificado. Pesadelos envolvendo hospitais podem significar preocupações relativas à saúde do próprio sonhador ou de pessoas que lhe são próximas, mas o cenário pode também indicar que ele teme mudanças, já que elas são quase sempre dolorosas. Os hospitais, porém, são também lugares de cura, em que a mudança é em geral para melhor.

Hotel Califórnia

Gravado em 1976, *Hotel California* valeu aos Eagles o Grammy. O *single* de maior sucesso do álbum é também intitulado "Hotel California" e muitas discussões surgiram a respeito do significado de sua letra. Alguns acreditam que a canção fala de uma clínica de reabilitação de toxicômanos, outros dizem que representa a natureza obsessiva e materialista dos americanos, outros acham que é uma metáfora do inferno. Don Felder, Don Henley e Glenn Frey compuseram a música e a letra, por vezes surreal e onírica:

Sua mente está deturpada pela Tiffany
Ela tem as curvas do Mercedes
Ela tem uma porção de lindos, lindos rapazes
Que ela chama de amigos
Como eles dançam no pátio
Doce suor de verão
Alguns dançam para lembrar
Alguns dançam para esquecer
Você pode desocupar seu quarto a qualquer hora que deseje
Mas você nunca pode ir embora

Num clipe de áudio do *site* de fãs www.eaglesmusic.com, Glenn Frey afirmou a respeito da canção:

> *Quando pensamos nessa música, Hotel California, achamos que seria muito cinematográfico se a compuséssemos à semelhança do* Além da Imaginação. *Um verso diz que há um homem na estrada, o próximo que há um hotel a distância, e daí há uma mulher lá e por isso ele entra — sabe, é como se fosse uma colcha de retalhos, de modo que você pode tirar suas próprias conclusões. Então, estamos tentando expandir nossos horizontes líricos e tentando adentrar o reino do bizarro.*

Humilhação pública

Sonhos em que há humilhações públicas variam de sutis a "não tão sutis", desde caminhar de braguilha aberta até assistir pelado à missa de Páscoa, celebrada pelo próprio papa. As mensagens subliminares contidas em pesadelos desse tipo são inquietações referentes a estar despreparado ou de algum modo ser inaceitável ou incompetente. Sonhar com estar numa reunião de trabalho e não ter preparado sua apresentação ou propor um brinde mas se esquecer do que ia dizer são manifestações comuns relacionadas com a prontidão e a habilidade. Ao experimentar embaraço ou humilhação nos sonhos, o sonhador pode passar a tomar mais cuidado ao se preparar para exames, apresentações, entrevistas e coisas assim. Paradoxalmente, bons empreendedores com freqüência têm esses sonhos, talvez porque, ao contrário da maioria das pessoas, atribuem muita importância a seus desempenhos em público. Sua identidade está diretamente vinculada às suas realizações; portanto, o fracasso significa que eles têm muito a perder.

Imobilidade

Em alguns pesadelos, queremos correr, mas não conseguimos. Algo horrível e ameaçador pode estar nos perseguindo, mas de alguma forma ficamos plantados no lugar, incapazes de nos mover. Pode haver uma razão fisiológica para o fato de nos sentirmos "congelados" num sonho: toda noite, quando os sonhadores passam pelo ciclo de aproximadamente 90 minutos do sono REM, o corpo fica paralisado. Durante este estágio, o cérebro está bastante ativo, e, se não estivéssemos paralisados, poderíamos machucar outros ou a nós mesmos ao nos agitarmos durante algum sonho especialmente ativo. Se durante o sonho a mente se torna consciente, mesmo que de maneira parcial, dessa paralisia, a sensação pode ser traduzida prontamente no pesadelo e afetar as imagens. Esse sentimento de paralisia também é associado com a Síndrome da Bruxa Velha.

A imobilidade nos sonhos pode demonstrar relutância ou incapacidade de aceitar um argumento, admitir a derrota ou confessar um erro. Talvez indique também um sentimento de impotência ou vulnerabilidade na vida acordada, comum a quase todos os pesadelos.

Íncubos e súcubos

> Os homens podem às vezes ser gerados por meio de íncubos e súcubos, [e] é contrário às palavras dos santos e até da tradição das Escrituras Sagradas manter uma opinião oposta. (do *Malleus Maleficarum*)

A idéia de espíritos ou demônios que tomam a forma de pessoas a fim de fazer sexo com seres humanos é antiga. Os íncubos eram algumas vezes referidos como *amantes-demônios*, enquanto alguns escritores afirmam que os súcubos são o mesmo que as ninfas das florestas do folclore europeu. No saber demonológico ocidental, a especulação sobre tais idéias foi inicialmente estimulada por dois versos curtos no capítulo seis do Gênesis:

> **Gênesis 6:2** "Os filhos de Deus viram que as filhas dos homens eram belas e tomaram como mulheres todas as que lhes agradaram."
>
> **Gênesis 6:4** "Ora, naquele tempo (e também depois), quando os filhos de Deus se uniam às filhas dos homens e estas lhes davam filhos, os Nefilim habitavam sobre a terra; estes homens famosos foram os heróis dos tempos antigos."

Nesses versos um tanto estranhos, a expressão "filhos de Deus" foi tomada como indicando anjos, e, embora as escrituras não pareçam condenar as ações desses "Nefilim", a interpretação tradicional dessas passagens é que esses filhos de Deus são anjos *caídos*. Essa história de interpretação bíblica legitimou e disseminou a noção de íncubos e súcubos. Santo Agostinho tratou do tema de seres demoníacos sexuais quando escreveu:

> É uma opinião predominante, confirmada por testemunho direto ou indireto de pessoas confiáveis, que Sátiros e Faunos, comumente chamados Íncubos, com freqüência atormentam mulheres, solicitando relações sexuais com elas e as obtendo.

Acreditava-se que tais demônios atacavam/seduziam seres humanos com mais freqüência à noite, dessa forma explicando convenientemente como monges, freiras e padres "virtuosos" tinham sonhos eróticos. Embora fossem estéreis, os íncubos (demônios em forma masculina) podiam supostamente impregnar mulheres com a semente tomada dos homens pelos súcubos (demônios em forma feminina) — crença que algumas vezes era usada para explicar gravidezes resultantes de casos amorosos clandestinos. Esse tipo de explicação não apenas absolvia as mulheres da acusação de licenciosidade, mas, como o esperma era tomado de homens, também salvava a criança de ser executada como prole de um demônio. Os autores do influente *Malleus Maleficarum*, ou *O Martelo das Bruxas* (1486), pareciam obcecados em explicar esse processo e devotaram várias seções a ele (material citado dessa e de outras seções pode ser encontrado em inglês em www.malleusmaleficarum.org):

> Demônios realmente coletam o sêmen humano, por meio dos quais são capazes de produzir os efeitos corpóreos; mas isso não pode ser feito sem algum movimento local, portanto, demônios podem transferir o sêmen que eles coletam e injetam no corpo de outros.

Achavam que alguns demônios coletavam o sêmen de homens vivos assumindo a forma de súcubos, depois do quê eles tomavam a forma de íncubos e injetavam o sêmen numa mulher. Em outros casos, acreditava-se que acontecia o reverso. Heinrich Kramer e James Sprenger, os autores do *Malleus Maleficarum*, especularam que essa divisão de trabalho pode ter surgido da designação de demônios para pessoas específicas — aparentemente o equivalente diabólico de anjos guardiões:

> Talvez um demônio designado para uma mulher possa receber sêmen de outro demônio designado para um homem, de maneira que cada um deles possa ser encarregado pelo príncipe dos demônios para realizar alguma bruxaria; já que para cada um é designado seu próprio anjo, mesmo entre os malignos [...].

No entanto, os dois autores especulam que essa parceria de esforços surge da necessidade, da "sujeira da ação, que um demônio iria abominar em cometer", implicando que certos demônios poderiam fazer objeções ao papel da "mudança de sexo" no processo de transferência do sêmen.

Alguém poderia se perguntar por que os demônios são tão aplicados em promover a reprodução humana. Kramer e Sprenger fornecem uma porção de razões:

> A razão pela qual demônios se transformam em íncubos ou súcubos não é pela causa do prazer, já que o espírito não é de carne e osso; mas principalmente é com essa intenção que, por meio do vício da luxúria, eles podem realizar um duplo mal contra os homens, isto é, no corpo e na alma, para que assim os homens talvez se entreguem a todos os vícios. E não há dúvida de que eles sabem sob que estrelas o sêmen é mais vigoroso e que homens assim concebidos irão sempre ser pervertidos pela bruxaria.

Em outras palavras, copular com demônios irá corromper as pessoas a ponto de, com o tempo, virem a se entregar a Satã. Então o "trabalho" demoníaco tinha o objetivo de promover o plano diabólico para corromper e capturar todos os seres humanos.

Havia, no entanto, outras tradições medievais que afirmavam que demônios e humanos podiam copular e produzir filhos. Por exemplo, conta-se que o mago Merlin foi filho de uma união desse tipo. Essa noção de crianças semidemoníacas era usada para explicar fenômenos como bebês deformados.

Mortais que respondiam voluntariamente às atenções sedutoras desses seres aparentemente arriscavam-se à danação. Uma bula papal emitida pelo papa Inocêncio em 1484 afirmava: "Muitas pessoas de ambos os sexos, esquecidas de sua própria salvação, abusaram dos íncubos e súcubos." Alguns dos pais da igreja, tais como Santo Antônio, afirmaram que demônios na forma de mulheres nuas sedutoras iriam tentar afastá-los de suas devoções por meio da sedução. Essas experiências foram mais tarde tomadas como evidência da existência real de súcubos.

No século XVII, o autor franciscano Ludovico Sinistrari sugeriu que os íncubos não são demônios, mas, em vez disso, seres superiores encontrados em algum lugar na hierarquia entre os homens e os anjos, e que honraram a humanidade com suas atenções. Porque se acreditava que o exorcismo não tinha efeito nesses seres, Sinistrari usou isso para apoiar sua teoria de que eles não eram criaturas malignas. Em conformidade com as visões prevalecentes da igreja, Sinistrari sustentou que as "relações" com esses seres podiam ser pecaminosas se as pessoas acreditassem estar realmente com um demônio. Portanto, ele sugeriu que o pecado não estava enraizado tanto no ato em si, mas sim na crença de que um pecado havia de fato sido cometido.

Índia

Por toda a história, a Índia tem sido terra natal de muitas das religiões mais antigas do mundo, incluindo hinduísmo, budismo, jainismo e siquismo. O povo da Índia antiga atribuía significado e importância profundos a seus sonhos e visões. Como muitas outras sociedades antigas e tradicionais, os indianos ancestrais acreditavam que os sonhos eram uma comunicação do divino. Também achavam que a vida *era* um sonho, mas um sonho preenchido com sofrimento inevitável, e do qual havia pouca chance de se acordar.

Na verdade, os sonhos vieram a simbolizar a irrealidade do mundo. Religiosos hinduístas tradicionais acreditavam, por exemplo, que o ciclo perpétuo de reencarnação significa que cada alma está presa aos sofrimentos deste mundo, sem que a morte ofereça algum alívio ou liberação imediata. Aliás, na maioria das tradições religiosas do sul da Ásia, a meta definitiva da vida espiritual *é* a libertação do ciclo de morte e renascimento, e o conhecimento ou iluminação que leva a essa liberação é com freqüência comparado metaforicamente ao processo de se acordar de um sonho. Na tradição filosófica de Advaita Vedanta, em particular, essa metáfora é adotada para enfatizar a qualidade irreal e semelhante a um sonho do mundo conforme o vivenciamos em nossos estados de consciência normais. (A palavra *maya* refere-se à doutrina de irrealidade deste mundo.)

Muito dessa doutrina de irrealidade é explicada nos *Vedas*. Escritos por volta de 1500 a.C. a 1000 a.C., são os livros mais sagrados do hinduísmo e contêm muitas informações relacionadas com sonhos e a interpretação deles. Por exemplo, o *Atharva Veda* discute os símbolos dos sonhos que se acredita serem bons ou maus presságios. Então, de acordo com esse texto, andar de elefante num sonho significa que o sonhador irá ter boa sorte, enquanto andar num burro é um presságio de má sorte no horizonte. Textos semelhantes também discutem ritos para frustrar os presságios negativos dos sonhos ruins, tais como rezar para a deusa Usas (que espanta sonhos ruins), cantar hinos, realizar rituais de purificação ou uma combinação de todos os três.

A divisão de todos os sonhos em auspiciosos ou não-auspiciosos tem raízes antigas, o que faz disso uma importante parte do processo de ligar sua interpretação aos costumes ancestrais. Dentro dessas duas categorias, imagens violentas podem ser boas ou ruins, dependendo da resposta que é evocada no sonhador. Agressão e passividade especialmente parecem ter grande influência na interpretação. Por exemplo, se o sonhador é um participante ativo no ato violento, ainda que ele acabe ferido, isso é visto como um sonho auspicioso. No entanto, se é um recipiente passivo do ferimento no sonho, então este é tratado como negativo.

A natureza humana também é levada em consideração como um fator nos sonhos e em sua interpretação. No *Atharva Veda*, por exemplo, é dito que seres humanos têm um dos seguintes temperamentos: bilioso, fleumático ou sangüíneo (um quarto é normalmente citado: melancólico). Diz-se que pessoas de temperamento bilioso sonham com desertos áridos e objetos em chamas, as fleumáticas sonham com a vida florescente e a beleza da natureza e os sangüíneos, com nuvens que se movem e criaturas da floresta correndo aterrorizadas. Como estamos atualmente começando a entender a maneira pela qual os estados emocionais dominantes representam um papel nas imagens de sonho, isso pode não estar longe da verdade; no entanto, é claro, as imagens provavelmente mudariam num cenário de sonho moderno.

Os antigos textos indianos eram bastante sofisticados pelo fato de também terem-se esforçado em explicar o *porquê* do sonhar. Como muitas sociedades tribais tradicionais, os hindus tratavam os sonhos como resultado das experiências de uma alma itinerante. Na visão hindu, a alma ou espírito que é a base para a consciência do sonho podia se desligar do corpo físico e vaguear. Num dos primeiros trabalhos budistas indianos, *Perguntas do Rei Milinda*, é dito que a pessoa que sonha está sob a influência de uma divindade, excessivamente afetada ou controlada por suas experiências acordadas ou sob o domínio de uma profecia. E, conforme alguns textos médicos indianos, os sonhos são meramente a maneira de o sonhador agarrar-se a experiências de vidas passadas; enquanto outros apenas pensavam neles como realização de desejos. Em contraste, as escolas clássicas da filosofia indiana propõem duas razões para os sonhos e o sonhar. A *teoria apresentadora* explica a cognição de sonho como resultado de uma mente em descanso e retraída combinada com um corpo e sentidos temporariamente defuntos. A *teoria representadora* defende que a consciência do sonho é meramente uma memória falsa. Em ambas as posições, há a visão de que a mente funciona como um tipo de "sexto sentido", cujo único propósito é sonhar.

Inferno

Nos últimos dois milênios, houve muitas tentativas de descrever o paraíso, ainda que os religiosos, sábios, poetas e pastores que o fizeram tenham sido um tanto quanto vagos. "Paraíso", "portais do céu", "luz eterna", "ruas de ouro" e "coro de anjos" são algumas das agradáveis, mas insossas, descrições oferecidas. Por outro lado, as especulações sobre a natureza e aparência do inferno são muito mais específicas. Boa parte da literatura dos últimos séculos abraçou o inferno como tema. Na Bíblia, há diversas referências à danação eterna que lançam mão de imagens extremamente vívidas:

> **Matheus 25:30** "E o servo inútil, lançai-o para fora, nas trevas: ali haverá choro e ranger de dentes."
>
> **Samuel 22:6** "Cadeias infernais me cingiram; as tramas da morte me surpreenderam."

Apocalipse 9:2 "Ele abriu o poço do abismo, e subiu fumaça do poço como fumaça de grande fornalha, e com fumaceira saída do poço escureceu-se o sol e o ar."

Apocalipse 21:8 "Quanto, porém, aos covardes, aos incrédulos, aos abomináveis, aos assassinos, aos impuros, aos feiticeiros, aos idólatras e a todos os mentirosos, a parte que lhes cabe será no lago que arde com fogo e enxofre: a saber, a segunda morte."

Na história da literatura, outros poetas e escritores se arriscaram a descrever o lugar que é a cornucópia de todas as coisas horríveis e paradoxais. O inferno é habitado por almas malditas, mas é também um lugar de total isolamento. É um poço de fogo e enxofre que arde eternamente, assim como um lago de gelo e escuridão. Em 1306, o italiano Dante Alighieri escreveu seu famoso *Inferno*, que conta a jornada do narrador por todas as diversas camadas do inferno. Ele descreve como cada círculo serve de sepulcro para determinados tipos de pecadores e que espécie de tortura lhes é infligida como punição por suas faltas. "Deixai toda esperança, ó vós que entrais!", escreve Dante sobre uma inscrição colocada nos portais do inferno.

No canto XVIII do *Inferno* de Dante, segundo a tradução de Mandelbaum, ele descreve o oitavo círculo, onde residem os fraudulentos e maliciosos:

Tão cavo é o fundo que à vista é vedado sem que se suba, pela íngreme via do arco, a seu ponto mais elevado.

Aí chegados, na funda bacia vi gente imersa num excremento asqueroso que parecia ser de latrinas humanas.

Havia um, que destaquei com o olhar curioso, cujo crânio estava tão sujo de merda que não pude saber se era leigo ou religioso.

Em meados do século XVII, John Milton começou a trabalhar no seu poema épico *Paraíso Perdido*, que foi finalmente publicado em 1667. Milton começa o poema citando seu objetivo: "Asseverar a eterna Providência/E justificar os mandamentos de Deus aos homens." Poeta e filósofo, Milton usou de todos os seus poderes para urdir uma das mais intrigantes descrições do paraíso e do inferno de toda a literatura.

O poema de Milton começa nos Jardins do Éden, com a queda dos homens e a perda do paraíso. O Livro I aborda a queda de Lúcifer do paraíso com outros anjos caídos e o agrupamento do "general" Satanás e de seu exército. Satanás declara que a guerra contra Deus ainda não terminou e que será combatida no teatro do mundo dos homens. Ainda que Satanás represente a encarnação do mal, isto é, a mais terrível visão da maldade, alguns literatos acreditam que Milton desejava que seus leitores alimentassem alguma simpatia por ele.

No Livro I do *Paraíso Perdido*, Milton oferece uma descrição do inferno e dos lacaios de Satanás:

> Havia um monte próximo cujo cimo medonho
> Expelia fogo e fumaça grossa; todo o resto
> Cintilava com escamas brilhantes, sinal incontestável
> De que em seu ventre escondia-se Minério metálico,
> Obras de Enxofre. Dali, alada e veloz,
> Uma numerosa Brigada ergueu-se. Como um Bando
> De Sapadores que, armados de Pás e Picaretas,
> Percorrem os Campos Régios para fortificar o Campo de Batalha
> Ou cavar uma Trincheira.

Ao lado das breves descrições fornecidas pela Bíblia, as concepções modernas e populares do inferno derivam dessas duas obras; essas imagens de sofrimento eterno influenciaram a todos.

Nos pesadelos, o inferno onírico pode simbolizar as próprias limitações e frustrações do sonhador ou significar a culpa latente em função de transgressões reais ou imaginadas. O que quer que esteja oprimindo o sonhador no mundo acordado é representado pelas chamas e torturas do inferno sonhado. Segundo o psiquiatra Ernest Hartmann, "é o inferno que deve nos lembrar dos nossos pesadelos, pois foi construído em torno de pesadelos" (*The Nightmare*, p. 177).

Infidelidade

Para aqueles que vivem relacionamentos nos quais há um compromisso sério, sofrer uma infidelidade pode ser o momento mais sombrio e doloroso. A pessoa da qual você passou a depender e na qual confia de maneira incondicional violou sua confiança e rompeu o laço que vocês uma vez partilharam. Um pesadelo de infidelidade em geral ocorre quando a pessoa está se sentindo vulnerável num relacionamento. O sonhador pode explorar as situações dos piores casos no mundo dos sonhos — situações que envolvem as emoções, a mágoa e a raiva que o evento real pode causar. Isso pode ser um "sonho de aviso" que indica a necessidade de lidar com problemas do relacionamento antes que o pesadelo se torne uma realidade.

Ingessana

O povo Ingessana, do Sudão, leva bastante a sério os sonhos, que, acreditam eles, podem transmitir mensagens de partes da composição cosmológica do sonhador. Certos sonhos significativos são vistos por eles como o resultado das atividades de seres sobrenaturais.

Em geral, sonhos e pesadelos são considerados manifestações de entidades invisíveis, tais como fantasmas, ancestrais e deuses, que fazem exigências e lançam avisos e instruções. As mensagens nos sonhos podem se relacionar com o bem-estar material dos membros de uma casa, ou podem transmitir as intenções e planos da entidade em relação à comunidade ou a territórios vizinhos. Sonhos também são a ponte entre o mundo material e o espiritual, e funcionam como um meio de restauração do relacionamento entre várias entidades e seres humanos.

Para isso, em geral exigia-se a observação de certos rituais e cerimônias que eram projetados para fazer a mediação entre o reino espiritual e o natural. Em alguns casos, o sonho podia promover a restauração das almas de crianças.

A interpretação e a divinação de sonhos seguem um caminho típico da maioria das sociedades tribais. Acredita-se que diferentes sonhadores são dotados com capacidades variáveis e graus diversos de "visão". Xamãs-adivinhos e aqueles que parecem ter a "segunda visão" são capazes de ver coisas quando estão despertos que a maioria das pessoas só pode ver durante os sonhos, tais como fantasmas. São também dotados de uma capacidade de sonhar prodigiosa e são capazes de ver em seus sonhos o que sonhadores comuns não conseguem. Membros da tribo normalmente consultam xamãs-adivinhos a fim de encontrar significado em elementos mais obscuros de seus sonhos. Sua capacidade especial de visão lhe permite declarar com autoridade o sentido e a significância de um sonho. Os ingessanas acreditam que os sonhos têm grande poder de afetar a vida das pessoas na comunidade, para o bem ou para o mal. Por exemplo, os que envolvem os *nengk*, criaturas horripilantes que se acredita serem portadoras de doença e morte, são os mais temidos e talvez os mais significativos socialmente entre os ingessanas.

Iniciação

A iniciação é um rito de passagem, formal ou informal, no qual um indivíduo vivencia um processo transformativo que altera de maneira significativa seu *status* cultural, social ou religioso. Nesse rito ou ritos, um conhecimento social ou religioso reverenciado ou com freqüência privilegiado é muitas vezes transmitido ao iniciado, e constitui parte significativa do processo.

Em iniciações religiosas, em particular, é comum os sonhos desempenharem papel central na aquisição desse conhecimento. Os xamãs, os "sacerdotes" das sociedades caçadoras-coletoras tradicionais, comumente começam sua vocação quando são "chamados" num sonho iniciatório. Com muita freqüência, esses sonhos de chamado envolvem imagens de pesadelo, no qual o iniciado é desmembrado e/ou morto. Acredita-se que os sonhos simbolizem o processo transformativo, no qual o iniciado "morre" para sua vida antiga e assume seu novo papel como xamã. Na tradição islâmica sufi, muitos místicos começam sua jornada espiritual depois da aparição de guias espirituais em seus sonhos. Nas tribos dos índios diegueños americanos, o treinamento de curadores religiosos envolve uma série de sonhos iniciatórios com o sonho final revelando o nome medicinal do aspirante a curador. Variações desse tema são encontradas em ritos de iniciação de muitas tribos americanas, bem como as aborígines da Austrália.

Inquirição de incidentes críticos (IIC)

O objetivo do IIC é minimizar a perturbação psicológica em seqüência a um evento traumático, permitindo a alguém dar vazão a suas impressões, sentimentos e reações. Essa técnica ajuda as pessoas a encontrar sentido na experiência criando um entendimento geral melhor da natureza de incidentes traumáticos e educando-as sobre a normalidade e a previsibilidade absoluta de suas reações (ou seja, "Eu não estou sozinho"). Além disso, permite compartilhar os sentimentos e reverte a tendência natural de pessoas traumatizadas de "reprimir as coisas". Algumas vezes o IIC também emprega teoria de grupo a fim de diminuir a tensão e o estresse, reforçar a normalidade e reduzir sentimentos de isolamento e de ser "diferente". Pessoas que compartilharam experiências traumáticas podem condoer-se com pessoas que estavam lá, que ajudaram durante ou depois do evento ou eventos, e que "entendem". O IIC ajuda indivíduos traumatizados permitindo a eles:

Descobrir e aumentar a percepção de todos os recursos pessoais, de grupo, organizacionais e outros.

Preparar para a eventualidade de reações futuras iniciando o processo de normalização e educação, fornecendo uma fonte central de informação e aumentando a percepção das opções disponíveis caso seja necessário ajuda adicional.

Examinar necessidades futuras para si mesmos, suas famílias, seus grupos de colegas e seu ambiente social mais amplo.

O IIC é também muito eficiente para a prevenção e tratamento de pesadelos traumáticos intrusivos. A eficácia dessa abordagem está em sua rapidez:

quanto mais cedo uma pessoa traumatizada a recebe, melhor. Alguém que sofre de Distúrbio de Estresse Pós-Traumático, no entanto, já teve tempo para construir grossos "muros" psicológicos e limites tenazes que desencorajam a comiseração e o tratamento antes de mais nada.

Insetos

Insetos são coisas horripilantes, rastejantes, que andam por todo canto com seus barulhinhos incômodos, e que a maioria de nós detesta ter de olhar, quanto mais tocar. Suas imagens num pesadelo podem ser apenas a indicação de uma resposta fóbica a esses animais, ou talvez representem algo que está incomodando. "Amigos" e parentes indesejados podem estar funcionando como parasitas em sua vida. Talvez seja hora de chamar o detetizador e se livrar dessas pestes.

Insônia

Pesadelos extremamente assustadores podem fazer com que algumas pessoas tenham medo de cair no sono e até evitá-lo completamente. As imagens aterrorizantes que podem estar esperando no outro lado impedem que o sonhador consiga ter um sono profundo e sem interrupções, do qual ele precisa desesperadamente. O distúrbio inclui o sintoma óbvio de ser incapaz de cair no sono, bem como os sintomas de acordar com freqüência, ou cedo demais, sem ser capaz de voltar a dormir, e dormir e não se sentir descansado. A insônia não tratada pode levar à privação de sono arraigada — um estado de exaustão severa que pode afetar a coordenação motora, causar doenças e alucinações, e, se a pessoa permanecer por tempo suficiente sem sono, resultar em morte.

Interpretação de sonhos

Na interpretação de sonhos moderna, o contexto é tudo. Por exemplo, se você tem sonhos com água, alguns analistas de sonhos podem dizer que esta representa suas sensações e emoções mais internas — águas calmas, tal como um lago parado, podem significar serenidade; águas de oceano violentas e tumultuosas podem significar medo ou raiva. Mas e se você for um biólogo marinho e seu trabalho exigir que esteja cercado de água e vida aquática o dia todo? Nesse caso, a água em seus sonhos pode ter um significado completamente diferente. Um biólogo marinho pode precisar procurar elementos fora do comum na água e nas imagens oníricas para encontrar significado num sonho específico.

Conforme vivemos nossa vida diária, nosso cérebro está processando imagens, linguagens, visões, sons, sabores, cheiros, bem como criando memórias. Uma teoria do sonhar é que estamos fazendo experiências com possibilidades e com a solução de problemas. Se isso é verdade, então um pesadelo é uma tentativa do seu subconsciente de conseguir a atenção total do seu consciente. Você pode não se lembrar de um sonho comum no qual está simplesmente andando pelo corredor de um mercado, mas se houver alguém te perseguindo com uma serra motorizada e produtos enlatados estiverem voando das prateleiras em sua direção enquanto tenta fugir, você provavelmente irá acordar aterrorizado, sem fôlego e perguntando a si mesmo o que acabou de acontecer. Como com qualquer outro sonho, cada elemento de um pesadelo precisa ser visto no contexto de sua vida como um todo, em especial seu estado emocional dominante na ocasião do sonho. Se você trabalha num mercado, está tendo problemas com seu supervisor ou com outro símbolo de autoridade? Se não trabalha num mercado, é possível que tenha problemas com comida ou um distúrbio alimentar? Se não trabalha num mercado e não tem um distúrbio alimentar, talvez o sonho represente algum tipo de colapso em sua vida. Prateleiras de mercados são normalmente preenchidas com produtos alinhados numa maneira elegante e ordenada; tê-los voando das prateleiras e ser perseguido por um maníaco com uma serra motorizada pode significar caos em sua vida. Se conseguir descobrir o que é a figura ameaçadora que o persegue em sua própria existência, irá encontrar um significado satisfatório para o sonho.

A única maneira de entender o que se sonha é explorar os detalhes da vida acordada do sonhador. Não há melhor pessoa para interpretar seus sonhos do que você mesmo. Ao manter um diário deles, você não apenas irá aumentar o número de sonhos de que se lembra, mas também poderá refletir sobre os sonhos passados a fim de entender os atuais. O diário também irá ajudá-lo a encontrar e conectar os padrões de idéias e imagens que sua mente inconsciente explora — acordado ou dormindo.

Iorubá

Os iorubás são o maior grupo étnico na Nigéria, e compreendem aproximadamente 26% da população total do país. A maioria desse povo é cristã, com a Igreja da Nigéria (anglicana), a católica, a pentecostal, a metodista e outras nativas tendo os maiores números de membros. Os muçulmanos representam cerca de um quarto da população, com a religião iorubá tradicional respondendo pelo restante. Os iorubás do sudoeste da Nigéria e do Daomé têm uma longa história de ocidentalização, cristianismo e educação e, portanto, são considerados (correta ou erradamente) os mais "progressivos" dos grupos nessa região.

As crenças religiosas nativas (ou "pagãs") são complexas, abarcando uma grande variedade de deuses, mitos, canções, histórias e outros construtos culturais. Os defensores da mitologia dos iorubás algumas vezes argumentam que ela é uma das mais antigas religiões amplamente praticadas, e é citada como a fonte de várias religiões do Novo Mundo, tais como a Santería em Cuba e o Candomblé (ou Batuque) no Brasil. Na África, as crenças tradicionais incluem elementos tão variados como um ser supremo (Olorum), divindades subordinadas, ancestrais, reis sagrados, uma variedade de espíritos locais e um sistema elaborado de divinação que inclui o sonhar e a interpretação de sonhos.

De acordo com os iorubás, os seres humanos possuem múltiplas almas, cada uma representando uma dimensão significativa da experiência humana. Entre essas está o "sopro da vida" dado por Olorum (Deus-Pai) no nascimento, que é nutrido pela comida e contém a vitalidade e a força pessoal do indivíduo. Se o sopro da vida deixa o corpo durante o sono, bruxas podem prendê-lo, o que resulta na morte física.

Os iorubás interpretam seus próprios sonhos e normalmente recontam temas de estranhamento social ou espiritual, bem como a ameaça de isolamento devido a doença, prisão ou longas jornadas. Para eles, então, os sonhos e sua interpretação são integrativos no fato de que esta parece fornecer um meio de entender e "processar" o estresse que surge com mudanças culturais significativas, imediatas e duradouras. Como acontece em qualquer cultura, o sonho "contextualiza" a emoção ou as emoções dominantes (nesse caso, a ansiedade), e fornece um meio para o sonhador e a cultura como um todo lidarem com as implicações dessa mudança. Nisso, os iorubás parecem usar seus sonhos para alcançar tanto integração pessoal como social, e adaptá-las às necessidades particulares de mudança religiosa profunda e à crise de identidade resultante.

Iroquês

De acordo com os missionários cristãos europeus, que primeiro os encontraram, os iroqueses da América do Norte tinham "uma fé nos sonhos que superava toda crença", atribuindo-lhes grande importância: eles os viam como mandados divinos e decretos irrevogáveis, aos quais se devia prestar atenção e obedecer sem demora. Os sonhos tinham para eles uma função oracular, que servia como meio de prever eventos e avisar de fatalidades iminentes. Também se recorria à sua consulta em épocas de doenças, a fim de se procurar uma cura.

Nem todos os sonhos eram tidos em alta conta pelos iroqueses. A posição social de um sonhador tinha grande influência no sentido de determinar se o sonho seria ou não tratado como interesse e visto como uma mensagem. Indivíduos "fúteis" e pessoas pobres não eram tratados como sonhadores muito significativos ou precisos, enquanto a capacidade sonhadora de um sujeito em boa posição social, cujo dom de sonhador profético preciso havia sido comprovado no passado, seria tratada com assombro e respeito. E até sonhadores talentosos reconheciam que alguns sonhos eram falsos e outros verdadeiros. Os últimos eram tidos como bem raros.

Jacó

Jacó é considerado o pai do povo escolhido, e seus filhos representam os chefes das 12 tribos dos filhos de Israel. O Jacó bíblico era um sonhador prodigioso. Na ocasião de seu primeiro sonho, estava a caminho de Harã para tomar uma esposa de entre as filhas de seu tio Labão:

> Coincidiu de ele chegar a certo lugar e nele passar a noite, pois o sol havia-se posto. Tomou dele uma das pedras, colocou-a sob a cabeça e ali dormiu. Teve um sonho: Eis que uma escada se erguia sobre a terra e o seu topo atingia o céu, e anjos de Deus subiam e desciam por ela! Eis que Iahweh estava de pé diante dele e lhe disse: "Eu sou Iahweh, o Deus de Abraão, teu pai, e o Deus de Isaac. A terra sobre a qual dormiste, eu a dou a ti e à tua descendência. Tua descendência se tornará numerosa como a poeira do solo; estender-te-ás para o ocidente e o oriente, para o norte e o sul, e todos os clãs da terra serão abençoados por ti e por ela. Eu estou contigo e te guardarei em todo lugar aonde fores, e te reconduzirei a esta terra, porque não te abandonarei enquanto não tiver realizado o que te prometi." Jacó acordou de seu sonho e disse: "Na verdade Iahweh está neste lugar e eu não o sabia!" Teve medo e disse: "Este lugar é terrível!" (Gênesis 28:11-17)

Apesar da natureza aparentemente benigna e confortante desse sonho, Jacó acorda num estado de verdadeiro medo, o que indica que isso foi um pesadelo, ou ao menos tinha aspecto de um. O propósito do sonho é confirmar a promessa de Deus com Abraão diretamente a Jacó, e assegurar a este que, embora ele esteja em apuros, ainda é objeto do amor e do cuidado de Deus. A manifestação de Deus em seu sonho (ou pesadelo) altera completamente a visão de Jacó de seu próprio propósito e destino. Para ele, esse não é um mero sonho, mas uma experiência espiritual profunda e transformadora de vida.

A Bíblia registra várias outras ocasiões nas quais Deus se manifesta a Jacó num sonho. Quatorze anos depois daquele da escada, ele tem outro no qual percebe que está destinado a voltar à sua terra natal. Há também o famoso sonho de Peniel, no qual Deus aparece a Jacó na forma de um anjo, com o qual Jacó luta até o raiar do dia. Jacó prevalece (ou ao menos o anjo permite que ele prevaleça), e não deixa o anjo partir até ter recebido uma bênção. O anjo o abençoa, e também muda seu nome de Jacó para Israel. Jacó chama o lugar da luta de Peniel, ou "face de Deus," dizendo: "Eu vi a Deus face a face e a minha vida foi salva" (Gênesis 32:30). Uma vez mais, embora o resultado do sonho seja positivo, a presença alarmante do anjo e a luta indicam características de pesadelo. Ainda assim, Jacó recebe uma nova identidade e o *status*, daquele que deu a seu povo um nome: Israel.

Jaula

As jaulas existem em muitos formatos e tamanhos, e não é preciso que tenham barras para que alguém se sinta aprisionado nelas. Um sonho ou pesadelo envolvendo-as significa a sensação de ser mantido preso num trabalho ou relacionamento do qual se deseja desesperadamente escapar. Você pode sentir-se confinado pelas responsabilidades no trabalho e ter a necessidade de correr gritando até a saída mais próxima, ou talvez se sinta oprimido ou subjugado num relacionamento significativo para você.

Johnson, Lyndon B.

Esse ex-presidente dos Estados Unidos sofreu de pesadelos crônicos na infância, que carregou durante a vida adulta. Quando criança, com freqüência sonhou que estava sentado paralisado numa cadeira enquanto encarava um estouro da boiada vindo em sua direção. Depois de se tornar vice-presidente em 1961, o cenário dos pesadelos mudou para o prédio do Escritório Executivo, mas o tema de paralisia permaneceu o mesmo. Ele, com freqüência, sonhava que estava sentado à sua mesa, apenas terminando uma pilha de papelada. Mas quando tentava se levantar, descobria que estava amarrado por faixas nos tornozelos à pesada cadeira em que estava sentado. Mas, como era incapaz de se mover, ele se resignava em continuar a lidar com mais papelada que estava em sua mesa.

Depois da Ofensiva Tet no Vietnã, o conteúdo de seus pesadelos se alterou ainda mais uma vez; no entanto, o tema da paralisia ou imobilidade permaneceu o mesmo. Nos sonhos, ele se encontrava deitado numa cama no Quarto Vermelho, incapaz de se mover ou mesmo de falar. Em vez de seu corpo no leito, ele via na verdade o corpo frágil e paralisado de Woodrow Wilson. O trauma desses pesadelos se transportou para a vida acordada, a ponto de ele olhar regularmente as fotos de Wilson penduradas nos corredores da Casa Branca só para se assegurar de que, embora estivesse morto, ele mesmo permanecia vivo.

Johnson descobriu a si mesmo numa situação desagradável conforme o conflito do Vietnã continuava e as baixas aumentavam. Por um lado, sentia que não podia retirar as tropas e ainda assim manter seu orgulho; mas por outro também sabia que a oposição feroz à guerra estava ganhando força por todo o país. Ele tinha conhecimento de que o apoio para os programas sociais que estava promovendo seria prejudicado se ele permanecesse no cargo e mantivesse o *status quo*. Mais uma vez, seus pesadelos refletiram os medos e incertezas de sua vida acordada. Ele começou a sonhar que estava sendo carregado por um rio, lutando para chegar até a margem. Não importa com quanta força nadasse, nunca era capaz de chegar a um local seguro, e por fim acabava por nadar em círculos, exaurindo toda sua energia. Esse pesadelo, no qual ele se via "entre a cruz e a espada", significava sua situação impossível. Johnson percebia que a única solução adequada e eficiente era se afastar como um participante ativo. Pouco depois de ter esse pesadelo, anunciou sua decisão de não concorrer a outro mandato como presidente.

Judaísmo

O judaísmo tradicional contém tradições extensas em relação aos sonhos e sua interpretação. Como outras civilizações antigas, os judeus acreditavam que era importante distinguir entre sonhos e pesadelos — entre bons e maus presságios.

A maior coleção de escritos sagrados judaicos antigos é o *Talmude* babilônico. Ele contém uma abundância de referências de sonhos, regras relacionadas com sua interpretação e diferentes preces e rituais para evitar os sonhos malignos. Um dos temas mais comuns no *Talmude* é a natureza enigmática dos sonhos em geral. Aparentemente os antigos judeus atribuíam grande importância à sua interpretação correta, não importa quão difíceis ou complexos se mostrassem. Para esse fim, enfatizavam a importância da capacidade do intérprete dos sonhos de distinguir entre aqueles significativos e relevantes e os inúteis. Reconhecendo que a heresia religiosa poderia facilmente surgir a partir de interpretações incorretas, vários profetas alertaram contra sonhos falsos, bem como contra intérpretes falsos.

O judaísmo rabínico também dava ênfase considerável à interpretação dos sonhos. De acordo com essa tradição, um sonho não interpretado é como uma carta não lida; sem a interpretação consciente e propositada, seu significado será perdido com o tempo. Como é de se esperar, muitas passagens importantes encontradas nas Escrituras da *Torá* relatam sonhos.

Como os primeiros cristãos, os judeus acreditavam que apenas Deus podia ser a fonte de revelações divinas em sonhos. Essa postura era diferente das visões comuns da época, tais como a crença de que os sonhos podiam vir de ancestrais ou de uma variedade de deuses ou divindades. Como Iahweh era Deus apenas da nação judaica, os judeus acreditavam que Ele falava de maneira clara e direta para eles e com eles apenas, e essa comunicação era normalmente realizada por meio de sonhos. Um sonhador podia ouvir a voz de Deus num sonho ou, como no caso de Salomão, ver o próprio Deus. Quando um mensageiro angélico transmitia os desejos de Deus, era considerado mais difícil decifrar os significados exatos dos símbolos oníricos envolvidos. Textos judaicos também reconheciam a dificuldade intrínseca de se fazer distinção entre sonhos e visões.

A tradição judaica de interpretação de sonhos também defendia que, como Deus falava apenas para os judeus em sonhos, somente eles podiam interpretar corretamente essas mensagens assim transmitidas. Apesar desse fato, gentios não-judeus são, na verdade, responsáveis por muitos dos sonhos mencionados nas escrituras hebraicas. As mensagens enigmáticas enviadas ao faraó do Êxodo e ao rei Nabucodonosor tiveram de ser interpretadas por José e Daniel, respectivamente. As interpretações corretas concederam aos intérpretes *status* e poder, o que mais tarde seria usado para o bem maior do povo judeu. Apesar das várias concepções dos sonhos e do sonhar dentro do judaísmo, as categorias dos sonhos (proféticos, admonitórios e assim por diante) eram geralmente as mesmas que as de culturas não-judaicas vizinhas.

(Ver também **Talmude**)

Juiz/júri

Juízes ou júris podem representar a parte do eu que faz julgamentos (o subconsciente) ou uma figura de autoridade na vida do sonhador. Caso guarde sentimentos de culpa, ele pode sonhar com estar exposto num tribunal com “juiz, júri e executor” o observando, pronto para apresentar seu veredicto.

Julgamento

Ofensas reais ou imaginadas e o sentimento acompanhado de culpa podem ficar "alojados" no inconsciente do sonhador e provavelmente irão gerar pesadelos de culpa, que com freqüência podem ter temas de julgamentos ou atribuição de sentenças, tais como sonhos de punição ou alienação social. Pessoas muito sensíveis à opinião de outros, que têm o que o Dr. Ernest Hartmann chamaria de "fronteiras finas", podem sonhar que são alvo de ridículo ou condenação pela sociedade e por seus colegas.

Ser julgado nos pesadelos reflete culpas latentes ou manifestas. Pode também significar que se está sendo "testado" na vida real. Sonhar com julgamentos indica ainda que o sonhador precisa se aceitar do jeito que é e julgar menos os outros.

(Ver também **Juiz/júri**)

Jung, Carl Gustav

> Opiniões pessoais são julgamentos mais ou menos arbitrários e podem estar todas erradas; nós nunca temos certeza de estar certos. Portanto, devemos buscar os fatos fornecidos pelos sonhos. Sonhos são fatos objetivos. Eles não respondem a nossas expectativas. — C. G. Jung

Nascido em 26 de julho de 1875, em Kessewil, Suíça, Carl Jung foi estudante e colega de Sigmund Freud (ver também **Freud, Sigmund**), e empenhou-se no estudo da personalidade e do inconsciente. O trabalho de sonho serviu como a pedra angular da prática de psicologia e análise de Jung, à qual ele também incorporou mitologia, filosofia, religião e até o ocultismo. Ele sabia que religiões e mitos díspares continham muitos símbolos em comum, e os via como um tipo de "herança" da história coletiva da raça humana conservada por todos. Acreditava que esses símbolos ou arquétipos estavam presentes igualmente em todos os seres humanos, independentemente de sua localização, nacionalidade, religião, criação ou procedência socioeconômica. Eles eram a chave para comunicar-se com o subconsciente, bem como o meio de explorar o "inconsciente coletivo". Jung acreditava que se pudéssemos revelar o significado dos símbolos e narrativas das várias religiões e mitologias, entenderíamos melhor a natureza da psicologia humana e seus distúrbios.

> No sono, a fantasia toma a forma de sonhos. Mas na vida acordada, também, nós continuamos a sonhar embaixo do limiar da consciência, especialmente quando sob a influência de complexos reprimidos e outros complexos inconscientes. — C. G. Jung

Jung achava que esses símbolos ou arquétipos universais podiam nos ajudar a entender também os sonhos. Alguns dos arquétipos universais de Jung incluíam a mãe, o pai, o eu, o herói, a sombra e o trapaceiro, entre muitos outros (ver também **Arquétipos**).

Embora tanto Freud quanto Jung concordassem que sonhos eram uma ferramenta de análise importante, eles diferiam grandemente em suas crenças quanto aos motivos pelos quais as pessoas sonham. Para Freud, um sonho era apenas uma realização de desejos ofuscada, e servia para preservar o sono, dando a nossos pensamentos e desejos inaceitáveis tanto uma válvula de escape quanto um disfarce. Jung achava que eram comunicações naturais e com propósito do inconsciente com a intenção de guiar e transmitir informações à consciência. Ele acreditava que o sonhador sempre era a melhor pessoa para interpretar a "linguagem" de seu sonho. Quando tratava pacientes, Jung pedia a eles para descrever seus sonhos, e então fazer algum trabalho de associação livre com as suas imagens. Em seguida, buscava os arquétipos dentro do sonho e as associações livres do paciente. Como parte do "inconsciente coletivo", Jung achava que arquétipos podiam ser usados para ajudar a decodificar ainda mais o significado do sonho. O objetivo de Jung era unir a mente consciente e a mente inconsciente do paciente de forma que pudessem se comunicar livremente, dessa maneira ajudando a resolver seus problemas psicológicos, bem como melhorar sua qualidade de vida em geral. Jung também era ele mesmo um ávido sonhador lúcido (ver também **Sonho lúcido**), e ocasionalmente até tinha visões. Em 1913, sonhou com uma inundação que engolfava a maior parte da Europa. Ele viu milhares de pessoas se afogando nas águas da inundação, que se transformavam em sangue, e sonhos subseqüentes lhe proporcionaram visões de invernos intermináveis e rios de sangue. Jung na verdade duvidou de sua própria sanidade por causa desses sonhos, mas quando, em 1º de agosto de 1913, a Primeira Guerra Mundial começou, ele percebeu o significado de seus sonhos proféticos.

> O sonho mostra a verdade e a realidade interiores do paciente como elas realmente são: não como eu conjeturo que seja, não como eu gostaria que fosse, mas *como é*. — C. G. Jung

Depois da conclusão da Primeira Guerra, Jung viajou bastante para estudar grupos socioeconômicos e religiosos diferentes a fim de obter mais credibilidade para sua teoria de que a mitologia e o folclore mundial representavam manifestações do inconsciente coletivo. Ele baseava sua teoria em parte na descoberta de que sonhos e pesadelos de seus pacientes freqüentemente continham imagens que eram completamente estranhas a eles, mas que pareciam refletir símbolos passíveis de ser encontrados em sistemas mitológicos de outras culturas. Jung argumentava que se pudesse descobrir o significado dessas imagens e símbolos nas culturas das quais surgiram, poderia entender melhor os sonhos e pesadelos de seus pacientes. O processo de buscar tais significados por meio dessa "escavação" cultural é chamado de *amplificação*.

> Qualquer um que deseja interpretar um sonho precisa ele mesmo estar aproximadamente no mesmo nível que o sonho, pois em nenhum lugar ele pode ver algo mais do que ele mesmo é.
> — C. G. Jung

Depois da morte de sua esposa em 1955, Jung se afastou do centro das atenções até sua própria morte em 6 de junho de 1961, em Zurique, na Suíça.

L

Labirinto

Labirintos podem representar o esconde-esconde com o qual costumamos lidar com questões que precisam ser simplificadas ou encaradas. Talvez também signifiquem confusão e falta de norte ou a sensação de ser "um rato num labirinto". Podem ainda ser um auxílio para a meditação e para sondar o inconsciente. Nos sonhos, percorrer labirintos pode indicar a busca do sonhador por harmonia e inteireza.

Lágrimas

As lágrimas vêm com a mágoa, com a dor e até mesmo com a alegria. Dizem que a composição química das lágrimas resultantes da alegria é distinta das que escorrem por motivos de tristeza. Lágrimas freqüentemente representam purificação e catarse, e indicam que o sonhador está passando por um processo de cura.

Lamia

Na mitologia grega, Hera transforma Lamia (filha de Líbia e Posseidom) num monstro e então mata seus filhos. Parte da maldição de Lamia é sua incapacidade de cerrar os olhos, de modo que a imagem de seus filhos mortos a atormenta sempre. Metade serpente, metade mulher, Lamia tem inveja de outras mães e devora seus filhos quando tem a oportunidade. O deus Zeus lhe proveu com um consolo: o dom de remover os próprios olhos para encontrar repouso da horrível imagem dos filhos mortos.

Lança

As lanças são armas usadas para caçar, e suas imagens nos sonhos estão em geral associadas a agressões sexuais masculinas, mas não necessariamente violentas. Se uma mulher sonha com uma ou várias lanças, ela provavelmente sente que um homem (ou homens) a deseja sexualmente. Se um homem sonha com lanças, isso pode indicar que ele se sente viril e disposto a "caçar".

Leão

O leão é o "rei da selva" — majestoso, belo, poderoso e um predador cruel por natureza. Sua presença é sempre intimidante porque todos sabem que essa besta pode mutilar e matar de acordo com sua vontade e a qualquer momento. Ser perseguido por leões num pesadelo pode simbolizar um relacionamento no qual você ocupa uma posição submissa e de impotência. Talvez também represente uma dinâmica de trabalho desigual, como a relação patrão/empregado.

Lepra

Ainda que a lepra esteja praticamente erradicada em nações desenvolvidas, a imagem e o estigma dessa doença estão vivos em nossa consciência coletiva. Sintomas incluem chagas e lesões cutâneas que não cicatrizam e músculos que se enfraquecem até o atrofiamento. Os portadores da lepra sempre foram indesejados pela sociedade — marginalizados e rejeitados, viram-se subtraídos de qualquer função social ou política. Hoje, outras enfermidades como a aids têm o estigma que a lepra possuía outrora.

Pesadelos sobre portar doenças fisicamente incapacitantes que podem até deformar, como a lepra, parecem indicar preocupações com higiene e saúde ou sérios problemas de auto-estima que precisam ser resolvidos.

Ver outras pessoas com claros sinais de enfermidades assim durante um sonho pode significar que o sonhador está desconfortável no seu meio, encontrando dificuldades para se relacionar ou estabelecer empatia com os outros.

Lesões cutâneas

A pele é o maior órgão do corpo humano. Ela cresce, morre, regenera-se e é a primeira linha de defesa contra o mundo externo. As mais terríveis doenças da história, como a lepra e a peste bubônica, possuíam sintomas que incluíam lesões cutâneas em constante expansão, feridas purulentas e crescimento desordenado da pele em algumas regiões do corpo. Sonhar com problemas de pele, como feridas e lesões, pode indicar sensações de abatimento em relação a fraquezas ou fracassos.

(Ver também **Lepra**)

Lilith

Os textos antigos das civilizações assírio-babilônicas fazem as primeiras referências escritas a Lilith. Ela é descrita como um demônio sexual que se parece com o súcubo medieval, mas possui características semelhantes aos vampiros modernos (ver também **Íncubos e súcubos** e **Vampiro**). É também mencionada nos textos hebreus como a princesa da raça dos súcubos. Seu nome possivelmente derivou das palavras hebraicas *lulti*, que significa "lascívia", ou *lailah*, que significa "noite". Comentadores também encontraram referências indiretas a Lilith nas escrituras hebréias, ou *Antigo Testamento*. De acordo com o *Midraxe*, por exemplo, a serpente que tentou Eva nos jardins do Éden foi Lilith, subordinada de Satanás, e não o próprio Diabo. Algumas traduções dessa literatura, escrita por rabinos, apresentam o primeiro homem como um ser hermafrodita cuja metade feminina é Lilith. Deus separou as duas metades em gêneros distintos, mas Lilith fugiu dos jardins quando soube que Ele queria que ela se deitasse "embaixo" de Adão. Após esse incidente, Deus criou a submissa e acomodada Eva a partir da costela do varão. Hoje, há uma revista feminista judaica que se chama *Lilith*, cujo título faz referência direta ao gesto de insubordinação desse ser mítico.

O filme *Beco das Ilusões Perdidas*, produzido na década de 1940, também é baseado no mito de Lilith. A personagem principal, convenientemente chamada Lilith, é uma "psicóloga demoníaca" que ataca a mente e a psique dos seus pacientes, extraindo informações condenatórias dos seus pesadelos, as quais depois são usadas para fazer chantagem.

Lincoln, Abraham

Um dos mais famosos sonhos precognitivos da história foi do presidente americano Abraham Lincoln, em 1865. De acordo com o livro *Recollections of Abraham Lincoln* (University of Nebraska Press, 1994), de Ward Hill Lamon, publicado originalmente em 1911, o presidente previu a própria morte alguns dias antes de ser assassinado no Teatro Ford, no dia 14 de abril de 1865. Lamon era amigo pessoal e guarda-costas de Lincoln e compilou seu livro com base em conversas, cartas e entrevistas do presidente. Lamon assim descreve Lincoln relembrando seu pesadelo:

> Há mais ou menos 10 dias, me recolhi muito tarde. Fiquei acordado esperando notícias importantes do *front*. Quando deitei na cama, dormi quase de imediato, pois estava exausto. Logo, comecei a sonhar. Senti que havia uma calmaria de morte à minha volta. Então, ouvi prantos baixos como se, a distância, muitas pessoas chorassem. No sonho, deixei minha cama e desci as escadas. Ali, o silêncio foi quebrado de vez pelos mesmos

prantos de lamento, porém os enlutados eram invisíveis. Vaguei de quarto em quarto; não havia ninguém, mas os sons tristes de angústia continuavam a me assombrar. Sentia-me leve em todos eles; todos os objetos me eram familiares; mas onde estavam as pessoas que tanto sofriam de coração partido? Estava perplexo e alarmado. Qual seria o significado de tudo aquilo? Prossegui com minha pesquisa, determinado a encontrar o motivo daquelas circunstâncias tão misteriosas e chocantes e adentrei o Salão Leste, onde me deparei com uma surpresa nauseante. Diante de mim havia um catafalco sobre o qual jazia um cadáver em trajes funerários. Havia soldados a sua volta, e uma multidão de pessoas, algumas velando o corpo com olhos vidrados, outras chorando entristecidas. "Quem morreu na Casa Branca?", perguntei a um dos soldados. "O presidente", foi sua resposta. "Ele foi assassinado!" Os prantos altos e repentinos da multidão então me acordaram do sonho.

Sonhos ou pesadelos como o de Lincoln parecem demonstrar uma conexão direta e real entre o sonhar e a precognição e, dessa forma, contribuem significativamente para propagar essa crença popular.

Língua

A habilidade de nos expressar por meio da palavra falada é talvez o aspecto mais importante da evolução humana e da construção de sociedades complexas. A alienação — sentir-se "estrangeiro em terra estranha" — causada por barreiras lingüísticas pode provocar sentimentos de impotência e ansiedade. Pesadelos em que você está num país estrangeiro e é incapaz de falar ou compreender qualquer coisa podem indicar que tem dificuldades para se comunicar com outra pessoa (ou pessoas) e que deve se esforçar para "falar a mesma língua" e assim resolver o problema. Você também pode estar experimentando sentimentos genéricos de alienação — uma espécie de "xenofobia às avessas" — e a barreira lingüística do sonho é o modo como seu inconsciente sinaliza isso.

Lixo

O lixo representa os pedaços indesejados e descartados de nossas vidas. Ser rodeado pelo fedor putrefato de lixo em decomposição num pesadelo pode indicar que você está se sentindo rejeitado ou indesejado pelas pessoas com quem se importa.

Lobisomem

A lenda do lobisomem tem sua origem na antiga mitologia grega. Nesse mito, Licaón (de cujo nome derivam *licantropo* e *licantropia*), rei da Arcádia, fica sabendo que Zeus, o rei dos deuses, está disfarçado e vagando sem permissão por suas terras. Pelo fato de que só um deus reconheceria o gosto da carne humana, Licaón mata o filho caçula, Arcádio, com a intenção de servir sua carne num banquete ao qual Zeus comparece. Zeus descobre a terrível façanha e é então identificado, mas fica tão zangado com o assassinato gratuito do jovem, que acaba transformando Licaón num lobo.

Os lobos surgem em narrativas de folclore de muitas nações, desde a Europa antiga até a América dos dias de hoje. O animal passou a representar a esperteza, o lado escuro da psique. O conhecido uivo noturno capaz de fazer gelar os ossos tornou-se parte de contos antigos, assim como uma presença constante em pesadelos. Nos sonhos, a entidade meio homem, meio lobo, é interpretada como a representação da dicotomia poder/medo em relacionamentos sexuais. O lobisomem representa tanto a busca por poder e dominação dentro de um relacionamento quanto o medo e a rejeição em relação a esse poder. O lobisomem é o "monstro" interior dentro do sonhador ou o seu parceiro.

Luta

Pesadelos sobre lutas são comuns e podem refletir conflitos externos ou internos. Estresse, demandas conflitantes, informação errônea, deslealdade, incompetência, falta de integridade e pactos quebrados podem resultar numa sensação de "não agüentar mais determinada situação". Pessoas que experimentaram o trauma de ser assaltadas violentamente ou estupradas podem ter pesadelos em que são incapazes de lutar ou de resistir a seu agressor ou, caso já tenham superado o trauma, em que são capazes de reagir.

Luvas

Sonhos envolvendo luvas podem indicar que você está tentando "sujar" as mãos, ou que vai ter de usar de "luvas de pelica" numa situação que exige extrema diplomacia. Adicionalmente, luvas de boxe podem indicar uma situação na qual o sonhador sente necessidade de usar palavras agressivas "fortes como um soco".

Luz

A luz representa a bondade, o conhecimento, a compreensão clara das coisas e a presença do divino. Pessoas que passaram pela experiência-limite de quase morrer freqüentemente relatam ter sentido uma presença beatífica acompanhada de luzes brancas e radiantes. Luzes que se apagam nos pesadelos podem significar qualquer coisa desde o fim de um relacionamento até a dissolução da esperança. A escuridão resultante pode representar o mal, a infelicidade, o medo (especialmente do desconhecido) ou o lado sombrio do sonhador. Carl Jung diria que a escuridão do sonho teria de ser encarada e explorada para que seu significado verdadeiro pudesse ser analisado.

Macbeth

Shakespeare mergulhou fundo e com precisão no inconsciente humano, pois sabia da influência de emoções como o medo e a culpa sobre os sonhos e os pesadelos. Na cena 2 do terceiro ato da peça de William Shakespeare, datada de 1605, Macbeth diz a sua esposa:

> Vamos comer nossas refeições com medo e dormir
> Na aflição desses sonhos terríveis
> Que nos estremecem todas as noites: melhor estar junto àqueles mortos,
> Que, para alcançar a nossa paz, despachamos para a paz do Senhor,
> Que viver com a mente torturada
> Pelo desassossego de um êxtase sem-fim.

Como em todas as suas peças, Shakespeare usa os sonhos — especialmente os proféticos, os presságios e os pesadelos — como um recurso literário cuja função é prenunciar determinados acontecimentos do enredo. Logo no início da peça, Macbeth descobre que será rei da Escócia por meio da profecia de três bruxas. Ansioso para ver a predição se concretizar, ele assassina o rei, Duncan, enquanto este está hospedado em seu castelo e, em seguida, planeja com Lady Macbeth a maneira pela qual vão recuperar seus títulos. Todos aqueles que suspeitaram de Macbeth ou impuseram qualquer obstáculo à sua ambição, foram simplesmente mortos por ele. A culpa pesa sobre seus ombros e sobre os de sua esposa, Lady Macbeth, e começa a tumultuar o sono de ambos.

Na cena 1 do quinto ato, um médico e uma fidalga discutem o sono conturbado de Lady Macbeth:

> Desde que sua majestade se foi aos campos, vejo-a se levantar da cama, vestir a camisola, destrancar o armário, pegar papel, dobrá-lo, escrever nele, ler o que redigiu, selá-lo e voltar para a cama; todavia, faz tudo isso no mais profundo sono.

Lady Macbeth fala enquanto dorme e reproduz um curioso e repetitivo gesto com as mãos, o qual o médico e a fidalga observam enquanto, sonâmbula, ela se aproxima dos dois. O médico repara que ela está esfregando uma das mãos contra a outra, ao que a fidalga responde:

> É uma ação que lhe é habitual, essa de simular que lava as mãos:
> Já a flagrei repetindo esse gesto durante um quarto de hora.

Simbolicamente, Lady Macbeth está tentando lavar as mãos, sujas do sangue/culpa de todos aqueles que planejou matar junto com o marido. Sua culpa e ansiedade encontram expressão total no universo onírico, provocando surtos de sonambulismo e fazendo com que ela fale enquanto dorme e tente obsessivamente limpar o sangue imaginário.

Machado

Como ferramenta, o machado é incômodo para se usar, mas eficiente. Seu peso e estrutura o tornam bem adequado a rachar lenha e derrubar árvores. Como uma arma, no entanto, é sem corte e faz sujeira — uma arma usada num crime passional e não num crime de precisão premeditada. Um pesadelo sobre ser cortado em pedaços pode indicar uma separação problemática, tal como a perda de um trabalho, um rompimento ou um divórcio.

Mack, John E.

Autor do livro *Nightmares and Human Conflict* (Columbia University Press, 1989; publicado pela primeira vez em 1970), John Mack estudou as reações infantis que manifestamos em relação às ameaças contidas em nossos pesadelos. Ele percebeu que os pesadelos, em geral, são forças poderosas que assaltam o sonhador — forças com as quais as pessoas são incapazes de lidar. Essa incapacidade ou sensação de impotência corresponde à maneira como os indivíduos enxergavam o mundo durante a infância. Nesse sentido, os vilões dos pesadelos são menos importantes que os sentimentos de terror e vulnerabilidade que evocam. Mack escreveu que, independentemente da origem das ameaças contidas em nossos pesadelos — sejam elas monstros de filme, raios da morte ou quaisquer outras forças fantásticas —, a experiência transforma o sonhador, pelo menos momentaneamente, numa criança indefesa em face de forças insuperáveis.

Quando comparou os diferentes tipos de pesadelos experimentados por crianças e adultos, Mack observou que sonhos ruins ocorrem, de modo geral, em resposta a medos proeminentes experimentados pelos seres humanos em diferentes estágios de seu desenvolvimento. Quando somos bebês, por exemplo, temos medo de pessoas estranhas e de sermos abandonados por nossos pais; durante os primórdios da infância, tememos ferimentos físicos; e durante a vida adulta, nossos principais medos são em relação ao fracasso, à inadequação e à morte.

Pesadelos adultos são similares aos das crianças no sentido de provocar sensações de vulnerabilidade (noção que o psiquiatra Ernest Hartmann também enfatiza). Os tipos e as origens das angústias podem variar, mas os sentimentos de impotência e insegurança afetam pessoas de todas as idades.

Macróbio

Ambrósio Macróbio Teodósio foi um filósofo do começo do século V d.C. Sua obra *Comentário ao Sonho de Cipião* é um dos mais influentes livros sobre sonhos da Idade Média latina (mais de 37 edições foram impressas até

1700). Quando comparado a seus contemporâneos, Macróbio é considerado negativo e supersticioso. Sua obra foi claramente inspirada na *Oneirocrítica*, o grande livro sobre sonhos de Artemidoro, mas é muito mais compreensível que a de seu antecessor — aborda cinco diferentes classes de sonhos e compreende reflexões sobre aparições e pesadelos, assuntos dos quais Artemidoro não tratou de modo explícito.

Macróbio classificou os sonhos de acordo com a hierarquia platônica. Considerou as três primeiras classes como as mais significativas, pois eram inspiradas por fontes divinas. Elas incluíam as aparições fantasmagóricas (*phantasma*), os sonhos enigmáticos (*somnium*) e os oraculares (*oraculum*). Macróbio acreditava que os pesadelos (*insomnium*) e as visões proféticas (*visio*) eram irrelevantes. Argumentava que as últimas, as quais acontecem no estado de "lusco-fusco" entre o sono e o despertar, não tinham importância, pois não eram de fato sonhos e, portanto, não podiam ser inspiradas pelos deuses.

O *Comentário ao Sonho de Cipião* identifica três diferentes causas de pesadelos: mal-estares do corpo, como a fome ou a gula; mal-estares da alma, como o amor ou a perda; e dificuldades profissionais. Macróbio também incluiu na sua obra informações sobre os íncubos e os súcubos — essa, inclusive, é a primeira referência a esses demônios na literatura cristã. Apesar de haver muitas histórias sobre eles no folclore judaico antigo, o fato de Macróbio os ter mencionado acabou por influenciar, nos séculos posteriores, as concepções cristãs dos demônios.

(Ver também **Íncubos e súcubos**)

Máfia no Divã

O filme *Máfia no Divã*, de 1999, estrelado por Robert De Niro, é de certa forma uma caricatura da nossa fé excessiva na interpretação de sonhos e da própria análise freudiana, refletindo nossa fascinação com a possibilidade de curas rápidas pela terapia do sonho.

O filme começa com o psiquiatra Ben Sobel (Billy Crystal) batendo na traseira do carro do gângster Paul Vitti (Robert De Niro), que mais tarde despacha capangas para levar Sobel até ele para que possa ouvir seus sonhos. Vitti tem um pesadelo persistente no qual vê a si mesmo bebendo leite negro. Também sofre de ataques súbitos de ansiedade, o que o impede de cumprir seu papel como chefão da Máfia. Sobel analisa os sonhos como uma representação da culpa reprimida pela morte do pai e interpreta o símbolo do leite negro como uma educação negativa que ele recebeu na infância. Por fim, por meio da análise do sonho e da terapia bem-sucedidas, o chefão se recupera do distúrbio de pânico.

Máfia no Divã é baseado em um filme anterior, *Passado Tenebroso*, no qual um condenado invade uma casa durante um jantar festivo. Ele tem um problema de pesadelo persistente que um psicólogo presente na festa analisa. O condenado fica tão dominado pelo processo que não consegue pegar sua arma quando a polícia chega, sendo morto no final do filme.

(Ver também **Freud, Sigmund**)

Magia

Nos pesadelos, a magia, ou a magia "negra", está associada à maldade, aos demônios, à opressão/possessão e à bruxaria. Sonhos assustadores envolvendo magia podem indicar que o sonhador possui medos e superstições reais em relação ao sobrenatural. A magia pode também abranger "truques com as mãos", os quais tornam uma determinada questão da vida do sonhador obscura, como se manipulada por alguém. Além disso, pode representar um tipo de criatividade, como se o sonhador, por meio de "pensamentos mágicos", pudesse alcançar seus objetivos.

Mágico de Oz, O

Um dos clássicos de nosso tempo, essa película de 1939 reconta o sonho de uma jovem garota depois que ficou inconsciente durante uma terrível tempestade. O filme é rico em simbolismo, arquétipos e metáforas que são todas bastante consistentes com teorias aceitas dos sonhos e da interpretação deles. Os medos e ansiedades de Dorothy, seus descontentamentos triviais e tristezas reais, são ampliados e distorcidos em seu sonho por meio de um simbolismo poderoso e exagerado. Na vida real, ela sente uma inquietação e a necessidade de conhecer novos lugares, mas em seu sonho ela sai numa "perigosa busca" para encontrar seu lar. Na vida real, ela teme e abomina a Sra. Gulgch, uma solteirona velha como uma bruxa. Em seu sonho, essa senhora se torna a Bruxa Má, que está determinada a destruir Dorothy e sua chance de felicidade. Na vida real, Dorothy sente-se de mãos atadas e abandonada vivendo com seus trabalhadores, mas antipáticos, tia e tio (presume-se que os pais a deixaram ou morreram). No sonho, ela adota três companheiros memoráveis (ou é adotada por eles) e assim encontra o senso de ter seu lugar e pertencer a um grupo. O tornado no começo do filme é real, mas ainda assim, como na maioria dos pesadelos, também é uma metáfora para o tumulto interno e a insatisfação de Dorothy.

A transição do preto e branco para o Technicolor foi usada com um bom efeito para indicar a passagem do mundo acordado chato e insípido para o mundo de sonho infinitamente mais interessante e assustador de Dorothy. Quase todo o filme ocorre no mundo de sonho, e há também uma cena de "sonho dentro do sonho" no campo de papoulas fora da Cidade Esmeralda. (A associação entre papoulas e os sonhos data da Antigüidade; dizia-se que o deus grego do sono, Morfeu, vivia com seus filhos numa caverna rodeada de flores de papoula.)

Algumas vezes, o sonho de Dorothy assume as qualidades verdadeiramente bizarras e horripilantes de um pesadelo. A perseguição incansável de Dorothy pela maléfica Bruxa Má por todo o filme — desde o começo, pelo campo de papoulas e a Cidade Esmeralda, e finalmente para seu fim definitivo e memorável — é um exemplo dramático do ubíquo pesadelo de perseguição. A casa da bruxa e a Floresta Proibida representam uma atmosfera sombria e lúgubre, que é, com freqüência, característica de ambientes de pesadelo. Os horrendos macacos voadores, que atacam e raptam Dorothy com uma crueldade alegre e a levam prisioneira para a torre da bruxa, são um exemplo perfeito da qualidade bizarra e irracional de muitas das imagens de pesadelo. O desespero de Dorothy, seu sentimento de abandono, sua ansiedade, sua raiva e, em especial, seu sentimento de impotência condensam de forma perfeita as emoções negativas que são comuns em pesadelos.

Em seguida a seu resgate pelos amigos e seu triunfo final sobre as forças sombrias de seu mundo de sonho imaginário, Dorothy retorna, como todos aqueles que sofrem de pesadelos acabam por fazer, à realidade acordada, mas não sem um senso de perda e anticlímax tocante para o telespectador.

Mal

O conceito de forças ou entes de índole maligna serviu tradicionalmente como um meio de explicar o sofrimento, as doenças, os desastres naturais, além de outros aspectos misteriosos e desagradáveis da vida. Quase todas as tradições religiosas possuem algum tipo de força malévola que se opõe ao homem e ao divino. Antes do desenvolvimento das ciências, que nos ofereceram explicações mais "neutras" para fenômenos como desastres, enchentes, fome, pragas e afins, as entidades demoníacas e os espíritos maus eram geralmente responsabilizados pelos desastres naturais e epidemias, de outro modo inexplicáveis.

Considerando a natureza quase universal desse tipo de crença, a idéia de que forças demoníacas são responsáveis pelos pesadelos é muito compreensível. Essa explicação era aceita em larga escala, sendo comum encontrar orações e cerimônias em textos antigos sobre sonhos especificamente voltados para proteger um sonhador vulnerável de forças demoníacas malévolas. Em culturas antigas da Mesopotâmia, acreditava-se que os sonhos maus eram causados pela invasão de espíritos malignos que acessavam o corpo de uma pessoa na ausência de um espírito guardião que a protegesse. Durante a Idade Média européia, num tempo em que o sexo e a sexualidade eram concebidos como perversos, sonhos eróticos eram atribuídos a demônios específicos, como íncubos e súcubos. Alguns clérigos medievais mais radicais chegaram a afirmar que todos os sonhos e visões eram criações do diabo.

Mandíbula

Um maxilar bem aberto é com freqüência visto como símbolo dos portões do mundo subterrâneo. Como buracos, portas, fossos e cavernas, mandíbulas ou bocas podem representar uma rota para o inconsciente.

Mãos

As mãos nos sonhos podem ser gentis ou cruéis. Se, num pesadelo, você é sufocado ou tocado, agarrado por mãos que de algum modo o assustam, isso pode indicar que ficou traumatizado por alguma experiência de abuso físico ou sexual quando criança. Imagens relacionadas com as mãos também podem revelar seu lado "careta", mostrando-lhe que rejeita ou se sente culpado por seus apetites carnais. Sonhos com mãos podem também indicar que você precisa lidar diretamente com problemas ou questões há muito tempo ignorados.

Marrocos

Os marroquinos possuem tradições complexas e em constante evolução relacionadas com a interpretação de sonhos. Contudo, não elaboraram uma teoria onírica particularmente consistente nem desenvolveram rituais ou cerimônias dedicadas a eles. As teorias marroquinas sobre a interpretação dos sonhos e a maneira como classificá-los refletem várias influências da experiência cotidiana, em especial do Islamismo, que mistura cultura erudita e crenças populares, e de atitudes e doutrinas modernas. Esses elementos díspares e às vezes conflitantes — manifestações culturais que vão desde a crença no "olho gordo" até os *djinn* (espíritos bons e maus que vigiam as interações sociais), passando pelo ideal islâmico do homem bom — tornam a visão que os marroquinos têm dos sonhos rica e dinâmica. A maioria dos sonhos é interpretada como presságios sobre o futuro — predições que também informam de que maneira o sonhador deve agir.

Assim como outras sociedades tradicionais, os marroquinos acreditam que a alma abandona o corpo durante o sono e que os sonhos espelham suas viagens longínquas (os devaneios, desse modo, acontecem quando ela percorre distâncias curtas). A alma errante é, então, capaz de testemunhar eventos reais que acontecem em outros pontos do espaço e do tempo. Esses acontecimentos oníricos são vistos, em geral, como simbolicamente significativos para o futuro do sonhador. Os marroquinos classificam os sonhos como verdadeiros, ou de inspiração divina, ou enganosos, forjados pelo Diabo e por outras forças sobrenaturais. Os primeiros estão associados a segurança, enquanto os segundos, recheados de más intenções de demônios e homens, prenunciam danos.

Os marroquinos comumente compartilham seus sonhos e procuram a ajuda de especialistas para interpretá-los. Isso acontece porque nem todos os sonhos, assim como nem todas as pessoas, são confiáveis. Os de inspiração divina são sempre dignos de confiança, ainda que seja difícil distingui-los daqueles enviados por influências malévolas. Para determinar isso, os marroquinos parecem não valorizar o conteúdo dos sonhos em si mesmo; em vez disso, são as condições do próprio sonhador — aquilo que chamamos de "estado emocional dominante" — que definem se o sonho é verdadeiro ou falso.

Os assim chamados sonhos de visitação, em que aparecem santos ou outros seres espirituais, geralmente servem para resolver conflitos pessoais do sonhador, proporcionando-lhe pontos de referência objetivos, uma "bússola" que direciona o processo de tomada de decisão.

Martelo

Escutar estampidos de martelo durante um sonho pode significar que o sonhador está tentando "martelar para fora de si" alguns detalhes de sua vida. Por outro lado, se o sonhador se vê sendo malhado por um martelo, isso talvez indique que se sente sobrecarregado, ansioso ou derrotado pela vida.

Máscara

Assim como as máscaras dramáticas da Grécia antiga, as máscaras representam identidades falsas ou *personas* — um modo de ocultar quem somos sob o rosto de alguém que não somos. Nos pesadelos, máscaras aterrorizantes podem representar medos reprimidos. Se você a está usando, deve examinar de quem ou do que está se escondendo. A simbologia da máscara também está relacionada com a noção do "eu sombra", o arquétipo junguiano que representa os pensamentos e as urgências obscuras, primordiais e inaceitáveis. Dependendo do estado emocional do sonhador, a máscara pode ou não ser uma representação precisa da sombra.

Masoquismo

Masoquismo é a maneira pela qual os impulsos sexuais são gratificados com degradação e dor. Alguns estudiosos do assunto afirmam que é um atributo fundamentalmente feminino (algo que é rejeitado pelas feministas), mas a realidade é que tanto homens quanto mulheres podem se identificar com essa forma de expressão sexual. Sonhos envolvendo masoquismo não significam necessariamente que o sonhador o pratique; podem indicar a maneira como outras pessoas o vêem, opinião que internalizou. Imagens desse tipo podem também dizer respeito a questões de auto-estima. Você talvez não esteja convencido de que deve ser tratado com decência pelos outros e se conformou com relações aviltantes (e talvez até esteja gostando delas).

Maury, Alfred

O cientista francês Alfred Maury publicou sua obra seminal *O Sono e os Sonhos*, em 1861. Ele mantinha um diário em que registrava os próprios sonhos e atentava para as circunstâncias que acreditava afetar o conteúdo e a intensidade deles. Entre os fatores externos que considerava mais importantes estavam a dieta e as mudanças na atmosfera a seu redor. Ele também se preocupou com as alucinações hipnagógicas que experimentava instantes antes de adormecer; acreditava que eram as manifestações iniciais dos sonhos que se seguiam.

Em experiências posteriores, ele mesmo serviu de sujeito principal. Depois de haver ingressado no sono REM, um assistente o provocava com vários tipos de estímulos auditivos e olfativos. Maury tinha esperanças de poder relatar os efeitos desses estímulos no conteúdo de seus sonhos. Numa ocasião, o assistente lhe fez cócegas nos lábios e nas narinas com uma pena e Maury sonhou que a pele dessas partes do seu corpo estava sendo escaldada com piche fervente. Em outro momento, o assistente se aproximou dele com um ferro quente e Maury sonhou que assaltantes haviam incendiado seus pés para arrancar dele informações sobre o lugar onde escondia seu dinheiro.

As experiências também indicaram que aromas podem afetar o conteúdo dos nossos sonhos. Quando o assistente aproximou um fósforo em chamas de seu nariz, Maury sonhou que o depósito de seu navio havia explodido. Quando o assistente trocou o fósforo por um frasco de água-de-colônia, ele sonhou com uma perfumaria.

O resultado desses testes confirma que o entorno tem influência direta sobre aquilo que experimentamos enquanto dormimos.

Médium

Em janeiro de 2005, a emissora de televisão norte-americana NBC lançou seu novo seriado, *Medium*. O programa é baseado em experiências psíquicas reais da autora, Allison DuBois, que trabalhou para diversas agências de execução legal em muitos casos de assassinato e pessoas desaparecidas. No centro da trama estão as visões proféticas de pessoas mortas que Allison DuBois (interpretada por Patricia Arquette) experimenta em seus sonhos. O marido de Allison, um cientista chamado Joe (interpretado por Jake Weber), começa a registrar os sonhos dela e a enviar suas anotações para diferentes agências de execução legal, sem esperanças de receber respostas. Porém, para surpresa de ambos, os sonhos de Allison de fato espelham investigações policiais, e suas intuições e visões acabam por auxiliar a polícia a resolver crimes por todo o país. No *site* da verdadeira Allison DuBois, ela afirma sobre o seriado *Medium*:

> Os episódios não são exatamente autobiográficos; simplesmente são inspirados nas minhas experiências de vida. É um retrato aproximado da minha vida e das pessoas com as quais convivo, mas com um pouco da magia de Hollywood.

A série *Medium* trata dos pesadelos de uma pessoa paranormal, que, na realidade, são visões horrendas de eventos que de fato ocorreram. Os mortos entram em contato com DuBois para que ela possa ajudar a polícia a levar os assassinos para a Justiça.

Medo

Ao lado da raiva, o medo (ou o pavor puro e simples) é uma das emoções mais comuns citadas em sonhos ruins ou pesadelos. Assim, é difícil lhe atribuir um significado específico. Sonhos de medo podem refletir qualquer coisa, desde ansiedades subconscientes reprimidas até os temores concretos da vida desperta de alguém. Assim como em qualquer sonho ou pesadelo, o sonhador precisa identificar o contexto de seu estado emocional dominante no momento do sonho, o qual deverá fornecer pistas para se entender o significado dos símbolos e da narrativa que têm provocado nele a sensação de medo.

Melatonina

Melatonina é um suplemento hormonal que auxilia as pessoas a dormirem e cuja venda vem crescendo nos últimos tempos por ser um medicamento que não requer receita. A melatonina química é um hormônio naturalmente secretado pelo cérebro humano ao anoitecer e tem a função de nos preparar para o ciclo de sono natural, também conhecido como ritmo circadiano. O suplemento ajuda muitas pessoas a adormecer sem os efeitos narcóticos dos remédios soníferos tradicionais. Alguns efeitos colaterais interessantes (e angustiantes) relatados por muitos usuários do suplemento de melatonina, no entanto, são que as imagens oníricas se tornam mais vívidas e que a quantidade de pesadelos aumenta.

Metáfora

Metáfora é a simples constatação de similaridades. Ela é usada com freqüência na nossa fala cotidiana (em geral inconscientemente), em fantasias e nos sonhos. Não é apenas uma figura de linguagem ou um instrumento retórico, mas o fundamento de como percebemos e categorizamos o mundo. Os sonhos, de modo muito sutil, utilizam e estabelecem conexões entre as metáforas mais comuns, usadas na fala, em histórias e mitos e na arte. O renomado psiquiatra Ernest Hartmann afirma que sonhos são metáforas explicativas — têm a função de "contextualizar" as emoções e, dessa forma, acabam por atribuir significado a si próprios. Uma pessoa traumatizada, por exemplo, terá sonhos em que ondas gigantes estão prestes a quebrar sobre sua cabeça, ou em que figuras ameaçadoras a estão perseguindo. Essas imagens são metáforas que explicam o estado emocional por trás do sonho, mais profundo e complexo. Os sonhos não são mensagens simples nas quais o significado dos símbolos é literal, mas um engenhoso processo que codifica e estratifica o estado emocional dominante do sonhador. As metáforas contidas nos sonhos quase nunca têm a ver com as inquietações pessoais ou interpessoais do sonhador.

Não importa se enxergamos os sonhos como arenas nas quais podemos realizar desejos reprimidos, como mensagens codificadas do inconsciente para a consciência ou meros reflexos de nossas preocupações cotidianas, um dos aspectos únicos da linguagem dos sonhos e dos pesadelos é que ela é simbólica e indireta. Evidentemente, as imagens específicas que aparecem nos sonhos são influenciadas por diversos fatores sociais e culturais. Dependendo dos outros elementos presentes no cenário onírico, qualquer um dos diversos possíveis significados de um sonho pode estar sendo indicado pelas metáforas nele contidas. Às vezes, a livre associação de idéias ou a simples reflexão sobre as circunstâncias de vida do sonhador pode revelar algum significado, mas outras vezes ele permanecerá obscuro. Ainda assim, como afirmou Aristóteles, "o bom intérprete de sonhos é aquele que atenta para os detalhes".

Militar

Ver pessoas trajando uniformes pode simplesmente refletir as experiências reais e memórias daqueles que já serviram as forças armadas. Já imagens militares (ao contrário do combate real) podem representar qualquer coisa desde o autoritarismo até a autodisciplina. Se o sonhador faz parte da marinha e está num navio, o sonho pode sugerir que ele está navegando por problemas emocionais relacionados com um divórcio ou com outras perdas pessoais.

Mojave

Os índios mojave, etnia do sudoeste da América do Norte, usam os sonhos para interpretar sua cultura e atribuir sentido a ela, e não o contrário. Para eles, sonhos premonitórios comuns não revelam necessariamente coisas que de fato vão acontecer, mas que *podem* acontecer, de modo que os dos xamãs e guerreiros são considerados poderosos e influentes. Para a cultura mojave, há dois tipos de sonhos patogênicos, isto é, contagiosos ou capazes de causar enfermidades. Alguém que experimenta pesadelos pode estar propenso a adoecer por conta das aventuras perigosas e potencialmente destrutivas nas quais sua alma se engaja, como a invasão da psique por forças, espíritos ou bruxas sobrenaturais ou uma visita à terra dos mortos. Há pesadelos que, de tão perturbadores, provocam o aparecimento de doenças nos sonhadores.

Monstro

Monstros criados pela imaginação são muito mais aterrorizantes do que qualquer personagem que Hollywood possa inventar, pois cada sonhador fabrica o seu à sua própria maneira, a partir dos elementos e temas que mais o assustam. Monstros em pesadelos freqüentemente representam emoções e medos desagradáveis e reprimidos, e podem às vezes ser manifestações do "eu sombra" de uma pessoa. Aspectos repugnantes ou amedrontadores da personalidade do sonhador podem se refletir (ou estar contidos) na interação com esses monstros. Eles podem simplesmente ser a manifestação física de todos os pensamentos, desejos e urgências desagradáveis e inaceitáveis que tanto a sociedade quanto o próprio sonhador rejeitam.

Monstro do armário

Crianças pequenas com freqüência pedem aos pais para fechar a porta do armário antes de serem colocadas para dormir. À noite, com as luzes apagadas, até uma porta de armário quebrada ou ligeiramente aberta deixa entrever a sinistra escuridão completa dentro dele. Algumas crianças carregam esse temor até a idade adulta, descobrindo-se fechando a porta do armário antes de ir dormir por "força do hábito". Mas a realidade é que permanece ainda um medo irracional em sua psique do mesmo monstro do armário — a criatura das profundezas de nossa imaginação que sabemos que virá balançando-se, arrastando-se ou deslizando da escuridão para atacar.

Em 2001, a Disney/Pixar lançou o filme de animação *Monstros S.A.*, que deslocou o conceito de monstro do armário para um enfoque completamente diferente. No filme, os monstros entram no mundo das crianças adormecidas pela porta do armário. Eles precisam assustar as crianças e coletar seus gritos a fim de fornecer energia para as cidades dos monstros em seus lares. Como os pais de verdade, os pais no filme assumem que seus filhos, ao gritar, estão tendo um pesadelo, e nunca acham que um monstro real apareceu.

Montanha russa

Uma montanha russa pode causar euforia num parque de diversões, mas num sonho ela mostra que você está vivenciando altos e baixos freqüentes, talvez causados por comportamento errático de sua parte ou da parte de alguém que você conhece. Se o medo é a emoção dominante no sonho, talvez você esteja sentindo uma perda de controle ou de capacidade de ação em sua vida, tal como a impotência trazida por eventos transformadores e estressantes, como divórcio, morte ou mudança.

Morcegos

Os morcegos são há muito tempo símbolos da escuridão e do mal. Há algo de excepcional neles: voam e caçam sua comida com uma precisão incrível; e são noturnos — vivendo no mundo da noite. Na cultura ocidental, são com freqüência um símbolo da noite e das ansiedades que a acompanham. Têm sido associados intimamente com vampiros, fantasmas, morte e doença. Na cultura popular, o morcego é o emblema de personagens fictícios da noite, tais como o vilão Drácula e o herói Batman. (De maneira interessante, Batman é uma força do bem, e se apropria da imagem do morcego como uma *persona,* a fim de confundir seus inimigos e trazer ordem para a sociedade.)

No folclore finlandês, os morcegos são as almas itinerantes dos adormecidos, que permitem ao espírito explorar o mundo da noite livre do corpo físico. Na Grécia antiga, eram associados com Perséfone, esposa de Hades (eles governavam a escuridão como Senhor e Senhora do Mundo Subterrâneo. O morcego é sagrado em Tonga e no oeste da África, e é com freqüência considerado a manifestação física de uma alma errante. Entre alguns povos indígenas americanos, tais como os Creek, Cherokee e Apache, o morcego é um espírito trapaceiro. Em contraste, a tradição chinesa vê esse animal como um símbolo de longevidade e felicidade. Ele é igualmente auspicioso na Polônia e na Grécia, bem como entre os kwakiutl e os árabes.

Infelizmente, ver um morcego no sonho em geral é tratado como um presságio ruim, e alguns dizem ser um aviso de morte ou do fim de algo importante, tal como um relacionamento.

Morfeu

Morfeu é o principal deus grego dos sonhos e do sono. Seu nome deriva da palavra grega *morphe*, que significa "aquele que dá forma".

De acordo com o mito, ele tem a habilidade de reproduzir a aparência de qualquer ser humano nos sonhos. Hipnos, o deus do sono, é seu pai; Grácia Pasitea é sua mãe; e Tanatos, a personificação da morte, é seu tio. Os filhos de Hipnos são os Sonhos, ou, em grego, Oneiroi — além de Morfeu, há Ícelo, Fobetor e Fántaso.

Na *Metamorfose*, obra do poeta romano Ovídio, Morfeu dorme numa cama de ébano dentro de uma caverna mal-iluminada, cercado de flores de papoula. De acordo com Ovídio, ele se concentra nos elementos humanos dos sonhos, enquanto seus irmãos Fobetor e Fántaso são responsáveis, respectivamente, pelos animais e objetos inanimados.

O mito conta que Morfeu envia imagens de seres humanos em sonhos ou visões e é responsável por dar forma aos sonhos ou às criaturas que os habitam. Ícelo contribui com aqueles aspectos dos sonhos que refletem a realidade, Fobetor fabrica os sonhos amedrontadores ou pesadelos (por isso a palavra *fobia*) e Fántaso produz sonhos enganadores ou irreais (daí as palavras *fantasia* e *fantasmagoria*). Juntos, esses filhos do sono regem o domínio dos sonhos. Contudo, Morfeu está encarregado da responsabilidade especial de zelar pelos sonhos dos reis e dos heróis e, por isso, é freqüentemente chamado de "Morfeu, o deus grego dos sonhos", como se fosse superior a seus irmãos. Morfeu é também popularmente chamado de Sandman. O nome da droga morfina (chamada *morphium*) deriva de Morfeu, por conta de seus efeitos indutores dos sonhos.

(Ver também **Sandman**)

Morte/Morto

Há muito tempo o sono e a morte têm sido ligados em várias culturas. O sono talvez seja uma metáfora ou um caminho para o sonhador visitar ancestrais falecidos. De acordo com Carl Jung, sonhos de morte são ligados ao tema universal da transfiguração e da transformação pessoal. Neles, a morte se torna o caminho para um novo eu, uma nova vida ou todo um novo plano de existência.

Sonhos sobre os mortos não são normalmente presságios da morte do sonhador, como algumas pessoas imaginam. Dependendo do contexto e das circunstâncias da vida de quem sonha, sonhar com a morte pode simplesmente significar o fim de algo em sua vida. Sonhar com um ente querido que já faleceu pode significar que você cultiva sentimentos não resolvidos, tais como culpa pelas discussões que tiveram ou mesmo raiva pelo fato de a pessoa o haver deixado. Um sonho com a morte pode também refletir ansiedade ou preocupação quanto a morrer. A morte violenta num pesadelo pode significar na verdade apenas a agressão e a raiva reprimidas que o sonhador sente em sua vida desperta.

(Ver também **Cadáver**)

Morte nos sonhos

O filme de 1984 *Morte nos Sonhos* (dirigido por Joseph Ruben) é a história de um jovem paranormal chamado Alex Gardner (interpretado por Dennis Quaid), que concorda em participar de um experimento financiado pelo governo para ver se ele pode se projetar nos sonhos dos outros. A meta é conseguir que Gardner seja capaz de se projetar nos sonhos do presidente dos Estados Unidos, cujos pesadelos sobre um holocausto nuclear o estão incitando a encerrar a proliferação nuclear e a Guerra Fria. Mas é claro que há outros no governo que querem deter Gardner e matar o presidente. Outro paranormal com intenções malignas, chamado Tommy Ray (representado por David Patrick Kelly), é contratado por integrantes do governo que trabalham contra o presidente para deter Alex. A batalha se sucede no âmbito dos sonhos, onde tanto Gardner quanto Ray criam um terreno de pesadelo para o outro. O filme leva o conceito de sonho lúcido para planos significativamente mais altos. (Ver também **Sonho lúcido**)

Múmia

A mumificação é o processo que os antigos utilizavam para preservar os recém-falecidos. No Egito antigo, o processo não era apenas uma forma de arte, era também parte de seu sistema de crenças. Só os corpos mumificados corretamente podiam passar para a vida após a morte intactos. Somente as pessoas abastadas e poderosas dispunham de recursos para ser mumificadas, já que a preparação de um único corpo podia levar até dois meses. De 3000 a.C. até os primeiros dias da era cristã, os egípcios incorporaram cerimônias específicas e rituais para preservar os corpos. Todos os órgãos, com exceção do coração, eram cuidadosamente removidos e depositados em jarros, e a pele era posta a secar durante semanas. As múmias eram então envoltas em linho e colocadas em sarcófagos complexos, se o morto fosse uma pessoa de recursos, ou enterradas em tumbas mais simples. Dentro delas, alimentos, ouro e outros pertences eram depositados junto ao corpo para acompanhar a pessoa e servi-la na sua vida após a morte. De fato, os egípcios antigos alcançaram uma forma de imortalidade já que, milhares de anos depois, ainda conhecemos os nomes, e às vezes até as feições, de alguns de seus nobres, graças a esculturas, a pinturas e, especialmente, a seus corpos preservados.

Nos pesadelos, as múmias representam o senso de mortalidade do sonhador. Podem também ser a personificação de idéias ou desejos cuja expressão não deveria ser permitida.

Mundo subterrâneo

A noção de um mundo localizado abaixo da superfície da terra, onde as almas dos mortos e outros espíritos residem, é um tema bastante difundido nas religiões e mitos do mundo antigo e moderno. Na tradição psicoterapêutica, o mundo subterrâneo é um símbolo rico do reino do inconsciente — o reino em que entramos todas as noites em nossos sonhos. A idéia de uma morada subterrânea dos mortos provavelmente encontra sua origem no costume predominante de enterrar os corpos no solo (embora seja difícil dizer qual idéia veio primeiro). Para a maioria das culturas antigas, tais como os hebreus, gregos, romanos, egípcios e mesopotâmicos, o mundo subterrâneo era considerado um lugar não muito agradável, mas não chegava a ser o reino de sofrimento eterno e punição tal qual apresenta-se no cristianismo e nas tradições relacionadas. Em algumas religiões, a dimensão do mundo subterrâneo podia ser alcançada por um túnel ou portal que leva para baixo do solo, e muitos mitos relatam histórias de heróis que entram no mundo subterrâneo para resgatar um ente querido, ganhar a dádiva da imortalidade ou realizar alguma outra tarefa heróica. De maneira semelhante, alguns cristãos acreditam que Cristo viajou até o inferno, ou *sheol*, e retornou a fim de receber a punição pelo pecado e redimir a humanidade.

O conceito moderno do mundo subterrâneo é que ele deve ser visto de forma psicológica, em vez de literalmente, como um símbolo para o inconsciente.

Analistas junguianos em particular adotam essa noção: até mesmo o termo *psicologia de profundidade* parece indicar uma ligação íntima e natural entre as duas idéias. Assim, por exemplo, um mito que reconta a história de, digamos, um herói entrando e novamente emergindo triunfante do mundo subterrâneo pode facilmente ser visto como um símbolo da jornada noturna pelo mundo do sono e dos sonhos, e, dessa forma, do inconsciente. De maneira interessante, muitas tradições religiosas descrevem esse tipo de jornada heróica ao reino subterrâneo dos mortos como ocorrendo num estado de sonho.

O inconsciente pessoal, ao contrário do coletivo, é, num certo sentido, o repositório ou cemitério do passado — um passado que continua a ressurgir e "assombrar" nossa vida acordada. A meta do processo terapêutico é "ressuscitar" nosso passado enterrado e trazê-lo para a dura luz da análise. Esse processo é semelhante a uma escavação ou exumação, no sentido de que o oculto se torna aparente, o desconhecido se torna conhecido e o inconsciente se torna consciente. Como os heróis das histórias e mitos antigos, pacientes de psicologia profunda estão, de certa forma, entrando em seu próprio e pessoal "mundo subterrâneo" e com sorte se tornando também eles mesmos heróis valentes.

Narcolepsia

A narcolepsia é um distúrbio neurológico que faz com que as pessoas caiam no sono involuntariamente devido à incapacidade de seu cérebro de regular os ciclos de sono e tempo acordado. Os casos de cochilos podem durar de apenas uns poucos segundos a até uma hora em exemplos mais extremos. Além disso, pessoas que sofrem de narcolepsia podem vivenciar alucinações vívidas e algumas vezes desagradáveis quando caem no sono ou saem dele (ver também **Alucinações hipnagógicas** e **Alucinações hipnopômpicas**), as quais de vez em quando tornam difícil para elas diferenciar entre o mundo do sonho e o mundo acordado. A causa da narcolepsia é desconhecida e até hoje não se descobriu uma cura.

Nativos americanos

As tribos indígenas americanas diferem quanto ao significado e a importância que atribuem ao sono e aos sonhos, cujas teorias são formadas a partir de várias tradições místicas, religiosas, culturais e mitológicas de cada uma. Em geral, no entanto, os sonhos são tratados como a experiência mais importante na vida de um indivíduo e como um dos fatores determinantes que irão torná-lo apto para entrar na vida da tribo. Em relação a isso, os sonhos costumam ter um significado prioritário para o indivíduo e apenas secundário para a comunidade em geral, e qualquer influência do sonho é julgada como boa ou má, favorável ou desfavorável, pura ou impura, em parte como resultado de seu conteúdo e em parte quanto aos efeitos sobre o sonhador. Por exemplo, as tribos Navajo,

Kwakiutl e Woodlands normalmente interpretam sonhos individuais dentro do contexto de sua influência na vida da pessoa. Se o sonho parecer apontar para uma violação de tabus, isso irá levar à purificação e a outros rituais. Se indicar doença, dará origem a rituais de cura.

Os yumas, da região do baixo Colorado, fazem uma clara distinção entre um sonho que concede poderes ou uma visão e aquele que é menos significativo da vida cotidiana. Para os yumas, há um elo inextrincável entre a realidade e o sonho. Os sonhos são considerados o alicerce e a emanação de toda religião, mito, tradição e poder xamânico e acredita-se que tenham uma realidade mais profunda que o estado acordado. Os yumas acham que qualquer coisa que acontece num sonho também já aconteceu ou está prestes a acontecer na vida desperta. Embora os Mojave, como os anteriores, acreditem que sonhos são a base de toda realidade, eles crêem que bons sonhos indicam boa sorte, enquanto os ruins indicam má sorte. Além disso, eles acham que os xamãs, ou curandeiros, adquirem seus poderes por meio de sonhos, nos quais um espírito tutelar ou ancestral visita o iniciado, normalmente quando ele está doente ou à beira da morte, e o "chama" para se tornar um xamã (ver também **Mojave**). De acordo com os Kamia do Imperial Valley, os sonhos são melhores para pessoas jovens, já que um sonhador mais velho pode morrer por causa deles. E, como em muitas culturas tradicionais, eles acreditam que o conhecimento do destino das almas humanas pode ser derivado dos sonhos. Para os Dakota, eles são revelações do mundo espiritual, e sonhos proféticos recontam o que o sonhador viu e sabia num estado de existência anterior.

Os Navajo do sudoeste acreditam que deuses, sonhos e doenças tinham uma relação de causa. Achavam com freqüência que os sonhos eram causa de doenças, e relatavam-nos a pessoas que realizavam o diagnóstico, revelavam a causa e prescreviam uma cura. Também nesse caso, um sonho é visto como bom ou mau de acordo com seu efeito, mas alguns, tais como os de morte, têm interpretações razoavelmente padronizadas. Acredita-se que bons sonhos se tornam verdade de vez em quando, enquanto os ruins sempre se realizam. Em geral, no entanto, pensa-se que seres divinos e espíritos de pessoas e animais falecidos são responsáveis por colocar sonhos, tanto bons quanto ruins, na cabeça das pessoas.

O jejum tem uma ligação íntima com a vida de sonhos de muitos povos indígenas americanos. Por exemplo, o jejum feito pelas garotas e a narração de seus sonhos aos pais é uma tradição entre os Menomini, os Algoquino centrais, e entre os Potawatomi da Woodland, enquanto entre os Cree orientais o sonho em jejum não deve nunca ser repetido, já que será uma ofensa aos espíritos. O jejum também é um aspecto importante em termos de sonhos entre os índios Kwakiutl quando eles suplicam a ajuda de espíritos. Em resposta a essas súplicas, sonhos de caçada são sempre tratados como bons, enquanto se pensa que outros indicam condições auspiciosas para pescaria. Sonhos de pessoas mortas são tratados como ruins e acredita-se que prenunciem uma doença epidêmica da qual muitos irão morrer.

Devido à pesquisa pioneira de Ruth Benedict durante a década de 1920, as práticas de sonho das tribos das planícies centrais são provavelmente as mais bem conhecidas dentre as americanas. Ela descobriu que os nativos americanos não faziam muita distinção entre visões e sonhos, sendo que consideravam ambos como sinais do favor do mundo espiritual. A reencenação do sonho proporcionava uma oportunidade para o sonhador demonstrar o poder específico por ele transmitido, e era necessária a fim de que ele fosse visto como sagrado e, dessa forma, aceito pela tribo.

Em geral, a maioria das tribos americanas acreditava que as crianças são altamente suscetíveis às influências de espíritos malignos responsáveis por provocar pesadelos. Nas tribos Ottawa e Ojibwa, os pais com freqüência encorajavam uma criança sensitiva a continuar sonhando até que o sonho se tornasse correto ou bom. Os Chippewa foram os primeiros a usar apanhadores de sonhos para impedir que os espíritos malignos perturbassem as crianças durante o sono (ver também **Apanhadores de sonhos**).

No extremo oposto do espectro, certas tribos do sudoeste, como os Navajo, davam muito menos atenção aos sonhos do que seus iguais. A razão exata para isso é desconhecida, embora no caso dos Navajo possa ser uma conseqüência de seus complexos rituais de cura, os quais não permitiam normalmente nenhuma inovação vinda dos sonhos. Este, em geral, representam um papel na vocação do sonhador, com freqüência determinando que tipo de curandeiro ele irá se tornar. As principais preocupações da tradição, o conhecimento tribal e uma unidade de cultura são transmitidos por ritos de aprendizado e canções de cerimônias, e não por meio de práticas de sonhos.

A antropóloga cultural Dorothy Eggan coletou os sonhos dos Hopi e os estudou num esforço para descobrir como eles afetavam a vida pessoal do sonhador. Descobriu que os sonhos não são normalmente associados com quaisquer práticas religiosas concretas, nem são considerados um pré-requisito para se participar de cerimônias tribais. Os Hopi avaliam seus sonhos de forma individual estritamente em termos de eles serem bons ou ruins; se necessário, respondem de maneira apropriada para neutralizar os efeitos dos sonhos negativos. Os Zuni avaliam seus sonhos do mesmo modo, e compartilham apenas os ruins no âmbito da comunidade.

Naufrágio de navio

A imagem de um navio naufragando num vasto oceano é um dos piores pesadelos. Naufrágios demandam escolhas terríveis: permanecer a bordo significa a morte certa, mas se lançar ao mar sem um bote salva-vidas representa chances remotas de sobrevivência. Nos sonhos, navios que naufragam são significantes; porém, para se compreender a simbologia do pesadelo, é necessário também levar em consideração as imagens relacionadas com a água. O navio é o meio de transporte que vence águas profundas, misteriosas e por vezes perigosas — as quais podem conotar a morte e o mundo subterrâneo dos mortos. Psicologicamente falando, águas escuras e profundas podem representar o inconsciente ou a "sombra". Se a embarcação no sonho está afundando, isso pode simbolizar o "trabalho da sombra", ou, em outras palavras, escavar as profundezas do inconsciente. O sonhador pode estar explorando aspectos de si mesmo que nunca são revelados ou estar se ocupando deles. Se há muito medo no sonho, isso pode indicar desconforto (ou temor) com relação a pensamentos e desejos inconscientes que por muito tempo permaneceram ocultos.

Náusea

Náusea indica a rejeição de algo pelo corpo, seja comida, um vírus, um veneno ou algum outro fator. Sentir-se enjoado e pronto para vomitar num sonho pode sugerir que você está realmente doente e precisa acordar a qualquer momento para correr para o banheiro. Observar a si mesmo ou outros vomitando num sonho pode indicar a necessidade de sair de uma situação repugnante.

(Ver também **Vômito**)

Neblina

Neblina é a substância sombria e fumarenta que envolve em mistério áreas de terra baixas. Pode ser tênue e atribuir à paisagem um tom etéreo ou ser espessa e limitar a visibilidade a apenas alguns centímetros. Mesmo pessoas familiarizadas com um determinado terreno podem se perder numa neblina cerrada. Pesadelos em que há névoa possivelmente indicam que questões importantes estão sendo ofuscadas — podem não ser óbvias e só se revelarem no momento em que a pessoa se choca de frente com elas. Ainda que se sinta medo em relação ao desconhecido que a neblina oculta, a verdade é que geralmente já se sabe o que está encoberto por ela.

Netuno

Descoberto em 1856, Netuno é considerado o planeta dos sonhos. É o oitavo planeta a partir do Sol e leva 165 anos terrestres para completar uma rotação em volta dele. Batizado com o nome do rei mítico do mar, Netuno é chamado o planeta dos sonhos porque, como a água, os sonhos distorcem e nublam imagens e significados. Além disso, a água representa nas imagens dos sonhos as profundezas do inconsciente e nossos eus emocionais — locais aonde, ao que se afirma, os sonhos nos levam.

Nevasca

Ventanias acompanhadas de neve ou de nevascas podem criar condições nas quais um vento gelado e cortante e flocos congelados e serpenteantes reduzem a visibilidade a zero. Como a cegueira, nevascas em seus sonhos podem indicar falta de percepção ou de *insight*. Também sugerem que certas nascentes emocionais estão fechadas e desligadas em sua vida desperta, e que a experiência está criando uma confusão temporária para você e possivelmente para os outros. Com sorte, a neve irá se firmar para revelar o problema, quando, então, os sentimentos congelados irão começar a degelar.

Noite

Sonhar com a escuridão da noite negra como tinta a nos rodear pode indicar falta de clareza ou simbolizar sentimentos mais primordiais relativos ao escuro e a todos os terrores que o acompanham. A escuridão também simboliza pensamentos e impulsos reprimidos que residem no inconsciente e que, com freqüência, nos assustam ou embaraçam. Pode haver uma situação na vida do sonhador que precise de clareza, ou ele pode estar executando "trabalhos sombrios".

Nós

Cordas, barbantes, cadarços e fios amarrados em nós são os pequenos problemas de nossa vida. Estar rodeado por nós é um sinal de que você está concentrado demais nessas pequenas questões e está perdendo de vista o quadro geral. Também podem representar apreensão em relação a um evento vindouro. O nó numa corda para enforcamento talvez indique culpa e uma expectativa, ou até desejo, de punição e retribuição.

Nudez

Estar nu em um sonho sugere a exposição do eu interior, estar vulnerável a outros ou sentir-se envergonhado e temeroso de ser descoberto. A nudez pode também representar o desejo de liberdade ou a falta de malícia, e a rejeição ao confinamento das roupas pode ser um retorno à infância e à ausência de preocupações que lhe é característica. Muitas pessoas tiveram sonhos em que estão nuas e sentindo-se envergonhadas num local público ou na frente de espectadores. Isso também pode indicar um sentimento de despreparo para algo. Nudez e vergonha em sonhos também representam eventualmente uma época quando o sonhador foi ensinado que o corpo é algo vergonhoso e que deve ser escondido.

Obesidade

As interpretações psicológicas populares da obesidade são a falta de auto-estima e vício excessivo. Sonhar com estar obeso remete às camadas de proteção que isolam o sonhador, à impotência em usar poder e autoridade e ao medo de que a rejeição venha a ser a única recompensa para os esforços de uma pessoa.

Oceano

A água, e o oceano em particular, com freqüência significam os poços profundos de emoções e desejos que residem nos recônditos misteriosos do inconsciente. Se você está flutuando no oceano num barco pequeno, perdido e sem direção, pode estar se sentindo isolado e privado de recursos. Se as águas oceânicas são agitadas e você está se sentindo ansioso, isso pode significar o medo de ficar fora de controle.

(Ver também **Naufrágio de navio**)

Ogro

Um ogro num sonho pode simbolizar problemas com autoridade relacionados com os negócios (insira uma referência a seu chefe aqui) ou com sua vida pessoal. De maneira alternativa, pode representar ser um "ogro" para si mesmo, em especial por meio de constante autocrítica.

Olhos

Você já teve a sensação de ser observado? Às vezes, o olhar de outra pessoa pode exercer poder sobre nós: se severo, talvez nos faça sentir vulneráveis ou culpados, assim como quando cheio de ódio, pode fazer com que nos sintamos amedrontados e pequenos. O mau-olhado supostamente possui o poder de rogar uma praga ou causar má sorte. Olhos raivosos que flutuam sozinhos no ar são um clichê muito comum nos desenhos animados e nos quadrinhos para crianças, mas podem ser realmente assustadores nos sonhos. Os olhos são a porta de entrada para a alma, de modo que imagens relacionadas com eles, nos sonhos, podem ser um reflexo de nós mesmos. Se parecem zangados, você pode estar se sentindo aborrecido consigo mesmo ou com um determinado evento de sua vida, e se são retratados parecendo amedrontados, essa imagem pode refletir suas próprias ansiedades e medos internalizados. Pessoas que são demasiado tímidas ou que têm dificuldade de se relacionar socialmente possivelmente sonham com grupos de olhos hostis as observando e julgando.

Ondas gigantes

Ondas gigantes ou *tsunamis* fazem parte da nossa consciência coletiva, especialmente depois do desastre de 26 de dezembro de 2004, que matou mais de 200 mil pessoas em oito países. Ainda que ver ondas gigantes se aproximando da praia em alta velocidade seja algo raro, elas podem figurar nos pesadelos com bastante freqüência.

Sonhos com desastres naturais desse tipo (assim como com terremotos, enchentes, tempestades e afins) em geral ocorrem depois que o sonhador passa por experiências traumáticas ou quando está muito estressado. Sobreviventes de incêndios, por exemplo, muitas vezes relatam sonhos com fogo, bem como com ondas gigantes. A água, especialmente águas profundas ou poderosas como o oceano, comumente simboliza emoções fortes e/ou as forças do caos. Desse modo, pesadelos sobre ondas gigantes podem indicar sentimentos de perda de controle ou de opressão por fortes emoções. Quase todas as pessoas, independentemente de terem ou não experiências traumáticas, compartilham esse tipo de sentimento e, por isso, esses sonhos são universais.

Ononharoia

Ononharoia era uma cerimônia e um festival de meio de inverno entre as cinco nações das tribos dos iroqueses, e significa literalmente "virar o cérebro de cabeça para baixo". Os primeiros europeus a fazer contato com essas tribos observaram que todo mês de fevereiro os iroqueses celebravam essa Ononharoia, que envolvia danças, cura de doenças e interpretação de sonhos. Estes, por sua vez, normalmente eram relacionados com um banquete, uma canção, uma dança ou um jogo. A visão da vida após a morte dos iroqueses incluía a crença de que todo indivíduo tinha muitas almas, cada uma com uma função distinta. Os desejos escondidos da alma podiam ser revelados por meio desses sonhos ou visões, e algumas vezes por um xamã que fitava o fogo ou a água por um tempo e se colocava em frenesi. Esses desejos da alma eram normalmente o anseio por um objeto, um ritual ou alguma outra ação fora de suas normas e costumes sociais. Com freqüência, esses rituais tinham sugestões sexuais, algumas das quais eram tão chocantes para os europeus (e em especial os missionários jesuítas), que eles hesitavam em mencioná-las em seus relatórios.

Operação

Um procedimento ou cirurgia médica sendo realizado no sonhador pode significar problemas antigos sendo "cortados" ou emendados. Se é ele quem está realizando a operação, então questões profundas inconscientes estão sendo encaradas e escavadas. Pode haver experiências negativas passadas com operações médicas que estejam encontrando expressão em pesadelos.

Órfão

O órfão é uma metáfora para a parte de nós que precisa de amor, proteção e todos os confortos do corpo que muitos admitimos como certos. Sonhar com órfãos ou com ser um deles pode representar memórias da infância e medo de ser abandonado. O sonhador pode também estar resistindo a vontades interiores de agir de maneira infantil.

Orgia

Um sonho com uma orgia sugere desejos reprimidos, em especial os de expressão da sexualidade e paixão da pessoa. Isso pode ser um pesadelo se o sonhador está com medo de seus desejos e/ou sente culpa ou vergonha por tê-los.

Orwell, George

Eric Arthur Blair (1903-1950), mais conhecido pelo pseudônimo "George Orwell", foi um autor britânico que escreveu peças satíricas sobre o totalitarismo e os problemas que via em governos imperialistas com poder em demasia. Orwell viveu durante ambas as Guerras Mundiais na Europa; conseqüentemente, pode-se dizer que a maior parte de sua curta vida foi rodeada por batalhas.

Foi elevado ao reconhecimento da crítica durante a segunda metade da década de 1940 com dois romances. Em 1945, escreveu *A Revolução dos Bichos*, um olhar satírico sobre a Revolução Russa no contexto de uma fazenda. No romance, os porcos na fazenda lideram uma revolta contra seus mestres humanos e estabelecem um novo regime, que acaba por fim se tornando corruptível e falho. Em 1949, Orwell escreveu sua obra-prima, *1984*.

1984 é a visão de pesadelo de Orwell do que seria o futuro. Na obra, o mundo é dividido em três países: Oceania, Eurásia e Lestásia. Governos totalitários reinam em todos os três, e, bem no alto, o "Grande Irmão" observa tudo. Ele censura as notícias, o comportamento, a vida e o pensamento das pessoas. Até relacionamentos românticos são proibidos. Cartazes que proclamam "O Grande Irmão o Está Observando" estão por todo lugar, e as telas de televisão onipresentes que não podem ser desligadas "educam" o tempo todo os cidadãos. O personagem principal do romance, Winston Smith, fica revoltado com sua existência num lugar onde o "Ministério da Verdade" do governo diz a seus cidadãos: "Guerra é paz, Liberdade é escravidão e Ignorância é força."

No primeiro capítulo, a emancipação de Winston começa quando ele descobre que pode canalizar sua raiva em direção a qualquer pessoa que queira, não apenas àquelas que dizem para ele odiar. Winston e todos a seu redor estão vivenciando *Dois minutos de ódio* — um programa de vídeo diário que encoraja e ensina os cidadãos a desprezar inimigos do Estado e a adorar o Grande Irmão, que os protege. A sua volta, homens e mulheres atraentes assistem ao inimigo na tela e caçoam dele. Orwell reconhece o terrível estado de sonho do mundo que ele criou ao fazer com que a imagem do momento de "despertar" do personagem principal seja como a de um pesadelo:

> De repente, pelo tipo de esforço violento com o qual alguém arranca a cabeça para longe do travesseiro num pesadelo, Winston foi bem-sucedido em transferir seu ódio do rosto na tela para a garota de cabelo escuro atrás dele. Alucinações vívidas e belas passaram por sua mente.

O pesadelo de Orwell é uma terra onde ninguém pensa por si próprio, onde as pessoas fazem o que lhes mandam, odeiam quem supostamente devem odiar, e nunca questionam nada — um pesadelo do qual o protagonista não consegue acordar, e que o leitor espera nunca ter.

Ossos

Ossos são um símbolo comum da morte em quase todas as culturas: veja, por exemplo, o Dia dos Mortos, no México, o Halloween e outras formas institucionalizadas e culturalmente sancionadas de lidar com ela. Sonhos com ossos e esqueletos podem indicar o medo da morte ou talvez mesmo o "instinto de morte" se manifestando. Ossos também representam nossa arquitetura interna e escondida, dando força e forma a nossos corpos e, ao mesmo tempo, sendo incrivelmente frágeis e vulneráveis à ruptura. Ver um osso exposto num pesadelo é ter pedaços de você emocionalmente vulneráveis e abertos ao mundo. Ver ossos de outros num sonho pode indicar que alguém em sua vida se fez vulnerável a você.

Ovídio

Ovídio foi um poeta pós-clássico do início do Império Romano. Ele era bem conhecido pela capacidade de mesclar a realidade do mundo acordado com elementos semelhantes a sonhos e, com freqüência, a pesadelos em sua prosa e poesia. Estudiosos se referem a Ovídio como sendo o último dos poetas da idade de ouro, ou o primeiro da idade de prata. Quando foi banido para Tômis em XI d.C., ele escreveu uma carta na qual descrevia uma agonia que se recusava a deixá-lo, mesmo quando dormia — os desejos e impulsos terríveis e reprimidos que encontravam expressão em seus pesadelos. Em sua grande obra, *Metamorfoses*, ele devotou uma seção à descrição do "Sonho de Erysichthon". Esse pesadelo reconta como Erysichthon foi amaldiçoado a passar fome não importando o quanto comesse, o que fez com que ele devorasse todo o mundo e por fim sua própria carne.

Palhaços

Mande entrar os palhaços? Não tão depressa. Palhaços supostamente são personagens coloridos, desajeitados e saltitantes que nos divertem em circos e festas infantis. Mas muitas crianças pequenas ficam assustadas pelas cores brilhantes e pelas proporções exageradas da maquiagem e da fantasia, tais como os sapatos enormes, o cabelo colorido e espesso e o grande nariz vermelho. A pintura do rosto, embora divertida para uma platéia mais madura, pode parecer grotesca para uma criança pequena. Ela não tem uma percepção clara de que sob a fantasia se encontra uma pessoa, e tudo em sua mente está lhe dizendo que é "parecido, mas ainda assim diferente". Essa é a essência do que Freud descreveu como "estranho", a noção de que algo familiar e próximo foi de alguma forma transformado em algo diferente, diverso, aterrorizante. Muitas pessoas carregam esse medo de palhaços em seu subconsciente e na vida adulta. Ele pode ser expresso por pesadelos realmente aterrorizantes, os quais representam um paradoxo atormentador alojado no processo de pensamento do sonhador — o que era familiar agora é estranho, o que deveria ser engraçado agora é amedrontador, o que deveria ser inofensivo agora parece malevolente. Essa imagem remete ao medo primordial do estranho que tanto as crianças quanto os adultos podem carregar. Um pesadelo com um palhaço pode significar que você está sensível a uma questão com a qual os outros não parecem ter problemas, ou pode representar um problema pessoal entranhado que você precisa resolver a fim de seguir em frente.

(Ver também **Estranho, O**)

Pântano

Pântanos são locais de perigos desconhecidos — a lama pode a qualquer momento tragar alguém, as cobras e os outros animais venenosos espreitam e os insetos proliferam. Nos pesadelos, esse cenário asqueroso e perigoso pode indicar que o sonhador está passando por um momento emocional complicado e arriscado.

Papel

O papel está sempre presente na nossa vida profissional. Memorandos, manuscritos, propostas, itens novos e relatórios o tempo todo cruzam a mesa do escritório e vão parar no escaninho, ou se acumulam, formando pilhas. Por conta da forte influência do papel em nossa vida profissional, essas pilhas conseguiram adentrar nossos pesadelos. Sonhar com papel caindo indica sentimento de sobrecarga no trabalho — a sensação de que você é incapaz de cumprir as exigências de seu emprego. Pode ser um bom momento para começar a trabalhar durante os finais de semana ou então delegar responsabilidades.

Paralisia

Sentir que você está "enraizado no chão" nos pesadelos — fraco demais para escapar ou se esquivar de ataques — é um tema comum. Ser incapaz de se mexer pode indicar sentimentos de impotência ou falta de controle sobre sua vida acordada. Ou, então, o sonhador talvez precise se manter "congelado" e simplesmente abdicar de querer resolver determinadas questões por um tempo.

(Ver também **Entorpecimento** e **Paralisia do sono**)

Paralisia do sono

A maioria das pessoas já teve a sensação de ser incapaz de se mexer em sonhos ou pesadelos. Não conseguir correr do perigo ou fazê-lo em velocidade muito reduzida é um tema onírico comum, talvez porque, de alguma forma, sabemos que estamos de fato paralisados enquanto sonhamos. Durante o estágio REM do sono, quando nossos sonhos mais ativos ocorrem, uma estação de transmissão no topo da coluna vertebral "desconecta" o córtex motor do restante do corpo (com exceção dos pulmões e dos olhos). Trata-se de um mecanismo biológico que impede que as pessoas se mexam enquanto dormem e explica por que o sonambulismo acontece somente em estágios do sono que não o REM. Esse mecanismo também é fator determinante da enfermidade conhecida como paralisia do sono (que é distinta da imobilidade normal do estágio REM), a qual paralisa por completo a pessoa adormecida durante o estado de lusco-fusco que antecede ou sucede o sono.

(Ver também **Síndrome da Bruxa Velha**)

Pássaros

Um pássaro num sonho é, com freqüência, visto como um bom presságio. Se estiver planando, pode representar um triunfo sobre a adversidade e uma sensação de liberdade e sucesso. No folclore de certas culturas, pássaros — reais ou simbólicos — podem representar tudo, desde a morte, o renascimento e a outra vida até a presença do espírito de um ente querido falecido. Mas e quanto às aves de rapina que se lançam contra você com garras afiadas estendidas e bicos onívoros? E se você olhar para cima e vir abutres voando em círculos, ou descobrir a si mesmo, no estilo de Hitchcock, como alvo de muitas bicadas? Quando pássaros atacam num pesadelo, essa imagem pode representar seu medo de opiniões e julgamento alheios. No filme *Os Pássaros* (1963), de Alfred Hitchcock, os bandos de pássaros que atacam parecem movidos por vingança (justificada pelos periquitos-africanos engaiolados carregados por todo o filme). Se você sonha com bandos de pássaros cruéis, talvez alguém em *sua* vida queira desforra.

Pelotão de fuzilamento

Um fim horripilante sucede a imagem de estar amarrado a um poste, impotente e com os olhos vendados, após ter visto um grupo de rifles mirar seu corpo. Saber que a qualquer momento uma saraivada de balas incandescentes será disparada em sua direção é um pensamento que a maioria dos homens não suportaria. Sonhar que se está diante de um pelotão de fuzilamento indica que o sonhador se sente desdenhado ou que foi condenado ou julgado por seus iguais. Você pode ter cometido alguma transgressão, real ou imaginária, a qual acredita que deva ser punida, mas no pesadelo o castigo não é proporcional ao delito. A inevitabilidade da morte representa a punição, assim como o alívio — somente com ela a dor e o escárnio terminarão.

Se o sonhador é um dos atiradores, ele pode estar fomentando sentimentos de reprovação em relação à pessoa na linha de fogo.

Percevejos

"Não deixe os percevejos morderem você" é um pouco de folclore que os pais repetem, de brincadeira, para os filhos, quando os colocam na cama para dormir. Na verdade, no entanto, tem havido um ressurgimento de percevejos, em especial em hotéis, assentos de avião, dormitórios de faculdade e navios de cruzeiro. Em muitos países, eles são uma preocupação séria. O *Cimex lectularius* cor de ferrugem cresce até ficar com 0,3 centímetro e é extremamente sedento por sangue. Os insetos se escondem em dobras e fendas e esperam que suas refeições cheguem até eles. Suas bocas são perfeitamente adaptadas com pinças que podem perfurar a pele, permitindo-lhes se empanturrar de sangue. Fêmeas adultas colocam dois a três ovos por dia, os quais chocam em menos de duas semanas — o que significa que apenas alguns percevejos podem se transformar numa infestação descontrolada. As pessoas que são suas vítimas podem não perceber as lesões minúsculas e comichosas até vários dias depois das primeiras mordidas. Em alguns casos, mordidas e lesões múltiplas podem levar a vítima a noites em claro deitada na cama se coçando. Felizmente, não se sabe de casos em que percevejos transmitiram qualquer doença.

Perdido

Crianças que já se perderam na vida acordada com freqüência sofrem de pesadelos recorrentes sobre a experiência. Simbolicamente, pesadelos em que a pessoa se perde podem indicar confusão a respeito de uma carreira, vocação ou do rumo na vida. O sonhador pode sentir que "caminha em círculos" ou talvez ainda não tenha alcançado o grau de contentamento que almeja para si.

Perigo

Qualquer tipo de sensação de perigo num sonho pode ser um aviso real para que o sonhador tenha mais cuidado em sua vida desperta (por exemplo, ser mais cauteloso ao guiar, ao lidar com objetos afiados ou ao andar sozinho depois de escurecer). Uma sensação esmagadora de perigo num sonho é em geral vista como anúncio de problemas no futuro próximo — é hora de estar alerta. A reposta de "lutar ou fugir", a emoção que a acompanha e o medo são os sentimentos mais comuns vivenciados num pesadelo.

Período medieval

As traduções equivocadas de São Jerônimo de determinadas passagens bíblicas na Vulgata, a primeira tradução latina da Bíblia, foram particularmente importantes para as concepções medievais dos sonhos e das suas interpretações. As linhas "não praticarás a adivinhação nem a feitiçaria" foram trocadas para "não praticarás a adivinhação nem observarás os sonhos". Essas condenações explícitas, em combinação com as admoestações de autores como Macróbio, que advertiram seus leitores a respeito de demônios que atacam as pessoas enquanto elas dormem, serviram para classificar os sonhos como o palco no qual os lacaios de Satanás se empenham em tentar os fiéis.

A postura medieval em relação aos sonhos é expressa perfeitamente em *De Magia*, obra datada do século XVI e escrita pelo padre jesuíta Benedict Peterius:

> O Diabo está quase sempre envolvido nos sonhos, preenchendo a mente dos homens com superstição, não só os iludindo inutilmente como os enganando de forma perniciosa.

A noção de íncubos e súcubos (demônios que assumem a forma de homens e mulheres para seduzir os mortais durante o sono) claramente demonstra a suspeita e o medo típicos da Idade Média em relação aos sonhos. Numa sociedade em que qualquer tipo de atividade sexual ilícita era vista como maligna e inspirada por demônios, essas criaturas constituíam uma explicação conveniente para os sonhos eróticos. Ao atribuir as imagens oníricas de lascívia a espíritos sedutores e malévolos, clérigos, padres e freiras, castos e celibatários podiam absolver a si mesmos da responsabilidade (e da culpa) por tais sonhos.

Perlz, Fritz

Frederick S. "Fritz" Perlz (1883-1970) foi o fundador da escola Gestalt de psicoterapia. Perlz recebeu seu treinamento psicanalítico na escola freudiana de Berlim antes de deixar o país por causa da ascensão do partido nazista nos anos 1930. Enquanto esteve na África do Sul, passou extensos períodos estudando a abordagem Gestalt da teoria cognitiva. Suas observações a respeito dos benefícios da terapia em grupo lhe permitiram desenvolver um método intensivo de terapia que condensava a psicanálise freudiana, o existencialismo e a psicologia Gestalt. *Gestalt* é a palavra alemã que designa "totalidade", "configuração" ou "relacionamento". (Ver também **Gestalt**)

O método de Perlz, baseado em parte no movimento de psicologia humanista iniciado por Abraham Maslow e Carl Rogers, tornou-se bastante popular. Seu objetivo principal é a promoção de estados psicológicos saudáveis por meio de experiências criativas e da reflexão saudável. Perlz implementou sua abordagem em grupos de terapia que organizou durante os anos 1960, no Instituto Esalen na Califórnia. Ele acreditava que os sonhos representavam as partes rejeitadas ou negligenciadas da psique — dessa forma, a análise dos sonhos e a descoberta dessas partes perdidas da psique possibilitariam o início do processo de cura. Baseando-se em sua teoria de que todos os elementos contidos nos sonhos refletem aspectos ocultos do sonhador, Perlz afirmava que as pessoas podiam receber "mensagens existenciais [...] de si mesmas e sobre si mesmas". Essa abordagem dos sonhos era radicalmente diferente daquela utilizada por Freud, mas era mais próxima, pelo menos teoricamente, da técnica "subjetiva" desenvolvida e usada por Jung.

Nas oficinas de sonhos realizadas por Perlz em seus grupos de terapia, era dada ao sonhador a oportunidade de experimentar seus sonhos uma segunda vez (e assim aumentar o conhecimento sobre si) sob o olhar zeloso de analistas oníricos profissionais. Perlz insistia que os sonhadores deveriam descrever seus sonhos no tempo verbal presente, à semelhança da convenção da crítica literária, a qual considera que todas as obras sempre existem no presente. Ele também lhes oferecia a oportunidade de representar o "papel" de cada elemento presente em seus sonhos. As técnicas de dramatização que Perlz desenvolveu pioneiramente exigem que o sonhador represente o enredo de seus sonhos. Perlz admitia que o processo de dramatização era difícil e cansativo, mas sempre esteve certo de que, com o tempo, o sonhador poderia adquirir valiosos conhecimentos sobre si mesmo e alcançar a auto-integração.

Pesadelo

A palavra "pesadelo" é formada de *pesado* mais o sufixo *-elo*. (Influi aqui também o termo latino *pensare*, o mesmo que resultou no português *pensar*.) No *Dicionário etimológico da língua portuguesa*, José Pedro Machado assim justifica a derivação: "(...) A pessoa que tem pesadelos sente aflições como se tivesse coisas pesadas a calcar-lhe o peito."

Em inglês, a etimologia da palavra que corresponde a pesadelo, *nightmare*, é um tanto enigmática. Seu histórico pode ser traçado a partir do inglês arcaico, assim como de raízes indo-européias. A parte *night* (noite) da palavra é óbvia: o evento acontece quase sempre à noite, quando as pessoas estão dormindo. O termo *night* tem origem nas diversas formas de língua inglesa faladas entre as invasões normandas de 1066, na Europa, até meados do século XV, e é derivada do inglês arcaico *niht*, que se refere ao período entre o entardecer e o nascer do sol. *Mare*, ou *moere* em inglês arcaico, por sua vez, significa *goblin* (criatura imaginária do folclore nórdico) ou *incubus* (íncubo, tipo de demônio). E ganha outra camada de significado com a raiz *mer*, que significa "causar o mal" ou "morrer". A palavra *nightmare* apareceu pela primeira vez na linguagem em 1290 na Era Cristã. Portanto, a etimologia da palavra *nightmare* carrega a conotação de "ser afligido por forças demoníacas".

Já em francês, encontramos a palavra *cauchemar*, formada por *cocher* — que significa, em francês arcaico, *chevaucher* (cavalgar); ou seja, o corpo de quem sonha, possuído pelo pesadelo, *cavalgado* por demônios.

Pesadelos de crianças

Os pesadelos de crianças têm sido registrados desde quase o início da história documentada. Nada é mais poderoso ou aterrorizante. Adultos podem acordar de um pesadelo e rapidamente se acalmar depois de se convencer de que foi "apenas um sonho". Uma criança pequena não possui a capacidade de entender a idéia de fronteiras (entre a realidade e a irrealidade e entre o sono e o estado acordado) e também não é capaz de entender o que aconteceu e por que está tão assustada.

Um médico belga do século XVI fez uma lista em que apontava as 52 doenças mais comuns que afetavam as crianças daquele tempo. Nela, os pesadelos apareciam como a nona aflição mais constante. Hoje sabemos que pesadelos ocorrem mais comumente entre crianças do que entre adultos, e estudos mostram que adultos que sofrem de pesadelos crônicos com freqüência exibiram esses problemas desde a infância.

A Dra. Patricia Garfield, psicóloga e especialista em sonhos mundialmente reconhecida, realizou um estudo sobre pesadelos que envolvia 120 crianças: 109 dos Estados Unidos e 11 da Índia; a maioria entre cinco e oito anos de idade. Ela conseguiu coletar uma amostra de 247 sonhos, os quais classificou simplesmente como "sonhos bons" e "sonhos ruins". Desse total, catalogou 73% como "sonhos ruins". Pesadelos com um tema dominante ligado a perseguição foram relatados 77 vezes. Sonhos nos quais a criança sentiu perigo, mas nunca foi diretamente ameaçada, respondiam por um número significativamente menor, com apenas 28 casos registrados. Por fim, em terceiro lugar, foram relatados 26 pesadelos nos quais o sonhador foi ferido ou morto por meios acidentais. Em contraste, houve apenas 89 sonhos com um tema positivo constatados nesse estudo em particular. Trinta eram de tempos bons — por exemplo, brincar com os amigos, viagens ou férias — e 15 envolviam o sonhador recebendo algum tipo de presente. Essas duas classificações representaram 50% do total de sonhos bons. Garfield também dedicou tempo para oferecer conselhos gerais aos pais no sentido de ajudá-los a lidar com os pesadelos freqüentes e recorrentes de seus filhos.

David Foulkes, líder internacional na área de pesadelos de crianças, conduziu um estudo de longo prazo de seu sonhos. Com base em suas observações, concluiu que os sonhos de crianças e jovens não diferem muito. Diferentemente de Garfield, ele não descobriu que os sonhos de crianças eram predominantemente desagradáveis, perturbadores ou aterrorizantes. Foulkes chegou a essas observações baseado em seus estudos iniciais de laboratório que, inicialmente, envolviam dois grupos de 14 crianças, chegando a incluir aproximadamente quarenta crianças no total quando voluntários foram acrescentados para substituir os que haviam desistido. Embora Folkes acreditasse que a única representação confiável de sonhos vem dos ocorridos em laboratório, suas conclusões não tinham o benefício de uma amostra grande ou aleatória como apoio, e estão em discordância com teorias mais atuais.

Em geral, estudos descobriram vários traços comuns em sonhos de crianças. Uma das características mais notáveis é que elas parecem ter significativamente mais pesadelos nos quais são vítimas de violência do que os adultos. Pesadelos nos quais o sonhador é perseguido, seja por monstros, estranhos ou animais selvagens, são o tipo mais comum de sonhos infantis com conteúdo negativo. Há também uma falta generalizada de interações agradáveis, o que parece especialmente verdadeiro em relação a garotos. Medo e emoções a ele relacionadas são duas vezes mais freqüentes nos sonhos de crianças pequenas em comparação com os de adultos. Isso pode ser devido, em parte, ao fato de que elas com freqüência sentem que não têm nenhum controle sobre seu estado de vigília. São ansiosas quanto a sua capacidade de controlar eventos externos, e essa ansiedade não ligada a algo específico é refletida no conteúdo dos sonhos.

Um dos principais pesquisadores do fenômeno dos pesadelos é Ernest Hartmann. Ele desenvolveu uma teoria de "fronteiras" em relação não apenas à freqüência com que os pesadelos são lembrados, mas também os sonhos em geral. Hartmann defende que, usualmente, os pesadelos de crianças surgem dos sentimentos subjacentes de vulnerabilidade. Conforme ela cresce, pode desenvolver uma defesa mais forte contra os agentes estressantes da vida acordada. Crianças nesse grupo têm o que Hartmann chama de "fronteiras grossas" e, por causa disso, com freqüência param de vivenciar pesadelos conforme crescem (com exceção dos mesmos sonhos ruins que afetam a maioria da população). Têm também uma freqüência significativamente menor de lembrança de seus sonhos. Na outra ponta do espectro estão as crianças com "fronteiras finas". Estas com freqüência retêm o senso de vulnerabilidade que experimentaram durante a infância e, portanto, continuam a se deparar com pesadelos vívidos na idade adulta.

Uma discussão de pesadelos em crianças seria incompleta sem mencionar os *terrores noturnos*. Embora alguns pesquisadores do sono insistam que eles não são exatamente pesadelos porque ocorrem durante o quarto estágio do sono e não durante o ciclo REM, o efeito aterrorizante que eles têm nas crianças é inegável. Uma diferença significativa entre os terrores noturnos e os pesadelos é que, nos primeiros, a criança irá acordar sem nenhuma memória específica do que a estava assustando. Num pesadelo, o conteúdo do sonho é, com freqüência, relembrado, algumas vezes em grande detalhe. A causa e a fonte exatas dos terrores noturnos são desconhecidas, mas estudos mostram que, na maioria das vezes, sua freqüência diminui conforme a criança vai se tornando mais velha. Num estudo com 23 crianças que os vivenciavam regularmente, em 22 o fenômeno cessou completamente depois da remoção das adenóides. A correlação entre estas e os terrores noturnos não foi pesquisada totalmente, mas o estudo original abriu a porta para uma investigação maior. Além disso, se uma criança tem terrores noturnos quando bem pequena, há uma grande chance de que esses pesadelos venham a desaparecer com a idade. De maneira inversa, se começam quando mais velha, têm muito mais chance de permanecer um problema durante a idade adulta.

(Ver também **Terrores noturnos**)

Pesadelos recorrentes

Pesadelos recorrentes são aqueles que constituem repetições exatas ou virtualmente exatas da mesma cena ou conjunto de cenas. Por exemplo, se alguém sonha com cair de uma ponte, e isso ocorre uma vez por semana, ou uma ou duas vezes por mês, com precisamente o mesmo conteúdo e imagens, esse é um pesadelo recorrente. Se essa pessoa vivencia outros sonhos de queda que não envolvem as mesmas imagens, eles ainda assim são classificados como sonhos ou pesadelos recorrentes. Portanto, a classificação é determinada pelo tom emocional e pelo contexto do sonho, em vez de sê-lo pelos detalhes contidos nele.

Pesadelos recorrentes normalmente indicam que o sonhador lida com algumas questões não resolvidas que estão "presas" no subconsciente e se fazendo conhecer por meio dos sonhos. A questão pode não estar clara, e a simples repetição no sonho pode não esclarecê-la para o sonhador. Em qualquer acontecimentos, não é anormal nem incomum vivenciar sonhos ou pesadelos recorrentes. Pesadelos resultantes de eventos traumáticos são com freqüência recorrentes. Embora o cenário do sonho possa não ter nenhuma semelhança com o do evento, é importante que o conteúdo latente seja examinado. Com freqüência, como no caso de Distúrbio de Estresse Pós-Traumático, os pesadelos irão continuar até que o indivíduo busque tratamento e seja capaz de integrar a experiência traumática a sua vida acordada.

Pesadelos sexuais

Todos os seres humanos anseiam pela unificação e sonham em ser aceitos integralmente por seus opostos complementares; o desejo de fazer parte de uma "totalidade" transforma os sonhos sexuais em experiências universais. Seu significado nem sempre é de natureza erótica (ainda que o erotismo seja um aspecto importante), mas, em vez disso, indica o desejo das pessoas de completude. O homem arquetípico representa independência, afirmação, agressividade e possivelmente tendências destrutivas. Desse modo, sonhar com relações sexuais com figuras masculinas, independentemente do sexo do sonhador, em geral significa a necessidade de assimilar essas características opostas, porém complementares. Por outro lado, a figura arquetípica feminina representa gestação, zelo e reciprocidade. Se o sonhador precisa dessas qualidades em sua vida, não é incomum que venha a sonhar com relações sexuais com figuras femininas.

Embora o sexo nos sonhos ocorra em larga escala, são muito raros os pesadelos sexuais. Pessoas que sofrem de pesadelos recorrentes em que as imagens mudam, mas o tema geral permanece o mesmo, relatam uma marcante falta de imagens eróticas em seus sonhos. Isso pode refletir o fato de que as opiniões da nossa sociedade em relação ao sexo mudaram drasticamente ao longo das últimas gerações. As pessoas não sentem mais necessidade de esconder seus desejos sexuais como no passado, de modo que sonhos sexuais não são mais carregados de ansiedade, culpa e vergonha.

Picador de gelo

O picador de gelo é uma ferramenta usada para tirar lascas de gelo de um bloco — um modo de quebrar pedaços grandes em outros mais gerenciáveis. O cabo sólido e a ponta afiada também fazem do picador de gelo uma arma mortal. Ele foi a arma do crime utilizada no *thriller* carregado de sexualidade *Instinto Selvagem*, estrelado por Sharon Stone. O filme começa com uma cena de sexo mostrando uma mulher atraente montada sobre um homem. Ela amarra as mãos dele na cabeceira da cama e o golpeia repetidamente com um picador de gelo, assassinando-o. Talvez o aspecto mais interessante dessa cena seja que a assassina se apropria de um símbolo tradicional da sexualidade e da agressão masculina, o picador de gelo, e o usa para expressar sua própria raiva intensamente feminina.

Picadores de gelo não cortam, eles perfuram. A não ser que seja num lugar muito bem escolhido, uma estocada com essa ferramenta não é suficiente para matar uma pessoa, então os múltiplos ferimentos desse crime normalmente indicam um ato passional. Ter um pesadelo envolvendo um picador de gelo significa que você pode estar sentindo alguma agressão masculina em sua vida, provavelmente de natureza sexual.

Piratas

A visão que temos dos piratas é romantizada e fictícia, característica de livros, filmes e canções. Mas os piratas de verdade eram e continuam sendo ameaçadores. Pessoas enganadoras, eles atraem outras embarcações para perto e atacam sem avisar, deixando-as sem combustível, alimento ou tripulação e, assim, passíveis de serem saqueadas. Sonhar com piratas pode significar que há pessoas aparentemente amigáveis presentes na vida do sonhador que alimentam segundas intenções hostis. O sonhador pode sentir que outras pessoas o estão usando para proveito próprio.

Plantas

"Me alimente!", grita Audrey II, a plantinha que, apesar do nome afetuoso, devora seres humanos no musical dos anos 1960 *A Pequena Loja dos Horrores.* O filme foi posteriormente adaptado para o teatro e refilmado em 1986. O apetite insaciável de Audrey por sangue serviu de tema para essa história de terror maluca. Mas não são somente as plantas que devoram pessoas ou carne, como a Vênus Atrapamoscas, que invadem os nossos pesadelos. Prolongamentos de plantas e trepadeiras podem deslizar como serpentes em nossos sonhos, nos cercando e sufocando.

Flores e vinhas podem crescer extraordinariamente. Sonhar com plantas que crescem em ritmo alarmante e/ou assustador indica que mudanças bruscas — e quiçá opressoras — estão ocorrendo na vida do sonhador, mas, no final, podem resultar em crescimento emocional ou espiritual.

Sonhar com plantas que se transformam em monstros, como a Audrey II, pode significar que você sente que sua família está exigindo demais de você, como se o fosse engolir.

Polícia

Policiais são as figuras de autoridade que impõem as regras sociais e fazem cumprir a lei. Sonhar com a polícia talvez indique apreensão em relação a fracassar no cumprimento de obrigações e compromissos. Pode também ser um aviso para evitar atitudes precipitadas.

Ponte

Cruzar uma ponte num sonho indica novas oportunidades por vir ou o restabelecimento de velhos relacionamentos com pessoas, lugares ou coisas. Se uma ponte aparece queimando num pesadelo, você pode estar tentando se afastar do passado. Se está em chamas na sua frente, indica sua hesitação em seguir adiante. Se está em ruínas, representa um relacionamento abalado que se encontra além de qualquer reparo. Pessoas com medo de altura podem ter pesadelos recorrentes nos quais se encontram numa ponte (ou num prédio alto) que está desmoronando, ou pesadelos nos quais estão dirigindo ou caindo de uma ponte para o nada. Indivíduos que perderam entes queridos por suicídio podem ter pesadelos em que vêem a si mesmos ou aos outros pulando de pontes.

Porão

Junto com o sótão, o porão de uma casa é o lugar para armazenar itens que podem não mais ter uso para nós, mas nos falta força de vontade para jogá-los fora. Aquele terno azul-claro da década de 1970, as calças de pára-quedista da década de 1980, ou mesmo os discos do New Kids on the Block do final dos anos 1980 são apenas alguns dos itens assustadores que podemos ter guardado, mas que preferimos não discutir nem deixar ninguém mais ver.

Em nossos pesadelos, um porão é o perfeito repositório freudiano para pensamentos, impulsos e sentimentos inaceitáveis. Pesadelos que o têm como cenário podem indicar a presença de um segredo sujo que estaríamos tentando manter escondido ou reprimido. Como um abismo ou fosso, o porão pode representar as profundezas do inconsciente e significar culpa latente por transgressões reais ou imaginadas.

Portas

Nos sonhos, uma porta pode ser apenas uma passagem ou algo mais sinistro. Você sabe quem ou o quê está esperando do outro lado? De que lado você está? Você está do lado de fora querendo entrar, ou o contrário? Uma porta é uma interrupção numa fronteira, um espaço aberto que permite a entrada onde antes era fechado. Para alguns, isso se relaciona com o desejo sexual. Portas da frente representam seu lado que o público vê (com freqüência, sua *persona*), e portas de trás são o eu privado que quase ninguém vê.

Num pesadelo que envolva uma porta, você pode ter um grande medo de abri-la e passar por ela por causa do desconhecido. Isso pode simbolizar um limite num relacionamento pessoal que você está pensando com grande apreensão em cruzar.

Possessão demoníaca

A possessão demoníaca já foi culpada por tudo, desde o comportamento arredio das crianças até a loucura desvairada. Tradicionalmente, a "terapia" apropriada para tais casos era o exorcismo, que tinha o objetivo de libertar o indivíduo da entidade opressiva que dele se havia apoderado.

Em tempos mais modernos, acreditava-se que a criatividade dependia de estados de possessão ou "insanidade divina", os quais permitiam o acesso ao subconsciente por meio de estados limiares. Quando um indivíduo ingressa num estado limiar, é capaz de acessar suas faculdades criativas na íntegra. Pessoas assim são geralmente muito carismáticas e possuem barreiras finas separando seu inconsciente da consciência.

Prazos

Nossas vidas são gerenciadas por prazos. O despertador o avisa que o tempo de dormir acabou e que seu prazo para acordar chegou. Em nossos trabalhos, prazos estão por toda parte — de pequenos a grandes projetos, tudo tem alguma data de fechamento. Escritores têm prazos quando apresentam manuscritos e artigos, e a pressão para cumpri-los pode ser tão grande que alguns entram em colapso. Prazos podem ser representados em sonhos de várias maneiras. Em alguns, são vivenciados simplesmente como um sentimento importuno de que o sonhador tem um evento importante prestes a acontecer e deve se apressar para realizar as tarefas atuais. Um pesadelo comum sobre prazos é aquele no qual o sonhador está atrasado para um compromisso, exame ou obrigação social, mas não tem idéia de como chegar no lugar ou do que trata a reunião (semelhante ao pesadelo de despreparo). Imagens que simbolizam prazos podem ser portas ou janelas batendo, alarmes tocando ou livros se fechando.

Prisão

Prisões podem indicar que alguns traços da personalidade ou criatividade do sonhador estão sendo sufocados e precisam ser liberados para que ele possa se expressar. Ou então o sonhador pode estar precisando "trancafiar" certas ações ou atitudes.

Projeção astral

A teoria de que as pessoas consistem em sete "corpos", um para cada plano de realidade, é um ensinamento da teósofa Madame Blavatsky segundo o qual o corpo astral, também conhecido como *aura*, é a sede da sensação e do desejo. A projeção astral se refere à capacidade de uma pessoa projetar sua alma ou aura para fora do corpo físico. É um termo mais antigo para o que passou a ser conhecido como experiência extracorpórea (em inglês, *out-of-body experience* ou OBE). Acredita-se que o corpo astral se separa do corpo físico e fica livre para viajar à vontade para todos os cantos do universo. O primeiro permanece sendo o veículo da consciência mesmo quando é separado do segundo, e leva com ele a capacidade de sentir. Dizem que o corpo astral é uma réplica exata do corpo físico, porém composta por elementos mais sutis, de natureza etérea, mais como uma "força vital" do que como matéria palpável.

Algumas pessoas acreditam que podem realizar a projeção à vontade, e há livros que afirmam ensinar como fazê-la. Alguns também acreditam que o corpo astral pode deixar o corpo físico espontaneamente durante o sono, um transe ou um coma sob a influência de anestésicos ou outros remédios ou como resultado de certos tipos de trauma. Embora haja muitos testemunhos e relatos vívidos confirmando a realidade da projeção astral, ela ainda não é reconhecida pela ciência convencional.

A idéia da bicorporeidade, a capacidade de estar em dois lugares ao mesmo tempo, também tem sido associada com o conceito de projeção astral. Em vez de literalmente estar em mais de um lugar num momento, uma interpretação possível da bicorporeidade é que o corpo físico permanece em um lugar enquanto o corpo astral está em outro. Ao longo de toda a história foi dito sobre muitos místicos, monges e figuras santas que eles tinham a capacidade de se bicorporeizar. Inclusos nessa categoria estão famosos santos cristãos, como Santo Antônio de Pádua e Santo Ambrósio de Milão.

O cientista britânico Robert Crookall está entre os muitos pesquisadores que realizaram estudos científicos sérios sobre a projeção astral. Ele comparou centenas de casos nos quais as pessoas relataram deixar o corpo físico e entrar novamente nele depois de viajar pelo mundo antigo sem serem notadas. Da mesma forma, os autores Sylvan Muldoon e Hereward Carrington defendem que há vários graus de projeção, que vão da projeção completa consciente à inconsciente durante o sono. Isso é bem discutido de forma completa em seus livros *The Phenomena of Astral Projection* e *Projeção do Corpo Astral*. Robert Monroe, fundador do Instituto Monroe, publicou vários relatos de suas experiências com a projeção astral, incluindo *Far Journeys* e *Viagens Fora do Corpo*, considerados por alguns como as obras definitivas no tema.

Sonhos sensitivos ou precognitivos são com freqüência associados com a projeção inconsciente durante o sono. A pessoa pode sonhar com algo acontecendo a quilômetros de distância apenas para descobrir mais tarde que os eventos no sonho realmente ocorreram. Pode ser uma conversa específica e detalhada, uma morte ou um desastre natural. Uma explicação possível para isso é que o sonhador projetou inconscientemente seu corpo astral enquanto sonhava e esteve presente quando o evento ocorreu. Eles então lembram a experiência na forma de um sonho, embora este seja especialmente vívido. Encontros assustadores durante projeções astrais são relatados com regularidade. Se o indivíduo está dormindo, eles podem ser vivenciados como pesadelos.

Um fenômeno muito associado com a projeção astral e as experiências extracorpóreas é a experiência de quase-morte. Ela começa como uma viagem extracorpórea quando, então, o corpo físico morre ou entra num estado precário de trauma severo. Com a ajuda da medicina moderna, o corpo é salvo e a alma retorna. Pessoas que vivenciaram esse fenômeno especial freqüentemente relatam terem flutuado sobre seu corpo e olhado de cima para a cena que se desenrolava embaixo delas.

A prevalência de sonhos nos quais o sonhador está voando é algumas vezes atribuída ao fenômeno da projeção astral. Voar é um entre um punhado de padrões de sonho de tal forma comuns que praticamente todo mundo já teve um deles (outros sonhos comuns são aqueles em que a pessoa está caindo ou está nua em público). É importante notar que voar já era um tema predominante nos sonhos antes do advento de aviões ou de outros modos de viagem aeronáutica. O tema foi tratado de maneira extensa pelo clássico antigo de Artemidoro *Oneirocrítica*. A explicação com freqüência oferecida pelos escritores do ocultismo é que durante o sono todo mundo uma vez ou outra viaja para fora do corpo. Nessas experiências, o indivíduo não é limitado pelas leis da física, tais como a gravidade. As pessoas se lembram delas como um sonho no qual estavam flutuando ou voando.

(Ver também **Voar**)

Pular

Pular de um prédio, ponte ou penhasco alto com um desespero suicida num pesadelo mostra que o sonhador está ansioso em se livrar de uma situação em particular. O desconforto se tornou tão grande que pular no abismo desconhecido é melhor do que o *status quo*. A imagem indica a necessidade de examinar a situação desconfortável e planejar um modo melhor de sair dela.

Punição

Punições nos sonhos em geral refletem culpas ou vergonhas internalizadas ou transgressões imaginárias. Mesmo se ela recai sobre outra pessoa, como, por exemplo, um criminoso, o sonho pode representar aspectos da psique do sonhador — muito provavelmente o "eu sombra" — com os quais ele se sente desconfortável ou em relação aos quais sente vergonha, que precisam ser controlados ou sublimados.

Queimadura

(Ver **Fogo**)

Quiché

Os quiché maias se espalham por 26 comunidades na Guatemala, na América do Sul. Para eles, os ancestrais detêm um lugar de grande importância: acredita-se que visitem os vivos em sonhos — experiência na maioria das vezes descrita como positiva, mesmo se o ancestral exige conciliação na forma de rituais ou iniciação num grupo religioso.

Os seres humanos, ou *winak*, são distinguidos de outros seres e criaturas por sua capacidade de falar de maneira articulada.

O conceito de alma e a ligação entre a morte e o sonho são importantes aspectos da teoria quiché dos sonhos. Dependendo de seu dia de nascimento no calendário maia, cada pessoa possui uma das vinte faces ou destinos, também chamadas de *almas de vida*. A alma de vida primária chega no momento do nascimento e estabelece residência no coração; se ela deixar o corpo por qualquer motivo ou período de tempo, o corpo físico irá morrer. Mas é a *alma livre*, e não a alma de vida, que vagueia durante o sono — um conceito que faz do sonho uma experiência menos ameaçadora e indutora de ansiedade para os quiché. Eles acreditam que a alma livre do sonhador deixa o corpo durante o sono e viaja pelo mundo, encontrando as de outras pessoas e até de animais. Deuses e ancestrais podem também abordar o corpo da pessoa adormecida e acordar sua alma, momento em que o sonhador compete com eles até que lhe transmitam uma mensagem importante. Dessa forma, a experiência de sonho é em geral descrita como uma luta noturna entre a alma livre do sonhador e as das divindades e dos ancestrais, que têm mensagens ou previsões importantes para relatar relacionadas com o futuro do povo quiché. Por essa razão, os quiché insistem que é necessário relatar os sonhos a fim de que eles beneficiem a sociedade. Esse compartilhamento é um aspecto importante da vida cotidiana — todos os sonhos, bons ou ruins, são abertos ao escrutínio e à interpretação. De maneira interessante, os quiché conferem um aspecto consciente e de vontade aos sonhos, já que seu verbo para sonhar é transitivo.

Raiva

Animais com raiva são conhecidos por rosnar e ranger os dentes, produzir espuma na boca e vaguear como se estivessem bêbados conforme o vírus neurológico se infiltra cada vez mais em seu cérebro. Em seus estágios mais avançados, a raiva é uma doença letal, que pode ser espalhada pela mordida do animal infectado. Mais comum em cães, gatos, guaxinins e outros mamíferos pequenos, ela transforma o animal num assassino perigoso e deformado. O romance de Stephen King de 1981, *Cujo* (Viking Penguin), capturou o horror da raiva conforme o personagem de quatro patas do livro, um cão da raça São Bernardo chamado Cujo, pega a doença de uma mordida de morcego e passa a atacar tudo que vê pela frente.

Sonhar que está sendo perseguido por um animal raivoso mostra medo de um problema que é tanto perigoso como imprevisível. Alguma força externa (representada pela raiva) está levando uma criatura normalmente benigna a se comportar de uma maneira que está além de seu controle. Isso pode se referir a uma pessoa na vida do sonhador que esteja lidando com algum tipo de vício.

Raiva e agressão

Violência ou agressão num sonho ou num pesadelo são resultado direto da raiva e da frustração em nossa vida acordada. Essas emoções, combinadas com a ansiedade, têm duas vezes mais probabilidade de acontecer num pesadelo do que os sentimentos mais agradáveis.

Numerosos estudos foram realizados sobre os diferentes fatores que influenciam a freqüência da raiva e da agressão em sonhos e pesadelos — tais como idade, sexo, ordem de nascimento, classe social e localização geográfica. O mais irrefutável parece ser o sexo. Em geral, mulheres de todas as idades lembram seus sonhos com mais freqüência do que seus parceiros, e seus sonhos são mais longos e mais detalhados, além de conterem mais interações amigáveis. Em contraste, homens reportam encontros ligeiramente mais agressivos, embora se lembrem de um número significativamente menor de sonhos do que as mulheres. O psiquiatra e renomado autor Ernest Hartmann sugere que, por causa da socialização e de estereótipos de sexo, as mulheres têm mais probabilidade de admitir que são acometidas por pesadelos do que os homens. Ter pesadelos não é um tormento especialmente "másculo": eles são associados com o medo (e, portanto, com fraqueza), e dessa forma são pensados como próprios da feminilidade — uma imagem que não combina muito bem com o modelo moderno de força masculina solitária e com o machismo.

Para crianças, as estatísticas relacionadas com o papel do sexo na agressão que aparecem nos sonhos são menos conclusivas do que aquelas relacionadas com a idade. A maioria dos estudos indica que, para garotos e garotas entre dois e 12 anos, o grau de agressividade em sonhos é proporcional; no entanto, na idade de 12 anos (por volta da época da puberdade), eles começam a diminuir para as garotas. Em homens, eles não diminuem até os trinta anos no mínimo, e sabe-se de casos em que permanecem altos até os setenta ou oitenta anos.

Pesadelos em crianças normalmente envolvem pessoas estranhas, monstros e animais selvagens. Acredita-se que em geral sejam sonhos de ansiedade prematura que se originam de medos incipientes de um mundo acordado geralmente estranho.

O *status* no trabalho é outro fator que afeta a incidência de agressão nos sonhos. Um estudo foi feito com um grupo de mães que trabalham fora de casa e têm crianças em idade pré-escolar e outras que só trabalham em casa e têm crianças da mesma idade. As mães do primeiro grupo reportaram mais personagens masculinos em seus sonhos e menos ambientes internos, e sentiram mais sensações desagradáveis, tais como fracasso, raiva e agressão, do que as que trabalham em casa. Por sua vez, estas tinham mais encontros amigáveis, mas enfrentavam mais infortúnios e hostilidade enquanto sonhavam. Também se descobriu que mães que tinham papéis duplos — o de mãe e o de provedora — vivenciavam mais sonhos relacionados com o trabalho do que seus equivalentes masculinos.

A ordem do nascimento também tem seu papel em sonhos de agressão. Embora os homens normalmente tenham mais sonhos agressivos do que as mulheres, isso nem sempre é verdade se o homem é o primogênito. Nesse caso, ele normalmente vê a si mesmo de uma forma mais positiva do que seus irmãos mais novos do sexo masculino, o que possivelmente resulta em que ele tenha mais encontros positivos em seus sonhos. Por outro lado, mulheres que são a primeira criança da família costumam ter personalidade mais agressiva em seus sonhos e têm mais probabilidade de serem agressivas do que outras na mesma faixa etária que não são primogênitas.

Talvez não seja de surpreender, mas a geografia também parece ser um fator importante que afeta a incidência de agressão em nossos sonhos. Numa pesquisa da Costa Leste americana, 40% dos integrantes do grupo de estudo total relataram ser quem iniciava atos violentos nos sonhos. O mesmo estudo foi feito na Costa Oeste e no Meio-Oeste, apresentando queda para 22% e 10%, respectivamente. Não ficou claro se isso seria resultado da alta densidade demográfica ou de algum outro fator.

Finalmente, o *status* socioeconômico também é relevante. Membros de classes sociais mais baixas relataram sonhos e/ou pesadelos mais violentos do que aqueles da classe média ou da classe alta. Eles também vivenciaram mais sonhos de raiva e infortúnio. A descoberta mais notável nessa área foi que as garotas colegiais de classe baixa vivenciavam mais sonhos com raiva e agressivos do que meninas da mesma classe ou superior e do que meninos de classe média ou alta.

Ralos

Muitas crianças não gostam de tomar banho. Pode ser que lhes agrade ficar sujas, não gostem quando o sabão entra nos olhos, ou não gostem da água em si. Mas há ainda outra razão: o ralo. Muitas crianças têm medo de serem sugadas pelo ralo para o abismo negro dos canos abaixo dele. Isso é um temor que muitos carregam até a maioridade. Algumas pessoas germefóbicas podem ter medo de ralos por causa da miríade de bactérias e outros germes que têm chance de crescer neles.

Sonhar em ser sugado pelo ralo significa que você tem a sensação de estar perdendo o controle do mundo à sua volta, ou que pode ter desistido diante de um problema ou de um relacionamento. Essa imagem é um sinal de rendição.

Redemoinho

Um redemoinho é um poderoso turbilhão na água que puxa tudo próximo a ele para o fundo do oceano. Sonhar em ser pego por sua corrente centrífuga, com velocidade cada vez maior conforme a pessoa se aproxima do centro, pode representar ser puxado para as profundezas infinitas da emoção ou da paixão, mas de maneira rápida, violenta e incontrolável. A imagem talvez signifique o medo de ser sugado por um compromisso ou conflito carregado de emoção, o qual tem potencial de destruição. Como na maioria dos pesadelos, o contexto emocional dominante para o sonhador é de impotência, vulnerabilidade e medo.

(Ver também **Água**)

Relâmpago

Relâmpagos são demonstrações impressionantes e às vezes letais da mãe natureza. Crianças costumam temê-los, como também os trovões, durante tempestades. Muitos adultos (sabiamente) também têm medo desse fenômeno. Relâmpagos são pura energia elétrica e tão imprevisíveis quanto potencialmente destrutivos. Raios atemorizantes em pesadelos talvez sejam mais do que apenas uma "atmosfera"; podem ser manifestações da sua própria criatividade dançando à sua volta — poderes que ainda não foram libertados, mas que estão implorando para sê-lo.

Repressão

No contexto psicológico, esse termo se refere à repressão pela psique dos pensamentos, sentimentos e anseios indesejáveis no inconsciente. Escolas de psicologia da profundidade propõem que há, na verdade, alguns tipos diferentes de repressão. Na análise freudiana, ela é tipicamente a subjugação dos anseios inaceitáveis de natureza sexual ou agressiva, como, por exemplo, o desejo de matar o próprio pai — que Freud via como comum nos homens. Por outro lado, Jung ensinou que há uma gama mais diversa de coisas que nossas mentes reprimem, incluindo tanto anseios sexuais quanto agressivos, mas certamente não limitada a apenas isso.

No entanto, os pensamentos e os desejos reprimidos pela psique não desaparecem. Eles comumente emergem de novo e encontram expressão em sonhos e pesadelos. A visão de Freud (que ele modificou em seus últimos anos) era que todos os sonhos e pesadelos eram apenas realizações de desejos, permitindo-nos satisfazer, por meio de um substituto, fantasias e anseios instintivos que reprimimos. O desejo de parricídio, por exemplo, pode ser realizado num sonho de se matar um ogro ou tirano opressivo. Jung sugeriu que os sonhos realizam um tipo de função de equilíbrio, de maneira que aspectos reprimidos da psique possam emergir de novo e enriquecer o eu limitado que projetamos em nossa imagem cotidiana. Para Freud, Jung e outros psicólogos da profundidade, os sonhos revelam o que o paciente está reprimindo, e parte da tarefa da interpretação psicoterapêutica é usá-los para descobrir o que é isso.

Revolution 9

Com oito minutos e 15 segundos, *Revolution 9* é a maior música dos Beatles de qualquer um de seus discos. Aparece no clássico *White Album,* de 1968, e é uma fusão incoerente de sons e palavras. A "canção" (se é que se pode realmente chamá-la assim) parece mais arte moderna expressa em sons. *Revolution 9* é baseada nas imagens de pesadelo que John Lennon vivenciou na Índia durante o período de meditação transcendental dos Beatles. Lennon tentou transformar as imagens em sons.

As faixas por trás das vozes são repetições pré-gravadas, e o "Number 9", repetido várias vezes ao longo da canção, é a voz de um engenheiro de som. A atmosfera da música cria um cenário de pesadelo, com sons aumentando e diminuindo, outras músicas dos Beatles tocadas ao contrário e até efeitos de som violentos. *Revolution 9* é mais uma representação de um estado de espírito do que uma música. John Lennon, Yoko Ono e George Harrison são creditados como os intérpretes dos "vocais" principais na música.

Ritmo circadiano

O ritmo circadiano é o cronograma interno do corpo de tempo de descanso/tempo acordado no decorrer de um dia e uma noite. Não há duas pessoas que tenham exatamente o mesmo ritmo circadiano, o que explica por que alguns são "madrugadores" e outros são "corujões". O cronograma pode mudar durante a vida do indivíduo, então uma pessoa que antes acordava cedo pode se tornar alguém que dorme tarde (ou vice-versa). Em geral, no entanto, permanecemos ativos durante o dia e descansamos durante a noite.

Influências como *jet lag*, trabalho no período da noite, consumo de álcool, uso de drogas, problemas médicos, distúrbios de humor e até mesmo escolhas aparentemente inócuas de estilo de vida e hábitos podem perturbar temporariamente o ritmo circadiano. A dificuldade contínua de dormir pode ocorrer se problemas neurológicos forçarem-no a ficar fora de sincronia com o ciclo normal de acordar e dormir. A discrepância entre quando o corpo suplica o sono e o que a sociedade espera pode levar à privação do sono. (Nos Estados Unidos hoje em dia, por exemplo, é difícil reconciliar as necessidades do corpo com as necessidades e expectativas de uma carreira, família e outras responsabilidades.)

Pesadelos crônicos podem fazer um indivíduo evitar o sono, e assim causar uma perturbação temporária de seu ciclo circadiano normal. Um tratamento deve se voltar para as razões subjacentes aos pesadelos, o que, por sua vez, irá restaurar um padrão de sono normal.

Roncar

Roncar não é necessariamente um pesadelo para a pessoa que ronca, mas definitivamente é para os que dormem a seu lado. O ronco acontece quando o ar flui parcialmente obstruído pela parte posterior da boca e do nariz. O palato mole e a úvula (o sininho da garganta) repousam um sobre o outro, e são as vibrações provocadas pelo fluxo de ar que provocam os sons desagradáveis do ronco. Algumas pessoas roncam mais quando estão extremamente fatigadas; para outras, isso não faz diferença. Há muitos tratamentos para o ronco, mas, na verdade, eles beneficiam mais os parceiros da pessoa que ronca, amenizando as inevitáveis insônias das quais certamente sofrem.

Roubo

Vivenciar um arrombamento ou furto pode ser bastante violentador. Ter bens valiosos ou dinheiro roubados num sonho ou num pesadelo talvez indique que o sonhador está vivenciando uma crise de identidade ou uma perda em sua vida (por exemplo, um divórcio ou uma doença séria). O sonhador pode também estar sentindo uma influência invasiva em sua vida, tal como um parente intrometido ou um colega de trabalho dominador.

Sacrifício

Sonhos com sacrifícios humanos podem indicar que o sonhador se sente "martirizado" por conta do tempo e da energia que investiu em outras pessoas (como se tivesse se sacrificado para isso). O sonhador talvez deva repensar certos relacionamentos para dar lugar a experiências de vida mais produtivas e recompensadoras.

Saint-Denys, Hervey de

O francês Hervey de Saint-Denys (1822-1892) foi professor de etnografia, com especialização em chinês e tártaro-manchu. Seu livro *Os Sonhos e Como Controlá-los* foi publicado em francês em 1867. Saint-Denys ganhou fama como um dos fundadores da técnica que propicia os sonhos lúcidos.

O professor começou a documentar seus sonhos aos 13 anos. Suas anotações sobre o tema são extensas e totalizam 22 cadernos. Neles, registrou 1.946 noites em que se lembrou dos sonhos e até incluiu desenhos das imagens que viu. A partir de suas experiências com sonhos lúcidos, desenvolveu diversos exercícios mentais para aumentar a capacidade de atingir a lucidez onírica. Nos primeiros seis meses em que praticou esses exercícios, conseguiu ficar lúcido, em média, duas a cada cinco noites, número que cresceu para três ao fim de um ano. A partir dessas conclusões, inferiu que qualquer pessoa que se interessasse em sonhar com lucidez poderia alcançar os mesmos resultados utilizando os exercícios criados por ele.

Ao aplicar essa abordagem aos pesadelos, é possível transformar as imagens neles contidas ou até recontá-los por inteiro, de modo a torná-los menos aterrorizantes. Quando o sonhador desenvolve a habilidade de controlar o processo onírico, as qualidades bizarras, desagradáveis e às vezes assustadoras dos sonhos podem ser substituídas por imagens e cenários mais aprazíveis. Quando os sonhadores são capazes de confrontar seus medos e dominar os pesadelos, estes diminuem e podem até cessar por completo.

(Ver também **Sonhos lúcidos**)

Sambias

Os sambias são um povo de caçadores e agricultores que vive na província Eastern Highlands da Papua-Nova Guiné. Muitos aspectos de sua interação social são caracterizados por uma espécie de vigilância ou cautela — pode-se até dizer paranóia —, que consideram necessária para antecipar os ataques de outras tribos. Esse tipo de paranóia social interfere diretamente em suas experiências oníricas e as contextualiza, assim como regula a maneira como compartilham e interpretam os sonhos. Estes são, dessa forma, compreendidos como instruções explícitas de como proceder em rituais tribais para se defender de ataques iminentes. Em geral, os sambias têm sonhos em que se sentem traídos ou desgostosos, são perseguidos por gente malévola, são ameaçados de serem afogados ou testemunham incêndios devastadores.

Assim como em muitas outras culturas primitivas, os sonhos são considerados instâncias em que a alma e a mente abandonam o corpo e visitam outros lugares. Assim, a alma é separada e distinta do corpo, e o sonhador não pode ser responsabilizado pelas ações de seu espírito itinerante durante o sono. O mundo onírico é concebido como um tipo de universo paralelo no qual os sonhos propiciam narrativas de eventos reais e comentários sobre eles. Os sambias consideram *todas* as imagens oníricas sobrenaturais, pois se comunicam somente com a alma, e não com o corpo.

Os sonhos são normalmente compartilhados na residência onde a pessoa dorme ou em cerimônias de cura nas quais os xamãs (os sacerdotes ou mediadores entre os mundos secular e espiritual) realizam rituais oníricos. O compartilhamento também ocorre entre anciãos e xamãs em rituais de iniciação, nos quais a interpretação onírica e alguns segredos ritualísticos são ensinados. Tal atividade pode ser um evento público ou privado e pode envolver contar histórias; permutar fofocas e rumores; e relatar narrativas sobre viagens de caça, trocas comerciais ou jardinagem.

Assim como em qualquer cultura, fatores como idade, sexo e *status* social/ritual afetam o conteúdo dos sonhos e a maneira como eles são vistos. Os homens compartilham seus sonhos com mais freqüência do que as mulheres, assim como os velhos o fazem mais que os jovens (com exceção dos pesadelos infantis, que são considerados ameaçadores e de mau agouro). Somente os sonhos significativos são compartilhados, e esses relatos podem se tornar muito estilizados e autoconscientes, sendo ocasionalmente incorporados à cultura oral da sociedade.

Depois que os sonhos são compartilhados, sua interpretação pode revelar maus presságios em relação ao futuro. Quando sonhos passados são revistos, as reinterpretações e percepções tardias às vezes confirmam que eles eram de fato proféticos. Interpretar sonhos é uma prática quase terapêutica; os sambias o fazem quando estão começando empreendimentos novos ou arriscados ou se sentem perturbados ou ansiosos com relação a seus sonhos.

Sandman

"Um palhaço colorido que chamam de Sandman/ Entra no meu quarto todas as noites na ponta dos pés/ Somente para polvilhar poeira estelar e sussurrar/ Vá dormir, tudo está bem", diz a primeira estrofe da canção "In Dreams", de Roy Orbison. Ele não foi o primeiro nem o último a incorporar o Sandman do folclore à música popular. Em 1954, os Chordettes fizeram muito sucesso com a canção, "Mr. Sandman", cuja letra pop implora a Sandman por um amor idealizado: "Sr. Sandman/ traga-me um sonho/ Faça com que ele seja o mais belo que já vi/ Dê a ele lábios como rosas e trevos/ E então diga-lhe que suas noites de solidão acabaram." O hit do grupo Metallica, "Enter Sandman", de 1991, é ainda outra canção que cita essa figura onírica (Ver também **Enter Sandman**).

Sandman é o zelador do mundo onírico do folclore, mas nem sempre foi retratado como uma figura simpática. Em 1817, Ernst T. A. Hoffman escreveu o conto *The Sandman*. Na história, uma mulher de mais idade, a babá de uma das crianças, descreve Sandman ao irmão mais velho:

> Ele é um homem mau que visita as crianças pequenas quando estas se recusam a dormir e joga areia nos olhos delas, para que sangrem até cair. Então ele guarda os olhos num saco e os leva para alimentar seus filhos à meia-lua, os quais vivem num ninho e têm bicos tortos como os das corujas, que usam para arrancar os olhos das crianças desobedientes. (*Tales of E. T. A. Hoffman*, University of Chicago Press, 1969)

Houve tradições, especialmente na região germânica da Europa, que utilizavam "histórias infantis" para coagir as crianças a se comportar melhor. De geração em geração, Sandman evoluiu até se tornar um palhaço que leva o sono às crianças ao polvilhar poeira sobre suas camas. Dizia-se que a "remela" nos olhos delas quando acordavam era um pouco da areia de Sandman que sobrara.

Sangue

Sangue num pesadelo pode ter vários significados. Temos um relacionamento complexo com o sangue: ele é a própria essência da vida — corre pelas veias levando oxigênio e nutrientes a todo o corpo. Sabemos que podemos morrer sem ele e, ainda assim, em geral não gostamos de vê-lo; algumas pessoas desmaiam ao sinal da mais minúscula porção de sangue. Falando metaforicamente, ele é associado com nosso centro emocional. Se o sangue num pesadelo é o do próprio sonhador, pode indicar uma sensação de que se está "perdendo o sangue", isto é, desvanecendo-se emocionalmente por um relacionamento. Também está ligado a noções de parentesco, então sonhos com sangue podem ser um modo subconsciente de se referir de maneira oblíqua a questões ou problemas de família. Sonhar que se está bebendo sangue ou recebendo uma transfusão pode indicar a necessidade de cuidado ou recarregamento emocional. Uma mulher que vivencia sangramento menstrual num sonho pode estar preocupada com questões de fertilidade. Para veteranos de guerra, pesadelos envolvendo sangue e sangue coagulado podem ser uma repetição direta de traumas experimentados durante combate (ver também **Distúrbio de Estresse Pós-Traumático**). Imagens generalizadas de violência sangrenta num pesadelo traumático podem ser um resíduo de uma experiência de vida anterior. A repetição desse tipo de pesadelo pode indicar depressão e/ou uma tendência a fazer mal a si mesmo ou a outros.

São Jerônimo

Jerônimo foi um cristão do século IV encarregado pelo papa Damásio I de traduzir a Bíblia para o latim. Sua tradução, conhecida mais tarde como Vulgata, tornou-se a versão católica oficial da Bíblia pelos 1.500 anos subseqüentes. Devido a algumas traduções descuidadas ou equivocadas, Jerônimo ajudou a propagar a visão negativa que a cristandade ocidental tem em relação aos sonhos.

Quando jovem, ele possuía uma extensa biblioteca de obras pagãs, ainda que soubesse que tais livros conflitassem com a fé cristã. O embate ganhou expressão num sonho em que, diante do Trono do Juízo, confessou ser seguidor de Cícero, em vez de Cristo. Depois de ser castigado com golpes de chicote, Jerônimo jurou que nunca mais leria livros "mundanos". Quando acordou, diz-se que suas costas estavam de fato marcadas pelo açoite, e ele alegou que essa era a prova de que o pesadelo possuía origem divina. O sonho do julgamento e da punição de Jerônimo se tornou o mais famoso relato onírico da literatura cristã. (Mais tarde, ele sonhou com a própria morte, e que era adotado do poder sobrenatural de voar.)

Ainda que Jerônimo acreditasse que os sonhos podiam revelar mensagens divinas, os erros contidos na sua tradução da Bíblia parecem *desencorajar* as pessoas a atentarem para seus sonhos. Ele traduziu erroneamente a palavra hebraica, *anan*, que significa feitiçaria, por "observar os sonhos" (em latim, *obsenosomnia*). *Anan* aparece dez vezes nas escrituras hebraicas (o Velho Testamento), mas ele a traduz como "observar os sonhos" somente três vezes, em afirmações como "não praticarás a adivinhação nem observarás os sonhos", cuja tradução precisa é "não praticarás a adivinhação nem a feitiçaria". Essas mudanças pequenas mas cruciais alteraram significativamente a forma como os sonhos foram vistos pela cristandade durante séculos.

Satã

Sonhar com Satã ou com figuras demoníacas pode simbolizar maldade, escuridão, pecado, opressão, sexualidade, caos, orgulho, ambição ou até criatividade. O significado dessas figuras nos sonhos pode ser altamente estratificado e matizado, e variáveis como a religião e a psicologia do sonhador devem ser levadas em conta na interpretação. Tradicionalmente, sonhos com demônios ou anjos indicam que o sonhador está de fato sendo visitado por tais figuras. Interpretações mais modernas, contudo, consideram que Satã representa o inconsciente ou a "sombra" do sonhador.

(Ver também ***Bíblia*****, Demônios** e **Mal**)

Seios

Sonhar com seios nus pode ser apenas uma visão sexual, ou pode simbolizar a necessidade de ser cuidado. Um seio sendo mutilado num pesadelo pode indicar o medo da amputação devido ao câncer de mama. Há casos documentados nos quais a sonhadora foi incitada a fazer um exame por causa de sonhos recorrentes sobre câncer de mama — predição que acabou se mostrando verdadeira.

Selva

A selva é um terreno tortuoso de cipós, árvores e plantas. É uma cacofonia de insetos, aves e outras criaturas e pode ser tão escura quanto a noite no denso matagal. Pesadelos numa selva mexem com nosso lado primitivo e indomado e normalmente insinuam desejos sexuais. A selva em si é um lugar perigoso, no qual é fácil se perder ou ser devorado por um predador, o que indica algum medo e confusão em relação a esses desejos.

Senoi

Os senois são um povo indonésio, aparentados com montanheses da Indochina e da Birmânia. Foram dizimados pelos japoneses durante a Segunda Guerra. Hoje, os remanescentes vivem na área montanhosa no centro da Malásia continental. São conhecidos por sua teoria onírica, assim como por suas técnicas de controle dos sonhos.

De acordo com os senois, a alma é dividida em duas categorias distintas, uma localizada atrás do centro da testa (a *ruwaay*) e a outra, na pupila dos olhos. As experiências oníricas são simplesmente as viagens da alma e seus encontros com os espíritos de animais, árvores, cachoeiras, outras pessoas ou seres sobrenaturais enquanto a pessoa está dormindo ou em transe. A *niwaay* é considerada a mais importante das duas almas quando o assunto são os sonhos, tanto que é freqüentemente chamada de a “alma dos sonhos”.

Na cultura senoi, os sonhos são temas populares de conversas cotidianas. Têm grande relevância porque podem informar sobre fenômenos naturais como o tempo e oferecer profecias sobre eles. São também considerados o principal meio de comunicação com o mundo sobrenatural e, por isso, têm papel especial nas cerimônias de cura. Os senois fazem distinções entre sonhos insignificantes e sonhos importantes, mas acreditam que tudo que aparece neles possui um sentido maior que supera a compreensão do sonhador. São treinados para alcançar a lucidez onírica e para controlar os sonhos; e seu objetivo é entender esse significado maior e lidar diretamente com os conflitos inconscientes (ainda que não usem essa terminologia) que podem afetar adversamente sua vida desperta.

A interpretação dos sonhos é um dos aspectos mais importantes da educação infantil e também representa uma forma de conhecimento comum entre os senois adultos. De acordo com eles, as crianças podem e devem tomar decisões durante a noite assim como durante o dia, assumindo atitudes responsáveis diante de forças psíquicas e sobrenaturais. Sua mente é particularmente poderosa, racional e adaptável. Elas são investidas de dons que podem ser controlados e direcionados quando interpretam sonhos. O medo é considerado um obstáculo à atividade criativa da qual nascem os sonhos.

Seqüestro

Ser seqüestrado é uma das experiências mais violentadoras que alguém pode experimentar. Uma vítima de seqüestro é levada a um local desconhecido por um motivo que pode não compreender. Um pesadelo sobre ser seqüestrado indica perda de controle e segurança. Uma influência negativa externa pode estar forçando a entrada em sua vida com veemência e fazendo você se sentir indefeso. Pessoas que passaram por seqüestros e situações como reféns na vida real e sobreviveram a isso com freqüência têm pesadelos recorrentes nos quais vivenciam repetidas vezes a cena ou alguma variação dela.

Serpente

Serpentes são símbolos antigos, comumente associados ao mal, ao poder e até à fertilidade. Para Freud, sonhos que as envolvessem eram referências indiretas ao órgão sexual masculino. Por viverem no solo, as serpentes podem representar a terra, que cura e nutre, ou podem ser emblemas dos misteriosos perigos do mundo subterrâneo. Psicologicamente, são subordinadas ao inconsciente e representam a "sombra".

Enquanto símbolos psicológicos mais genéricos, cobras saindo do solo sugerem a emergência de material inconsciente (reprimido, por exemplo) à luz da consciência. Ser picado por víboras em pesadelos pode simplesmente indicar um medo real desse animal ou talvez revele temores em relação aos danos que certos aspectos obscuros, indesejados e/ou incontroláveis da psique do sonhador podem causar.

Serra elétrica

A serra elétrica não é um instrumento delicado. É barulhento, difícil de controlar e destroça tudo com que se põe em contato. Um assassino usando uma serra elétrica num pesadelo demonstra um desprezo desumano e psicopata pela vida, visto que não há nenhum remorso e com certeza nenhuma preocupação com possíveis testemunhas do crime. Um pesadelo que envolve serras motorizadas também pode ser indicação de raiva reprimida e até daquela que está ameaçando se fazer conhecida de maneira não muito sutil. O simbolismo sugere que, possivelmente, você se sente tratado de maneira injusta, ou atacado num conflito no espaço de trabalho. Talvez alguém não esteja lutando de forma justa, ou talvez os boatos no local de trabalho estejam se tornando perversos e você se sinta despreparado para lidar com as conseqüências.

Serras são ferramentas úteis em construções, mas podem ser perigosas. Já foram usadas como instrumentos de assassinatos em série (como no filme de 1974 *O Massacre da Serra Elétrica*). Pesadelos envolvendo imagens de maníacos homicidas com serras elétricas indicam que você está sendo descuidado ou incompetente no trabalho. O potencial de ferimentos reais adverte sobre repercussões que podem vir da falta de atenção aos detalhes. Se uma pessoa carrega uma serra de modo ameaçador, a imagem pode simbolizar alguém cuja natureza competitiva talvez esteja se tornando hostil.

Shakespeare, William

Na literatura renascentista inglesa os sonhos eram comumente usados como artifício para possibilitar a comunicação entre os homens e o Divino e proporcionar formas inteligíveis de advertências sobrenaturais, premonições e agouros. Dramaturgos elisabetanos com freqüência usavam-nos como recurso literário para prenunciar eventos e fornecer outras informações sem prejudicar o mistério da trama de suas peças. A idéia de sonhos proféticos surgiu na filosofia grega clássica, na literatura romana e no folclore inglês, enquanto as "visões oníricas" remetem às tradições medievais.

Nas peças, os sonhos (assim como os monólogos, solilóquios e apartes) refletem a vida interior dos personagens, exibindo suas memórias, emoções e imaginação para toda a platéia. Geralmente, contêm visualizações vívidas de personagens arquetípicos, o que ajuda a esclarecer para os espectadores as finalidades morais que a história se propõe a transmitir.

Em suas peças, Shakespeare usa os sonhos muitas vezes como premonição da morte. A primeira cena de *Ricardo III*, por exemplo, detalha o sonho de Clarence, o qual prediz um assassinato. O presságio é confirmado pelos símbolos típicos da morte, como o ato de cruzar o mar, o convés oscilante e os tropeços e o afogamento. Na última cena da peça, o rei Ricardo e seu rival Richmond experimentam sonhos paralelos às vésperas da batalha final em Bosworth, e os fantasmas dos personagens assassinados na peça — Eduardo, Henrique VI, Clarence, Rivers, Grey, Vaughn e Hastings — neles aparecem, ansiosos por provocar o remorso de Ricardo e encorajar o rival a lutar e vencer.

De modo similar, em *Henrique VI*, o cardeal de Winchester prevê a morte do duque de Gloucester num sonho, enquanto em *Romeu e Julieta* o protagonista sonha que Julieta o encontra morto. Na mesma peça, Baltazar, por sua vez, sonha que Romeu assassina alguém. *Júlio César* também utiliza os sonhos como instrumento crucial de desenvolvimento do enredo quando o sonho de Calpúrnia profetiza a morte do imperador. O sonho do poeta Cinna e os conselhos mal compreendidos da turba vingativa são peças-chave para se entender o final da tragédia. O ponto interessante desses sonhos é sua ambigüidade, que permite que os personagens projetem seus pensamentos, desejos e fraquezas (insolências), tornando sua índole mais clara para a platéia. Os sonhos shakespearianos usualmente dividem as pessoas em duas categorias: as que tentam controlar seus sonhos e, portanto, seus destinos, e as que são por eles controladas.

Tanto *Conto de Inverno* quanto *A Tempestade* se preocupam em tentar entender o papel complexo representado por sonhos irracionais na vida desperta dos homens, enquanto *Sonho de uma Noite de Verão* lida quase exclusivamente com sonhos, invertendo categorias como realidade e ilusão, sono e vigília, e razão e imaginação. O tema central é que os sonhos são mais verdadeiros e confiáveis que a realidade objetiva. Ao tratar os fatos como se fossem sonhos e vice-versa, Shakespeare mostra o quanto essas fronteiras são nebulosas.

(Ver também ***Macbeth***)

Shelley, Percy Bysse

Em seu poema *Mutabilidade*, Percy Bysse Shelley (1792-1822) oferece uma linha relevante e digna de ser citada a respeito dos pesadelos: "Os sonhos têm o poder de envenenar o sono."

Sheol

A palavra hebraica que designa a morada dos mortos; também significa literalmente "não visto".

(Ver também **Inferno** e **Mundo subterrâneo**)

Síndrome da Bruxa Velha

De acordo com algumas estimativas, a Síndrome da Bruxa Velha é um evento assustador que ocorre em até 40% de todas as pessoas. Nos exemplos mais extremos, um "ataque" de Síndrome da Bruxa Velha envolve um indivíduo dormindo que, ao acordar, reconhece imediatamente o ambiente onde se encontra, mas é incapaz de se mexer. Algumas pessoas relatam ver uma massa escura, algumas vezes com forma semelhante à humana, movendo-se em sua direção ou sobre elas, e por fim descansando em cima delas. Pânico, medo de um fantasma ou da morte passam pela mente da pessoa — o coração acelera, o peito parece pesado e a respiração é difícil. Dentro de poucos segundos, algumas vezes chegando até um minuto (embora os segundos possam parecer horas para a "vítima" em pânico), a nuvem ou figura escura se dissipa e o sonhador novamente recupera a mobilidade.

A explicação da comunidade científica para esse evento é que ele é um tipo de paralisia do sono (ver também **Paralisia do sono**), combinada com uma alucinação hipnagógica ou hipnopômpica muito vívida (ver também **Alucinações hipnagógicas** e **Alucinações hipnopômpicas**). A explicação folclórica ou talvez mais poética é que esse acometimento é causado por feitiçaria — decorrendo daí o nome "Bruxa Velha", que está vindo atacá-lo em seu sono.

Em 1971, o pesquisador de folclore David Hufford coletou relatos em Newfoundland de pessoas que sofreram de ataques da Síndrome da Bruxa Velha. Ele documentou suas descobertas no livro *The Terror That Comes in the Night* (University of Pennsylvania Press, 1982). Por fim, descobriu que pessoas por toda a América do Norte haviam experimentado alguma versão do ataque da Bruxa Velha, mesmo que não o chamassem assim. Aparentemente o fenômeno acontece também em âmbito mundial — por exemplo, no Laos, sudeste da Ásia, o povo hmong cita o fenômeno chamado *tsog tsuam*, que é em essência o mesmo que a Síndrome da Bruxa Velha. Os hmong acreditam que um monstro do subterrâneo algumas vezes tenta sufocá-los em seu sono. Oferendas rituais para os ancestrais hmong permitem que seus espíritos mantenham o monstro acuado. Se uma família se torna indolente ou descuidada demais em suas oferendas, o monstro pode escapar e atacar. Da metade até o final dos anos 1970, quando muitos hmong foram deslocados depois da Guerra do Vietnã, houve vários casos de homens normalmente saudáveis morrendo durante o sono por nenhuma razão conhecida. A comunidade médica chamou o fenômeno de síndrome da morte súbita noturna não explicada (SUNDS). Uma teoria sugeriu que os hmong desterrados, vivendo no ambiente estranho da cidade ou em outro lugar longe de casa, cessaram de fazer essas oferendas aos ancestrais num esforço de se mesclar com os novos ambientes culturais à sua volta. O *tsog tsuam* pode ter se mostrado impossível de ser detido nos sonhos, e o medo do evento foi fatal para alguns.

Em seu livro *Monsters* (Llewellyn Publications, 2002), John Michael Greer escreveu sobre a experiência:

> Há outra explicação potencial para o fenômeno da Bruxa Velha, sem dúvida, que elucida de maneira clara e eficiente todo o conjunto de detalhes relatados por pessoas que sofreram um ataque da Bruxa, ou seus muitos equivalentes em outras culturas. É a hipótese de que a experiência da Bruxa Velha é, de verdade, exatamente o que parece ser: uma visita de um espírito hostil.

Em última instância, cabe às vítimas decidir se a experiência é apenas um problema nas sinapses do cérebro ou um verdadeiro ataque espectral. Não importando a causa, o fenômeno acontece com milhões de pessoas e permanece uma experiência aterrorizante. Profissionais médicos que estudam a paralisia do sono e as alucinações que às vezes acompanham esses eventos dizem que pessoas que sofrem com freqüência do fenômeno da Bruxa Velha podem ter um distúrbio de sono e devem buscar ajuda médica.

Solidão

Os seres humanos são criaturas sociais, e a idéia de ser excluído de qualquer relação interpessoal é certamente um pesadelo para alguns. Pesadelos relativos à solidão são aqueles em que as emoções do sonhador se sobrepõem às imagens oníricas. O cenário é em geral simples, como quartos vazios ou paisagens desoladas, mas o silêncio e a sensação insuportável de solidão predominam. O sonho é quase sempre literal, e sugere que o sonhador se sente isolado e/ou abandonado em seus relacionamentos afetivos.

Sombra ou "Eu-sombra"

A sombra é o arquétipo que representa os aspectos ocultos e "obscuros" do eu. O sonhador pode não aceitar essas partes da sua personalidade, de modo que elas são projetadas em outras figuras nos sonhos. A "sombra" pode se manifestar em sonhos ou em pesadelos assustadores, na figura de criminosos, estupradores ou até personagens demoníacos.

(Ver também **Jung, Carl** e **Arquétipos**)

Sonambulismo

A noctambulação, mais conhecida como sonambulismo, é um dos fenômenos mais fascinantes e bizarros do sono. Profundamente adormecida, mas fora do estágio REM do sono, a pessoa se levanta e começa a perambular — alguns desses episódios podem durar até trinta minutos, de modo que ela só desperta na sala de sua casa ou mais longe ainda. Há histórias de sonâmbulos que chegaram a entrar em seus carros e dirigir, e até mesmo, em casos muito raros, cometer assassinatos. De modo geral, eles voltam para a cama ou acordam em lugares insólitos sem saber como foram parar lá. Ao contrário do que reza a crença popular, despertar sonâmbulos não provoca ataques cardíacos nem mortes — o melhor a fazer é se aproximar deles em silêncio e guiá-los de volta para a cama.

Sonhos de perseguição

Você está andando por uma rua escura que percebe lhe ser desconhecida. Em meio ao silêncio, ouve passos à sua retaguarda, que o acompanham. O pânico se estabelece. Seu passo se acelera. As pegadas atrás de você também aumentam o ritmo, e você agora começa a correr, com o medo imprimindo uma velocidade incomum ao seu andar. E mesmo assim a presença ameaçadora começa a ganhar terreno. Nesse momento, você está correndo a plenos pulmões, apenas para perceber que essa coisa — seja lá o que for — está logo atrás de você, talvez próxima o suficiente para agarrá-lo. No instante seguinte, percebe que está na segurança de sua cama, o suor frio lhe cobrindo o corpo e a respiração superficial e difícil.

Pesadelos nos quais você é perseguido por uma figura ameaçadora sem nome e sem rosto são um dos tipos mais comuns de sonhos perturbadores. Embora sejam mais freqüentes em crianças, também podem ocorrer em adultos. Isso é particularmente verdade depois de se ter vivenciado uma experiência traumática ou estar envolvido em outros tipos de situações estressantes, embora as visões sejam mais específicas e claras quando causadas por um trauma. Os sentimentos mais comuns que evocam essas "metáforas de imagem" são medo extremo, vulnerabilidade e até mesmo culpa.

Sonhos existenciais

De acordo com o psicólogo Don Kuiken (professor de psicologia da Universidade de Alberta, nos EUA), um sonho existencial é um tipo de "sonho impactante" (sonho com um efeito emocional significativo e duradouro, como um pesadelo), que contém "emoções intensas no final, em geral um grupo de sentimentos aflitivos, incluindo desencorajamento, agonia, culpa, raiva, vergonha e tristeza". Sonhos como esse deixam o sonhador perturbado e confuso ao acordar, mas, estranhamente, isso pode ter um efeito benéfico (como motivar o sonhador a colocar em ordem suas idéias em relação a um problema ou crise, ou então apresentar a ele maneiras alternativas de pensar o mundo). Diz-se que René Descartes experimentou um sonho como esse, que serviu, enfim, para enriquecer e expandir suas teorias sobre o conhecimento, a ciência e a arte.

Sonhos lúcidos

Sonhos lúcidos ocorrem quando há um estado parcial ou total de consciência durante o estágio dos sonhos. Eles geralmente acontecem durante os períodos de "lusco-fusco" entre o sono e o despertar, ainda que as pessoas adeptas dessa técnica (que pode ser ensinada e aprendida) possam sonhar lucidamente a qualquer momento durante o estágio dos sonhos. Essa consciência propicia aos sonhadores lúcidos a capacidade de alterar conscientemente ou renarrar o conteúdo dos seus sonhos, de modo que muitos pesquisadores têm estudado a possibilidade de utilizar a técnica no tratamento de pessoas que sofrem de pesadelos.

A primeira referência escrita aos sonhos lúcidos está no livro *Dos Sonhos*, de Aristóteles, no qual ele escreve que "freqüentemente, quando as pessoas dormem, há algo em sua consciência que lhes diz que tudo o que se apresenta então não é mais do que um sonho". Santo Agostinho e São Tomás de Aquino também mencionaram algo similar aos sonhos lúcidos em seus escritos. *Os Sonhos e*

Como Controlá-los, livro do Marquês Hervey de Saint Denis, professor de chinês no College de France, escrito em 1867, foi provavelmente o primeiro ensaio sobre essa técnica. Sigmund Freud aceitava a idéia de que os sonhos podiam ser lúcidos, enquanto outros psicólogos atribuíam o fenômeno a um despertar parcial durante o estágio dos sonhos. De modo geral, a natureza intangível desse singular estado de consciência acabou desencorajando os psicólogos a estudá-lo a fundo. No entanto, o psicólogo Stephen LaBerge conduziu algumas pesquisas notáveis sobre o sonhar lúcido durante a década de 1980. Ele próprio havia experimentado o fenômeno desde a infância e resolveu estudá-lo cientificamente durante seu curso de graduação em psicologia na Universidade de Stanford. O fato de os sonhos lúcidos serem pouco freqüentes era problemático para sua pesquisa, mas ele o contornou por meio da auto-sugestão, repetindo para si mesmo antes de dormir: "Esta noite *terei* um sonho lúcido." Por fim, ele desenvolveu sua própria técnica de indução dos sonhos, chamada indução mnemônica de sonhos lúcidos (MILD, do inglês *mnemonic induction of lucid dreams*), que aumentou sua taxa de ocorrência para mais de vinte por mês.

Para medir com precisão a incidência e o padrão dos sonhos lúcidos dos participantes de sua experiência, LaBerge teve de encontrar uma forma por meio da qual os sonhadores pudessem se comunicar com os pesquisadores durante o sonhar lúcido. Inicialmente, ele aprendeu a controlar o movimento dos olhos durante o sono (usando os músculos que continuam ativos durante o estágio REM) e depois desenvolveu um sistema de código Morse mais elaborado (transmitido por meio de movimentos com as mãos).

Com o tempo, LaBerge ensinou dezenas de pessoas a sonhar lucidamente e a se comunicar com os pesquisadores enquanto dormiam. Esses sujeitos foram então requisitados a desempenhar diversas tarefas enquanto sonhavam, de contar a voar, e a sinalizar para os cientistas quando as haviam completado. Os resultados dessa pesquisa foram publicados no famoso livro de LaBerge *Sonhos Lúcidos* (Tarcher). O sucesso dessa obra foi capital para estimular a formação de grupos de sonhos por todo o território norte-americano e para popularizar a idéia na mídia. Por isso o termo *sonho lúcido* é hoje conhecido pela maioria das pessoas.

As descobertas realizadas pelas pesquisas sobre o fenômeno já são usadas em terapias. Um terapeuta do sono, por exemplo, ensinou um de seus clientes, que sofria de pesadelos recorrentes, a ativar uma campainha quando tivesse sonhos ruins. O paciente era acordado e, em seguida, seu sonho era analisado. No entanto, conforme a terapia progredia, o terapeuta passou a responder ao toque de campainha do paciente com outro toque em vez de o despertar do sono — um sinal combinado de antemão para que o paciente assumisse o controle do pesadelo e o "narrasse de novo" de maneira menos desgastante. A psicóloga Patrícia Garfield usa sonhos lúcidos para curar e amenizar dores de maneira semelhante à visualização criativa. Por exemplo, pessoas que sofrem de dores em determinadas regiões do corpo podem visualizar a si mesmas enviando uma luz ou energia com poder de cura aos pontos doloridos. Em seu livro *The Healing Power of Dreams* (Fireside, 1992), Garfield sugere os seguintes procedimentos ao usar os sonhos lúcidos como auxílio à cura:

> **Antes de um sonho lúcido de cura:**
>
> 1. Selecione exatamente o que deseja curar e transforme isso em palavras. *Exemplos:* "Ensine-me a reduzir ou eliminar a minha dor", "Ajude-me a me curar" e "Mostre-me contentamento".
> 2. Repita para si mesmo a frase que elaborou antes de dormir.
> 3. Visualize a cura se materializando.
>
> **Durante um sonho lúcido de cura:**
>
> 1. Torne-se lúcido durante o sonho.
> 2. Realize a cura você mesmo ou permita que ela aconteça.
> 3. Acredite na sabedoria contida em seu sonho.

Atingir a lucidez durante um sonho garante ao sonhador imensos poderes, já que ele pode confrontar com segurança os aspectos amedrontadores ou inaceitáveis do seu inconsciente. Ao se aproximar das imagens terríveis do sonho de modo resoluto, o sonhador poderá descobrir o que elas significam e assim vencer o medo. A descoberta e a conseqüente compreensão de aspectos da personalidade do sonhador antes reprimidos podem torná-lo um indivíduo mais integrado e sadio. Muitas pessoas acham mais fácil confrontar a fonte dos seus medos durante sonhos lúcidos porque são capazes de controlar o seu entorno, domínio que é gradualmente transferido para sua vida acordada.

Sonhos precognitivos

Sonhos precognitivos são casos especiais de percepção extra-sensorial. Neles, o sonhador vivencia acontecimentos, integralmente ou em parte, antes de eles ocorrerem. Algumas experiências de *déjà-vu* (a estranha sensação de familiaridade com lugares desconhecidos, como se você já estivesse passado por ali) podem surgir da mesma fonte que os sonhos precognitivos.

Lançando mão de apelos ao público por meio de vários tipos de mídia, a Dra. Louisa Rhine conseguiu compilar 7 mil relatos de sonhos paranormais. Em 433 desses sonhos, conseqüências negativas poderiam ter sido evitadas se o sonhador tivesse seguido os passos apropriados, mas somente cerca de 30% dos sonhadores atentaram de fato para seus sonhos. Em 50% dos sonhos, o tema da morte era recorrente, assim como acidentes e ferimentos, respectivamente. Os sonhos precognitivos eram particularmente vívidos e intensos, com tenazes qualidades emocionais que em geral permaneciam com o sonhador mesmo depois de ele ter acordado. Também retratavam as pessoas ou os eventos envolvidos com extrema precisão, incomum em sonhos normais.

David Ryback, psicólogo clínico em Atlanta, Geórgia, ministrou questionários para estudantes universitários, pedindo que fornecessem relatos escritos de sonhos que considerassem precognitivos. Sonhos "paranormais" foram experimentados por 67% dos estudantes e muitos deles continham detalhes sobre os acontecimentos que se realizaram de fato. Ryback tentou verificar o conteúdo desses sonhos através de entrevistas com os sonhadores e depois contatando outras pessoas que pudessem corroborar o relato original. Por meio de seus estudos, ele pôde comprovar que mais ou menos 8% dos sonhos analisados podiam ser considerados verdadeiramente paranormais;

essa pesquisa está explicada detalhadamente no livro *Dreams That Come True* (Harper Collins, 1989).

Premonição de uma criança doente

Linda P. é uma enfermeira de 67 anos, que vive em Hibbing, Minnesota. Como seguiu essa profissão a vida inteira, não é de estranhar que vez ou outra tenha sonhos envolvendo questões médicas. Um deles, porém, foi tão vívido que ela ainda não esqueceu seus detalhes quase quarenta anos depois. Linda teve esse sonho em meados da década de 1960.

O Pesadelo:

> Meu filho, Brian, tinha 16 meses na época — quase um bebê. Sabe quando, às vezes, temos sonhos com coisas ruins que aconteceram durante o dia? Bem, aquele dia foi ótimo para mim. Não havia nada de errado. Durante a noite, tive um sonho com uma criança pequena quase da idade do Brian, mas seu rosto estava apagado — o menino não tinha olhos, boca, nariz, nada. Ele estava deitado numa cama pequena, sobre lençóis brancos, e tudo no quarto era simples e branco. Mas no canto do quarto havia um enorme termômetro que ia do chão até o teto. Podia ver que a linha vermelha alcançava 40,5ºC e, na minha cabeça, sabia que a criança estava morrendo. Acordei e o sonho havia sido tão real que fui olhar o Brian, mas ele estava ótimo.
>
> Fiquei tão incomodada que liguei pra minha prima Mary Ann, que tinha um filho chamado Tony, aproximadamente da mesma idade que o Brian. Pensei que se não era o Brian que estava doente, só podia ser outra pessoa próxima de mim. Disse a Mary Ann: "Sei que isso vai parecer loucura...", e então lhe contei do meu sonho. Pedi a ela que, se o Tony tivesse febre, por mais tênue que fosse, chamasse um médico imediatamente.
>
> Passei todo o dia seguinte de olho no Brian. No meio da tarde, entrei na sala e o encontrei deitado no chão. Pus a mão na sua cabeça e notei que estava pegando fogo. Corri para o hospital e

> descobri que ele estava com 40ºC de febre. Os médicos fizeram alguns testes e determinaram que ele estava com escarlatina. Disseram que provavelmente não sobreviveria, pois não estava reagindo à penicilina e a febre não baixava. Finalmente, lhe deram outras drogas e a temperatura começou a ceder. Ele ficou no hospital durante uma semana — as unhas dos pezinhos e das mãozinhas dele caíram, e também seu cabelo, e ele teve de aprender a andar de novo quando voltou para casa.

Quando perguntada se achava que reagiria à febre do filho da maneira como de fato reagiu caso não houvesse tido o sonho, ela respondeu: "Eu não teria ficado tão de olho no Brian. Fui ver como ele estava muitas vezes naquele dia, e poderia tê-lo deixado em casa achando que se tratava somente de uma febre alta. Eu me lembro de acordar depois do sonho e ter certeza de que se tratava de algo que ia acontecer de verdade. Nunca me esquecerei desse sonho."

A Análise:

> Esse pesadelo marcou Linda de tal forma que ela ainda recorda detalhes do sonho décadas depois. Os eventos do dia seguinte lhe provaram que era, na verdade, uma premonição. Carl Jung provavelmente concordaria. Por sorte, ela estava alerta e não hesitou em levar o filho ao hospital assim que descobriu que estava doente.

Sono de movimento rápido dos olhos (REM)

Os pesadelos ocorrem quase exclusivamente durante o sono de movimento rápido dos olhos (REM). Embora o sono REM aconteça de maneira intermitente durante a noite, os períodos se tornam mais longos e os sonhos costumam ser mais intensos na segunda metade da noite. Como resultado, os pesadelos têm mais probabilidade de ocorrer durante esse tempo.

Sótão

O sótão é possivelmente um dos lugares mais arrepiantes de uma casa (ver também **Porão**). Como os sótãos são escuros e empoeirados, e diante da possibilidade de haver ratos, insetos, aranhas e outras pestes (ou pior), está entre os espaços menos freqüentados numa casa — o que os torna um tanto misteriosos e assustadores. Sótãos são tradicionalmente o cenário para muitas histórias de fantasmas — as coisas que vagueiam pela noite com freqüência encontram residência em nossos sótãos ou em outros lugares aos quais não se vai com freqüência. Um pesadelo que se passa num sótão pode indicar que seu intelecto está explorando memórias distantes e/ou lidando com tribulações e "fantasmas" do passado.

Stargate

Stargate é um dos nomes dados ao projeto de visualização remota (VR) do governo norte-americano. Segundo alguns relatos, foi iniciado pela Agência Central de Inteligência (CIA) em 1951 e desenvolvido até 1995 (alguns acreditam que o projeto ainda está ativo sob outro nome, ultra-secreto). O Stargate ajudou a desenvolver e treinar habilidades de VR em indivíduos já dotados. Durante o auge da Guerra Fria com a Rússia, era visto como a forma mais perfeita de espionagem. O projeto foi inicialmente coordenado pelo físico Dr. H. E. Puthoff. Maravilhado com as respostas que seu grupo de pesquisa alcançara, ele afirmou: "Os resultados parecem fornecer evidências inequívocas da capacidade humana de acessar eventos remotos no espaço e no tempo por meio de processos cognitivos ainda desconhecidos." Tais resultados podem até confirmar que os sonhos precognitivos realmente existem.

(Ver também **Visualização remota**)

Stevenson, Robert Lewis

O escritor Robert Louis Stevenson sofreu de pesadelos recorrentes durante toda a vida. Da infância até a idade adulta, pesadelos graves o perturbaram incessantemente. Até o último dos seus dias, ele teve um sono agitado e pobre de qualidade.

O escritor afirmou que a idéia inicial do seu romance *O Médico e o Monstro* (1866) partiu de um pesadelo extremamente vívido. Precisando urgentemente de dinheiro, Stevenson quebrou a cabeça durante dois dias para encontrar uma boa história que pudesse se tornar um livro. Por um momento, considerou a hipótese de usar um "ser duplo" como protagonista do romance, mas logo a descartou. Na segunda noite de pesquisa, sonhou com o Dr. Jekyll ingerindo um pó branco e então se transformando em Mr. Hyde sob os olhares pasmos dos seus perseguidores. Stevenson disse que esse foi apenas o primeiro de uma série de sonhos que lhe explicaram os detalhes da história.

Os sonhos de Stevenson foram de grande impacto para sua literatura, tanto que ele escreveu um livro sobre o assunto, intitulado *Across the Plains* (L-D Allen Press, 1950). Ele fez diversas referências ao "teatro noturno" que havia dentro da sua cabeça, e atribuiu a autoria da obra às "pequenas pessoas" que nele trabalhavam:

> Quanto mais penso nisso, maior é a minha vontade de perguntar ao mundo: Quem são essas pequenas pessoas? Sem dúvida são parentes próximos do sonhador [...] Como ele, elas aprenderam a construir a trama de histórias consideráveis em ordem progressiva; porém, creio que elas têm mais talento; sem maiores dificuldades, podem lhe contar histórias por partes, como os capítulos de um folhetim, e ao mesmo tempo mantê-lo completamente alheio do seu objetivo. Quem são elas, afinal? E quem é o sonhador?

Subconsciente

O termo subconsciente é com freqüência usado no lugar de *inconsciente*. É a parte da psique que em geral está fora do alcance da consciência. A psicanálise e outras linhas de psicoterapia afirmam ser capazes de acessar o inconsciente por meio de técnicas como a interpretação dos sonhos. O termo *subconsciente* é também utilizado no lugar de *pré-consciente*, expressão cunhada por Freud para designar os conteúdos da mente que estão fora da percepção imediata da consciência, mas que podem ser acessados simplesmente ao se atentar para eles. Por exemplo, em geral não percebemos ruídos que estão em segundo plano, como o ronronar de um ar-condicionado ou o barulho do mar, mas, se prestarmos atenção e afinarmos o ouvido, é fácil trazê-los à luz da consciência.

Subterrâneo

Sonhar que se está abaixo do solo num lugar escuro e desagradável pode indicar que o sonhador tem pensamentos e desejos inconscientes que estão clamando por atenção. Ir a grandes profundidades com o objetivo de recuperá-los e trazê-los para a luz da análise (talvez a análise terapêutica) mostra a prontidão em lidar com esse eu "sombra" e integrá-lo como uma parte legítima da consciência do sonhador.

(Ver também **Enterro**)

Sufocamento

Lutar para continuar respirando em ambientes pequenos dentro dos quais o ar está acabando ou sentir os pulmões queimarem quando se está preso debaixo d'água são experiências horripilantes. Nos sonhos, o sufocamento demonstra ansiedade intensa, algo que está ligado a se sentir confinado ou reprimido em relacionamentos ou outras situações. Pessoas que sofrem de apnéia do sono freqüentemente relatam essas sensações nos instantes que antecedem ou sucedem uma crise.

Suicídio

Sonhos com suicídio podem sugerir que certas condições da vida do sonhador o estão deixando tão frustrado ou desolado que ele não é mais capaz de enfrentá-las como vinha fazendo no passado. A morte indica que uma mudança drástica está a caminho.

Sujeira

Sonhar com sujeira ou imundície pode refletir uma impropriedade ou transgressão em algum ponto do seu passado. Você pode estar se sentindo "sujo" num sentido sexual, moral ou legal. Se tem um pesadelo no qual está coberto de imundície, e as pessoas podem vê-lo e estão zombando de você ou o insultando, isso provavelmente significa que há um pedaço de você que deseja se livrar do sentimento de culpa e abrir o jogo. A sujeira também é uma parte de um solo fértil, e como tal representa a possibilidade de crescimento e uma nova vida. Talvez uma confissão da ação possa limpar sua alma e lhe permitir ter um novo começo.

Symphonie Fantastique

Em setembro de 1827, o compositor francês Hector Berlioz assistiu a Harriet Smithson interpretar o papel de Ofélia numa apresentação da peça *Hamlet*, de Shakespeare. Ficou tão encantado com a beleza de Smithson que se apaixonou perdidamente pela inatingível atriz. Berlioz canalizou seus sentimentos criativamente e compôs a *Symphonie Fantastique*, da qual Smithson é a *idée fixe* (idéia fixa/fixação). No programa da sinfonia, escrita pelo próprio compositor, ele explica o quarto movimento da obra, intitulado "A Marcha ao Cadafalso". Berlioz escreveu:

> Convencido de que seu amor não é correspondido, o artista toma uma dose cavalar de ópio. Ele adormece profundamente e é assolado por visões horripilantes. Sonha que matou a amada e foi condenado ao cadafalso e agora assiste à sua própria execução. A procissão acelera até assumir uma marcha ora sombria e feroz, ora brilhante e solene. Ao cabo, a *idée fixe* retorna como a imagem da amada, pensamento que é interrompido pelo golpe final.

A *Symphonie Fantastique* é um trabalho autobiográfico para Berlioz. Ele afirmou ter sonhado com partes da sinfonia durante seus próprios pesadelos de ópio: viu as imagens do assassinato da amada e ouviu a música de fundo dessa cena. Berlioz usou a sinfonia não só para canalizar suas emoções, como para ganhar a atenção de Smithson. Seus esforços valeram a pena, já que, no dia 3 de outubro de 1833, eles se casaram. A sinfonia é um exemplo perfeito de arte onírica, para a qual o tema ou a estética da obra deve ser inspirado pelos sonhos ou pesadelos.

Tábuas de Ouija

Tábuas de espíritos (ou tábuas de Ouija, que é o nome pelo qual elas são mais comumente conhecidas hoje) foram uma invenção do movimento espiritualista que começou em 1848 em Hydesville, Nova York. Trata-se de um pedaço de madeira ou papelão com o alfabeto soletrado, junto com palavras tais como "sim", "não" e "adeus" e os numerais de zero a nove. Os usuários da tábua colocam sua mão num dispositivo pequeno semelhante a uma mesa, chamado prancheta, que descansa sobre a tábua. Fazem uma pergunta, e a prancheta começa a se mover pela tábua, soletrando palavras, sentenças e algumas vezes mensagens inteiras. Que elas venham do reino espiritual ou do inconsciente do usuário é algo a se discutir. Mas o dispositivo parece realmente ter a capacidade de soletrar comunicações específicas. Alguns sonhadores interessados no oculto podem ver uma tábua de ouija soletrar uma mensagem dentro de seus sonhos. Nesse contexto, a mensagem é normalmente aceita sem maior análise, embora o sonhador precise determinar exatamente para quem e ou por que ela está vindo antes de qualquer ação.

Graças a filmes como *O Exorcista* (1973) e *Espírito Assassino* (1987), a tábua de Ouija ganhou uma reputação sombria, como um portal que permite a espíritos negativos entrar no corpo de usuários inocentes.

Talmude

No *Talmude* babilônico, fólio Berachot 55a (29-53):

> [29] R. Hisda disse: Qualquer sonho preferivelmente que os sonhos de jejum. [30] R. Hisda também disse: Sonhos que não são interpretados são como cartas que não são lidas. [31] R. Hisda também disse: Nem os sonhos bons nem os sonhos ruins se realizam completamente. R. Hisda também disse: Sonhos ruins são melhores que sonhos bons. [32] R. Hisda também disse: A tristeza causada por sonhos ruins é suficiente para ele e a alegria que sonhos bons trazem é suficiente para ele. [33] R. Joseph disse: Até para mim [34] a alegria provocada pelos sonhos bons os anulam. R. Hisda também disse: Sonhos ruins são piores que açoites, já que se diz: Deus fez com que os homens sentissem medo perante Ele, [35] e Rabbah b. Bar Hanah disse em nome de R. Johanan: Isso se refere a um sonho ruim.

O *Talmude* também diz: "Apesar de Deus ter voltado o rosto a Israel, Ele falou com os indivíduos por meio dos sonhos." (Tr. Hag. 5b)

Tanto o *Talmude* quanto as tradições judaicas em geral estão cheios de referências a mensagens divinas na forma de sonhos. O *Talmude* descreve um Ba'al HaChalom, o Mestre dos Sonhos, responsável pelos sonhos noturnos. O Ba'al HaChalom é consultado quando o assunto são disputas pessoais e legais, assim como questões interpessoais maiores.

(Ver também **Judaísmo**)

Tarô

Como as conhecemos hoje, as cartas de tarô vêm em baralhos de 78 cartas, todas com imagens específicas, algumas retratando arquétipos. Uns as utilizam para praticar a adivinhação, isto é, para tentar apreender informações sobre o futuro; outros, para alcançar o autoconhecimento e o desenvolvimento pessoal. Originalmente, o tarô foi criado entre 1440 e 1445 d.C. por fidalgos do norte da Itália como um jogo de cartas similar ao *bridge*. Assumiu caráter ocultista no século XVIII.

Atualmente, há centenas de tipos de baralhos em circulação, mas o mais facilmente reconhecível é o tarô Raider-Waite. Assim chamado em homenagem ao Dr. Arthur Edward Waite, estudioso do ocultismo e membro da Ordem Hermética Golden Dawn, o baralho foi lançado em 1910 pela Rider & Company de Londres. A artista Pamela Colman Smith, que também fazia parte da Golden Dawn, ilustrou as cartas segundo as orientações de Waite. O baralho, que contém imagens coloridas, esotéricas e emblemáticas em cada uma das 78 cartas, era usado para explorar e ensinar os mistérios da ordem.

Grande parte das imagens contidas nesse baralho é onírica e arquetípica. Duas cartas dos arcanos maiores — cujas 22 cartas não fazem parte de nenhum dos quatro naipes — que vêm à mente quando se fala da noite e do mundo dos sonhos são a Estrela e a Lua. Para os leitores de tarô, a primeira significa abandono e perda, enquanto a segunda fala de inimigos ocultos e terror obscuro à espreita.

Aqueles que usam o tarô e são cativados por suas imagens podem descobrir que as cartas aparecem em seus sonhos. Os familiarizados com o baralho, que conhecem o que cada carta representa, devem usar o mesmo método utilizado na leitura para interpretar esses sonhos. O subconsciente dos leitores de tarô pode lançar mão dos símbolos contidos no baralho porque essas são imagens que o sonhador prontamente reconhece.

Telefone

O toque insistente do telefone demanda nossa atenção e geralmente exige que paremos aquilo que estamos fazendo, nem que seja para decidir que não vamos atender a ligação. Toques ominosos nos sonhos podem indicar medos de vidas passadas ou de situações anteriores que voltam para assombrar. Linhas telefônicas em silêncio sugerem que você se sente desconectado de alguém, ao passo que ouvir o telefone tocar e ser incapaz de encontrá-lo indica uma desconexão ainda maior.

Terapia de ensaio de imagens

Esse é um tratamento cognitivo-comportamental para pessoas que sofrem de pesadelos relacionados com Distúrbio de Estresse Pós-Traumático que não envolve o uso de medicamentos. Enquanto acordados, os pacientes recebem ajuda para recontar os finais de seus pesadelos de maneira que não sejam mais perturbadores. São então instruídos a ensaiar as imagens novas e não ameaçadoras associadas com o sonho mudado. A terapia de ensaio de imagens normalmente envolve também outros componentes projetados para ajudar os pacientes com problemas subjacentes associados com pesadelos, tais como a insônia. Por exemplo, ensina-se a eles estratégias básicas que podem ajudá-los a melhorar a qualidade do sono, tais como evitar cafeína durante a tarde, ter um ritual constante na hora de dormir ou evitar assistir à televisão na cama.

(Ver também **Distúrbio de Estresse Pós-Traumático**)

Terremoto

A Terra representa a base material da vida, portanto, um terremoto em um pesadelo pode significar uma mudança drástica e iminente na sua segurança financeira ou uma doença à vista.

Terrores noturnos

Os terrores noturnos são os mais dramáticos de um conjunto de fenômenos conhecidos como "parassonia". São semelhantes aos pesadelos em vários aspectos, mas tecnicamente falando não são pesadelos. Pessoas que sofrem de terrores noturnos em geral não conseguem lembrar o que os fez acordar de seu sono, normalmente gritando de medo, embora normalmente citem uma sensação de medo ou opressão num sentido mais genérico. Se o sonhador lembra de qualquer coisa que seja, usualmente são apenas impressões vagas, tais como "Eu estava sendo perseguido" ou "Algo estava me estrangulando". Lembranças mais específicas permanecem fugidias. Terrores noturnos ocorrem durante o terceiro ou o quarto estágio do ciclo do sono, normalmente entre as primeiras duas horas depois que se dorme. Esse é na verdade o estágio não-REM do ciclo, caracterizado pela existência de pouca ou nenhuma atividade de sonho. Pesadelos, no entanto, ocorrem de forma exclusiva durante o sono REM, e é isso, junto com a capacidade da pessoa que sofre de pesadelos se lembrar de seu sonho, que os diferencia dos terrores noturnos.

A causa exata dos terrores noturnos permanece desconhecida. Embora ocorram com mais freqüência em crianças pequenas, podem continuar até durante a maioridade. Foi sugerido que pessoas que sofrem desse fenômeno têm algumas características únicas e unificadoras, tais como muito estresse ou excitação, falta de sono ou abuso de drogas ou álcool durante a ocorrência do problema, mas isso não foi provado de maneira conclusiva. Estudos das respostas biológicas de crianças e adultos que sofrem de terrores noturnos indicam que uma reação nervosa corpórea, na qual a freqüência da respiração e dos batimentos cardíacos pode dobrar em poucos segundos, ocorre pouco antes de a pessoa acordar. O sonhador com freqüência enfrenta um senso prolongado de desorientação por dez a vinte minutos ao despertar.

Terrores noturnos parecem ter alguma base biológica. Em 1889, o *British Medical Journal* publicou os resultados de um estudo de trinta pessoas que sofriam desse mal. Dezessete delas experimentaram início precoce de doença do coração. Isso parece indicar algum tipo de correlação entre os fatores que levam a elas e aqueles que predispõem as pessoas aos terrores noturnos. Na década de 1960, um grupo de 23 crianças, todas vítimas do fenômeno, tiveram suas adenóides removidas. Os terrores pararam imediatamente para 22 delas. Estudos sobre adultos que sofrem desse "distúrbio de excitação" não parecem compartilhar nenhum traço de personalidade predominante, mas aqueles intimamente envolvidos na vida pessoal de alguns dos atingidos por essa condição com freqüência os descrevem como sendo indivíduos "rígidos" ou com personalidade do "tipo A".

Aqui está a posição de Aristóteles sobre os terrores noturnos, retirada de *Dos Sonhos*:

> E realmente algumas crianças bem pequenas, se é escuro, embora olhando com olhos bem abertos, vêem multidões de figuras fantasmas se movendo em frente a elas, de forma que, com freqüência, cobrem suas cabeças, aterrorizadas.

Terrorismo

No dia 11 de setembro de 2001 o terrorismo invadiu a consciência coletiva norte-americana de maneira horripilante e imediata. Os que sobreviveram aos ataques ou neles perderam entes próximos sofreram o pior tipo de trauma. Mas mesmo aqueles que não testemunharam o atentado ao vivo ficaram traumatizados, uma vez que nossas vidas mudaram de repente e de modo irrevogável depois de ver cenas tão horríveis pelo noticiário. Muitas pessoas sofreram e continuam a sofrer de pesadelos recorrentes sobre os acontecimentos daquele dia. Sonhos com terrorismo expressam sensações reais de vulnerabilidade, as quais, ao lado da raiva e do medo, criam o contexto emocional dominante propício para qualquer pesadelo.

Tertuliano

Ex-advogado e padre do século III, Tertuliano foi o primeiro filósofo e teólogo cristão a escrever em latim, em vez de grego. Oito capítulos do seu *Tratado sobre a Alma* são dedicados ao sono e aos sonhos. As impressões de Tertuliano sobre estes foram legadas ao cristianismo ocidental e ainda influenciam nossa maneira de pensar.

Tertuliano acreditava na dicotomia espírito/corpo postulada pelos gregos. Ele achava que a atividade constante e persistente da mente durante os sonhos, os quais ocorrem quando o corpo está imóvel, provava que a alma era uma entidade independente do corpo e, portanto, imortal. Por isso, ele descartava a hipótese de que a condição física do corpo, estivesse ela influenciada pela dieta ou por outro fator qualquer, pudesse afetar os sonhos. Curiosamente, ele via com ressalvas a idéia de que a alma pudesse abandonar o corpo e viajar livremente durante o sono.

Tertuliano classificava os sonhos de acordo com sua origem, divina ou não. Ele afirmava que Deus era responsável por muitos deles, mas achava que os demônios também os provocavam. Defendia que os sonhadores não podiam ser culpados pelos pecados cometidos durante sonhos influenciados por demônios, já que tais "atos" não eram reais, mas imaginários. Ele admitia influências do clima e até da astrologia sobre os sonhos e observou que a natureza peculiar do estágio dos sonhos também os afetava.

Tibete

No Tibete, acredita-se que várias divindades e demônios são responsáveis pelos sonhos e pelos pesadelos. Os diversos *tantras* budistas — textos sobre rituais, meditações e práticas sexuais — confirmam que os presságios de bom agouro que se realizam indicam a presença de divindades tutelares (guardiões) na vida do sonhador, assim como sucesso no processo meditativo. Da mesma forma, sonhos de mau agouro e pesadelos indicam que as divindades e o sucesso futuro são improváveis. Todavia, tibetanos iniciados às vezes experimentam sonhos semelhantes àqueles de iniciação xamânica, em que são desmembrados e renascem, mas não os consideram ruins ou negativos.

Segundo a tradição dos Upanixades, os *tantras* budistas ensinam que há quatro estados de consciência distintos, gerados pela energia que atravessa o eixo central do corpo humano. São eles a vigília, os sonhos, o sono profundo e "o estado além dos três primeiros". Os *tantras* freqüentemente descrevem a produção de estados oníricos artificiais, processos conhecidos como "purificação ou exteriorização dos sonhos". Seu objetivo é misturar os três primeiros estados (dos sonhos, do sono profundo e da vigília) e assim alcançar o quarto, o mais desejado.

O terceiro dos seis tipos de ioga introduzidos no Tibete durante o século XI, algo similar à prática dos sonhos lúcidos, é discutido em grande parte dos textos budistas. Lamas tibetanos não consideram os sonhos lúcidos como formas de meditação em si mesmos; em vez disso, acreditam que eles constituem apenas um meio de acessar o estado onírico, em que, aí sim, é possível aprender a doutrina da ilusão ou praticar a meditação, cujo objetivo máximo, durante o estado onírico ou não, é alcançar o *ninna*, a transcendência da consciência individual e a libertação final da reencarnação.

Tikopia

Os tikopia são um povo que vive na ilha polinésia do mesmo nome, localizada no extremo sudeste das ilhas Salomão. Eles atribuem aos sonhos significados e influências sobrenaturais.

Acreditam que a interpretação precisa dos sonhos ilumina os eventos da vida desperta cotidiana. Para os tikopia, compartilhar sonhos com outras pessoas é muito comum, e eles o fazem de maneira casual durante o dia. Mas nem todos os sonhos são considerados importantes, de modo que muitos sequer são dignos de menção.

A explicação que os tikopia dão aos sonhos envolve teorias mais gerais sobre a mobilidade da alma (similares às do corpo astral). Crêem que cada pessoa possui um espírito intangível dentro de seu corpo, o qual é capaz de vagar desencarnado durante o sono e transmitir suas experiências a seu "dono" quando regressa. Os tikopia explicam sonhos de visitas a lugares distantes por meio dessa teoria da mobilidade da alma. O espírito pode também vagar pelo firmamento e interagir com as almas dos mortos.

De acordo com os tikopia, os sonhos são considerados a prova da existência do domínio espiritual, e eles obtêm grande parte da informação que possuem sobre seres sobrenaturais por meio dos sonhos em que aparecem essas entidades. Muitas experiências oníricas são consideradas intrusões de seres puramente sobrenaturais que imitam formas familiares a fim de ludibriar o sonhador. Esse tipo de espírito é associado a pesadelos de opressão física. Pesadelos violentos que produzem estados emocionais desagradáveis também são muito comuns entre os tikopia.

Em geral, sonhos com pesca, partos, enfermidades e morte são considerados os mais importantes, já que esses são os aspectos da vida humana ao alcance do acaso, e as garantias fornecidas pelos sonhos proféticos são usualmente bem-vindas. O significado e o valor das imagens são estabelecidos levando-se em conta o contexto imediato da vida do sonhador e de sua família. Os sonhos são geralmente compartilhados e discutidos no âmbito familiar para que seu significado e relevância possam ser determinados.

Tiro

Armas de fogo são símbolos de agressão e poder, em geral poder masculino (Freud acreditava que eram símbolos fálicos). Quando balas começam a ser disparadas, de duas, uma: ou a pessoa contra-ataca, ou foge. Nos pesadelos, a ferroada incandescente de uma bala pode indicar a presença de agressores na vida do sonhador ou sinalizar sensações mais genéricas de ansiedade ou medo. Quando alguém sonha que tomou um tiro, mas é capaz de continuar a fugir e/ou combater, isso demonstra determinação para superar adversários e/ou hostilidade, mas não sem pagar um preço alto, profissional ou pessoalmente. Veteranos de guerra que presenciaram combates reais na vida acordada freqüentemente têm pesadelos traumáticos em que são mortos a tiros ou atacados.

(Ver também **Arma de fogo**)

Tornado

Há tempos o vento e a água são símbolos arquetípicos do espírito ("que sopra onde quer; e ouve-se o barulho que ele faz, mas não se sabe de onde ele vem, nem para onde vai") e da emoção (cujas "correntes profundas" são invisíveis à superfície). Em certas narrativas e mitos religiosos, a voz de Deus freqüentemente "fala de dentro de redemoinhos de vento". Nações subdesenvolvidas e culturas tradicionais (incluindo nossos próprios ancestrais, desde a Idade da Pedra em diante) sempre viram os tornados como "o dedo de Deus", o qual aponta com precisão e poder extraordinário para os mistérios psicoespirituais da culpa e da justiça divina. Assim como a "mão de Deus", um ciclone de verdade é imprevisível, poderoso e destrutivo. Pode deixar a vida de uma pessoa relativamente intocada ao mesmo tempo em que arrasa a do seu vizinho.

Toda vez que sonhamos com tornados, essas camadas antigas e coletivas de associações simbólicas se revelam de maneiras renovadas. Embora só o próprio sonhador possa dizer com certeza o que tais imagens significam, ciclones oníricos podem ser metáforas das transformações pessoais e coletivas que pressentimos. Enquanto sonhadores, nosso inconsciente pode lançar mão dessas imagens como representações da nossa relação com as mais profundas e não respondidas questões psicoespirituais da vida. Os "tornados oníricos" são geralmente arautos de mudanças drásticas, no âmbito da psique e também do mundo real.

Aqueles que já testemunharam uma nuvem afunilada baixar dos céus e estraçalhar tudo por onde passa conhecem o poder mortal dessas tempestades. Pessoas que passam por muito estresse tendem a ter sonhos com desastres naturais como enchentes, terremotos e ciclones. Como em todos os pesadelos, as imagens do tornado podem indicar que o sonhador se sente proporcionalmente desamparado, impotente, vulnerável e amedrontado em sua vida acordada.

(Ver também ***Mágico de Oz, O***)

Trabalho do sonho

De acordo com Freud, esse é o processo de censura pelo qual a mente do sonhador disfarça o conteúdo do sonho de forma que o sono não seja atrapalhado por imagens perturbadoras. A principal teoria de sonhos de Freud os afirmava como simples realização de desejos, oferecendo a nós a condição de nos deleitar com pensamentos, emoções ou aspirações de alguma forma inaceitáveis ou indesejáveis. O trabalho de sonho seria a maneira pela qual esses impulsos inaceitáveis (que Freud chamava de *conteúdo latente* de um sonho) são codificados e disfarçados (no *conteúdo manifesto*). Esse processo de censura envolve os de transferência, condensação, simbolização, projeção e elaboração secundária.

É claro, essa teoria deixou de levar em conta os pesadelos, já que, como todo mundo sabe, estes são por definição perturbadores e incômodos.

Trabalho/carreira

Para algumas pessoas, uma ocupação das 9 às 18 horas é um pesadelo em vida. Durante o trabalho, fazem-nos exigências irracionais com relação a nosso tempo e talento; oprimem-nos com prazos e tarefas, sendo o reconhecimento e as recompensas poucos e ocasionais. Para a maioria dos indivíduos, pesadelos relacionados com o trabalho podem refletir ansiedade de desempenho comum. O sonhador pode ter um trabalho extremamente estressante, como, por exemplo, um controlador de tráfego aéreo, e o estresse e a ansiedade invadem seu sono na forma de terríveis pesadelos. De qualquer forma, a carreira e as funções de trabalho do sonhador estão pesando bastante em seu consciente e subconsciente. Quando pesadelos relacionados com trabalho se tornam freqüentes demais, isso pode ser um sinal de desgaste.

Trancado do lado de fora, estar

Para a maioria das pessoas, os sentimentos de pertencimento e inclusão são sinônimos de bem-estar e contentamento. Assim como se sentir abandonado ou perdido, ser trancado fora da casa ou do carro de alguém pode ser um sinal de desarmonia (proposital ou não) entre familiares ou amigos íntimos. Ser trancado fora de um escritório, da escola ou de outro prédio qualquer pode significar que você se sente um estranho em seu ambiente profissional ou escolar.

Transmogrificação

A transmogrificação é o processo por meio do qual uma coisa se transforma em outra. No domínio bizarro e irracional dos pesadelos, esse tipo de fenômeno é muito comum. Tortas de maçã podem se transformar em serpentes enroladas, ou árvores podem começar a andar e se metamorfosear em monstros. Esse conceito é um aspecto importante da interpretação dos simbolismos dos sonhos. Para decifrar o significado do sonho, é importante atentar para o objeto original e em quê ele se transformou.

Tremor

Movimentos turbulentos ou tremores no sonho podem indicar confusão interna e transtorno que precisam ser resolvidos na vida do sonhador. Ele pode estar acumulando ansiedade e precisando mudar algumas situações a fim de aliviá-la. Tais movimentos num sonho talvez também sejam parte da "síndrome da cama balançando", na qual o sonhador se convence de que sua cama está balançando ou chacoalhando.

(Ver também **Terremoto**)

Tubarões

Tubarões são os caçadores dos oceanos — as máquinas assassinas que todos tememos quando nadamos no mar. Pesadelos sobre tubarões podem indicar pavores reais em relação ao animal ou representar medos do inconsciente, ou da "sombra".

Em 1975, Steven Spielberg dirigiu *Tubarão* (*Jaws*), a versão de cinema da história clássica de terror de Peter Benchley. O filme explora o medo primordial que os seres humanos têm de ser atacados e comidos vivos. Mas o monstro de Spielberg é real, já que tubarões realmente atacam e devoram pessoas de vez em quando (embora um indivíduo tenha mais chance de ganhar na loteria do que de ser comido por um tubarão). A história conta as incursões assassinas de um grande tubarão branco que tinha a intenção irracional e cruel de se alimentar apenas de humanos. Não há explicação para o fato de o tubarão atacar, apenas se sabe que seu ataque é inexorável e que ele é aparentemente inteligente e sagaz. *Tubarão* foi um filme de terror tão eficiente que muitas pessoas, décadas depois de o terem visto, ainda não gostam de se aventurar além das águas mais rasas do oceano.

Tubarão se tornou um ícone dos monstros do cinema e o grande tubarão branco ganhou lugar nos pesadelos tanto de jovens quanto de adultos. Sonhos com ataques de tubarão, como os de outros animais, podem representar medos internalizados em relação ao próprio animal ou indicar um sentimento geral de ansiedade e vulnerabilidade na vida acordada. O sonhador pode sentir-se fora de seu elemento e "nadando com os tubarões", talvez em sua profissão, e achar que está sendo marcado como a próxima "refeição".

Túnel

Como as portas ou os portões, imagens relacionadas com túneis podem representar transição, especialmente o nascimento ou a morte. A "luz no fim do túnel" pode representar alívio em relação a antigas condições. Túneis também podem ter um significado freudiano e simbolizar a vagina.

Um Conto de Natal

Em 1843, Charles Dickens publicou seu lendário conto sobre o pesadelo de Véspera de Natal de um certo Ebenezer Scrooge. Em *Um Conto de Natal,* Scrooge é um velho rico e avarento, cujo coração é tão frio quanto os invernos de Londres. Ele ama apenas seu dinheiro e o usa para se distanciar do sofrimento e da pobreza que o rodeiam. No entanto, uma seqüência de sonhos e pesadelos muda tudo isso.

Scrooge é visitado primeiro pelo fantasma de seu ex-parceiro de negócios Jacob Marley que está vestido como em vida, mas coberto por correntes: "[A corrente] era longa, e girava em torno dele como uma cauda; e era feita (pois Scrooge a observou de perto) de cofres, chaves, cadeados, livros de contabilidade, escrituras e pesadas bolsas trabalhadas de aço", Dickens escreveu. Quando Scrooge pergunta a Marley por que ele precisa usar as correntes, o fantasma responde: "Eu uso a corrente que forjei em vida. Eu a fiz elo por elo, e centímetro por centímetro; eu a preparei por minha própria vontade, e por minha própria vontade eu a uso. O desenho é estranho para você?" Nesse segmento do sonho, os leitores de Dickens não precisam ser intérpretes de sonhos para descobrir o significado das correntes de Marley. É o mesmo destino que aguarda Scrooge, a não ser que ele mude suas atitudes. Entra o Fantasma dos Natais Passados.

O Fantasma dos Natais Passados leva Scrooge numa jornada à sua própria infância, onde ele observa um Ebenezer feliz e jovem. Cada cena é uma véspera de Natal diferente, cada cena era um sinal de tempos mais felizes para Scrooge. Sonhar com memórias da infância significa um anseio pelo retorno da inocência da juventude. No caso de Scrooge, essa parte do sonho está em completo contraste com seu estilo de vida atual.

O Fantasma do Natal Presente convida o Scrooge dos dias de hoje a observar a vida de seu empregado, Bob Cratchit e seu filho doente, o Pequeno Tim. Scrooge fica surpreso em encontrar uma profunda felicidade interior no coração daqueles que têm tão pouco. Durante o jantar de família de Cratchit, Scrooge assiste a Bob Cratchit fazer um drinque em sua homenagem como o "criador do banquete", embora a Sra. Cratchit seja rápida em depreciar o nome de Scrooge. Sonhar com outros na sua vida é ganhar uma perspectiva de si mesmo. De certa forma, o Fantasma do Natal Presente estava segurando um espelho para o Scrooge no sonho, de modo que ele pudesse ver como o mundo o percebe, e talvez esclarecer como ele mesmo se vê.

O Fantasma dos Natais Futuros transforma o sonho de Scrooge de uma experiência carregada de emoção e ligeiramente desconfortável num total pesadelo. Nele, Scrooge assiste às conseqüências de sua própria morte. Os colegas de negócios que riem às suas custas, que concordam que provavelmente ninguém irá ao seu funeral e que resumem a vida de Scrooge como bem-sucedida quando se trata de economizar dinheiro, mas um fracasso em todos os outros aspectos — todos apontam para uma vida gananciosa, inútil, absurda e patética. Para Scrooge, o sonho é real. Essa *é* a sua morte — a morte do homem que ele era. Scrooge finalmente vivencia o verdadeiro autoconhecimento e senso de arrependimento pelos erros que cometeu. O final do sonho o deixa com uma raiva triste com relação a sua vida, e é essa raiva que permanece quando ele acorda na manhã de Natal, incitando-o a agir para consertar as coisas em sua vida.

Esse é um perfeito exemplo de como os sonhos podem ser instrutivos e proveitosos para o sonhador, mesmo quando são desagradáveis ou simplesmente aterrorizantes.

(Ver também **Sonhos existenciais**)

Urina

O fluido corpóreo que todos precisamos expelir quando nosso corpo termina de processar líquidos é um fato da vida. A urina também é uma substância suja com a qual em geral evitamos contato. Nos sonhos, pode representar desconforto ou nojo das funções corpóreas, ou a liberação de energia ou de emoções negativas e tóxicas. Sonhar que se está urinando sobre outros talvez signifique que você está "marcando seu território": alguém ou algo está invadindo seu espaço na vida acordada e deixando-lhe ansioso em relação a isso. Talvez indique também seu escárnio ou desprezo pela pessoa ou pessoas sobre as quais está urinando.

(Ver também **Excremento/fezes**)

Ursos

O urso é uma criatura grande, poderosa e feroz que pode ser muito protetora do seu território e em especial de suas crias; no entanto, em geral só ataca humanos quando provocado ou surpreendido. Um pesadelo que envolva ser perseguido por um urso pode indicar uma necessidade de mudança de direção e de prestar atenção onde pisa, já que forças maiores do que aquilo com que você consegue lidar estão espreitando. Ursos também são um dos animais grandes ou ameaçadores que povoam os pesadelos de crianças bem pequenas (junto com cavalos, gatos, serpentes, leões e dragões, além de monstros míticos).

Valetas

Valetas são os buracos inevitáveis na estrada da vida. Se você cai numa valeta durante um pesadelo, está vivenciando um revés em seu relacionamento pessoal ou de trabalho.

Vampiro

"Existem tais seres como os vampiros, e alguns de nós têm evidências de que eles existem. Mesmo que não tivéssemos prova por nossa própria infeliz experiência, os ensinamentos e registros do passado fornecem prova suficiente para pessoas sãs", afirma o diário do Dr. Seward no *Drácula,* de Bram Stoker. Os vampiros originais do folclore são baseados em pessoas reais. Vítimas de tuberculose eram consideradas mortos-vivos — em especial nos estágios finais da doença. O tuberculoso fica cada vez mais pálido conforme se enfraquece por causa da doença, e pode acordar de manhã e encontrar suas roupas de cama e lençóis manchados com o sangue tossido durante a noite. Conforme a pele dos doentes é destruída e os ossos começam a transparecer, eles com freqüência se assemelham a cadáveres ambulantes. As causas e o funcionamento da doença não eram muito bem compreendidos séculos atrás, e, então, como muitas outras, ela foi misturada a noções supersticiosas e histórias antigas. Pensava-se com freqüência que a tuberculose era transmitida e espalhada por forças do mal. Tradicionalmente, um vampiro é uma pessoa que foi dada como morta, mas que ainda é capaz de se alimentar dos vivos, fazendo com que outros se tornem também cadáveres ambulantes.

Em 1897, Bram Stoker pegou esse cadáver ambulante e tornou-o poderoso, sexual e sedutor. Hollywood abraçou a visão do vampiro de Stoker e produziu o *Drácula* em que a maioria das pessoas pensa quando imagina um vampiro.

Vampiros psíquicos são fenômenos modernos relacionados com o conceito de vampirismo. Trata-se de pessoas que nos fazem sentir completamente drenados e exaustos depois de passar qualquer tempo que seja com elas. Em geral, elas não estão conscientes do que fazem, mas sua maneira de desabafar, espalhar fofocas e confessar todos os seus problemas para nós nos deixa enervados e desencorajados. A maioria de nós experimenta a infelicidade de ter ao menos um vampiro psíquico em nossa vida. Alguns pesquisadores afirmam que as pessoas que se tornam vampiros energéticos foram abusadas ou negligenciadas quando crianças, e esse tipo de "vampirismo de energia" torna-se a única maneira de se sentirem completas e aceitas. Muitos vampiros psíquicos, se não todos, provavelmente não estão cientes do fato de que drenam outros, e muitas vezes se mostram perplexos e deprimidos quando as pessoas os ignoram, ficando inquietos e/ou agindo de maneira estranha ao redor delas constantemente. Isso por sua vez torna a "deficiência" pior, porque o comportamento do vampiro é um ciclo vicioso, e que se automantém. Esse indivíduo deseja intensamente ter contato com outras pessoas e ser tranqüilizado por elas, mas ainda assim ninguém está disposto a suportar a natureza cansativa de ser seu amigo/cônjuge/amante.

Um pesadelo com um vampiro normalmente representa um relacionamento em sua vida que o está drenando. A tensão emocional pode exigir bastante de sua mente e de seu físico, e ser completamente sugado num relacionamento íntimo pode fazer com que seu corpo adoeça. Curiosamente, pessoas que vivem com vampiros psíquicos abusivos com freqüência exibem sinais clássicos de anemia — compleição pálida, falta de ferro, falta de interesse e fadiga —, como se estivessem sendo drenadas de sangue de verdade diariamente. Como os vampiros do folclore e de Stoker, vampiros podem ser criados, mas também podem ser destruídos. A única maneira de detê-los em seu pesadelo é confrontar e talvez encerrar o relacionamento que está roubando sua vitalidade.

Vazamentos

Vazamentos podem ser irrelevantes, como uma goteira ocasional no teto, ou devastadores, como o pequeno vazamento que acaba por arrasar uma barragem. Nos pesadelos, eles sempre começam como questões de menor importância, mas têm conseqüências medonhas se desprezados. Representam as pequenas coisas da vida que podem rapidamente fugir de controle e se tornar imensas e destrutivas. A mensagem desse pesadelo é um aviso para que você pare de enrolar e lide com os pequenos problemas agora, antes que evoluam para algo irremediável.

Vazio

O modo de se sentir e o cenário são fatores determinantes dos sonhos. Para uma pessoa, a sensação de estar num imenso descampado é de paz e liberdade desenfreada. Já para outro, habitante da cidade, esse mesmo cenário pode criar um sentimento de isolamento. Como sempre, a emoção dominante subjacente às imagens contidas nos sonhos é da maior relevância para sua interpretação. Estar em um prédio ou em uma casa vazios sentindo-se apreensivo ou sozinho pode indicar sensação de abandono ou perda. O edifício vazio pode também potencialmente representar que você ainda precisa descobrir um sentido para a vida.

Vedas

Os *Vedas* (também chamados de Vedam) pertencem ao *Shniti* hindu, ou cânone das escrituras hindus. Essas escrituras religiosas formam parte do cerne das tradições bramânicas e védicas dentro do hinduísmo, e são a fundação inspiracional, metafísica e mitológica para as formas posteriores do hinduísmo:

Vedanta, Ioga, Tantra e até Bhakti. No sânscrito, *veda* significa "conhecimento" ou "verdade". Em ordem cronológica, os quatro *Vedas* são o *Rig Veda*, *Yajur Veda*, *Sama Veda* e *Atharva Veda*.

Entre os quatro *Vedas* originais, o *Atharva Veda* é o que contém mais material sobre sonhos. Sonhos proféticos e seus respectivos significados são discutidos; por exemplo, andar num elefante em sonho é considerado auspicioso, enquanto num burro não o é. Certos ritos e rituais de purificação podem rebater os efeitos de sonhos não-auspiciosos. Além disso, o *Atharva Veda* afirma que a realização de um sonho de presságio irá se concretizar de acordo com o momento do sono em que ele ocorreu: se acontecer no começo da noite, o presságio irá ser cumprido mais tarde; já se for mais tarde, irá provavelmente se realizar mais cedo.

Venda

Uma venda (nos olhos) é uma imagem popular quando se imagina um esquadrão de fuzilamento. Imagens de vendas num pesadelo podem representar um quadro de execução, ou talvez possam ser um sinal de que você se sente "sob a mira" de algo. A imagem também simboliza a perda temporária de visão, o que significa que você pode não estar adotando uma abordagem clara em relação a uma questão importante.

Veneno

O veneno é uma substância potencialmente letal que penetra o corpo de modo furtivo. Quando nele se instala, há reação, às vezes violenta, no sentido de expulsá-lo. O veneno nos sonhos pode representar tentativas de se livrar de determinados sentimentos íntimos. Rejeições violentas em relacionamentos ou outras circunstâncias podem ser a causa do sofrimento do sonhador.

Vento

Um vento forte e incontrolável num sonho indica algum tipo de confusão nas emoções do sonhador. Como na maioria dos pesadelos, o contexto emocional significativo nesses sonhos é com freqüência de abjeto desamparo — o vento indica que o sonhador está impotente em eventos que estão além de seu controle. Muitas pessoas que sofreram vários tipos de trauma (por exemplo, estupro ou acidente terrível) costumam sonhar com situações ameaçadoras, como ser pego num vento, tempestade, onda gigante ou tornado. Nesse caso, o vento se torna então o símbolo ou a metáfora que o sonhador escolheu para representar o evento ou os eventos precipitantes.

(Ver também **Tornado** e **Ondas gigantes**)

Viagem no tempo

As teorias de Albert Einstein mostraram que o espaço é curvo e que o tempo é relativo, o que significa que, pelo menos teoricamente, viajar no tempo é possível. Essa idéia apresenta muitos paradoxos e enigmas (como a possibilidade de uma pessoa existir caso voltasse no tempo e assassinasse seus pais), e os maiores autores de ficção científica exploraram a questão em profundidade. Visões oníricas sobre estar no passado distante ou no futuro podem indicar que o sonhador se sente estranho, isolado e "fora de compasso". A mensagem contida nesse sonho diz que é preciso voltar a interagir com as pessoas à volta e restabelecer seu lugar no mundo.

Violência

Embora se saiba que a violência ocorre nos sonhos tanto de homens quanto de mulheres, ela é mais comum em homens entre as idades de 12 e 35 anos. A maioria das teorias afirma que cometer um ato violento em sonho, mesmo que o sonhador não seja normalmente uma pessoa violenta, com freqüência sugere que ele está lidando com questões não resolvidas de culpa, raiva e frustração. Essas emoções negativas nem sempre resultam em sonhos violentos, e, portanto, é preciso assumir a possibilidade de que outros fatores tenham contribuído para sua ocorrência.

Quando relatam um sonho violento, muitos pacientes usam frases descritivas, tais como "igual ao filme a que eu estava assistindo", o que parece apoiar a idéia de que a mídia representa um papel importante nas imagens de nossos sonhos. Filmes e programas de televisão costumam enfatizar conflitos e trivializar virtudes como compaixão, empatia, co-criação e amor. Os meios típicos de resolução de problemas retratados pela mídia são os da força e da violência, e essa idéia pode encontrar seu caminho até nosso inconsciente e, dessa forma, até nossos sonhos.

Em última análise, a história pessoal de um indivíduo é necessariamente uma parte fundamental da interpretação de todos os sonhos, incluindo os violentos. Normalmente as sementes da violência e dos pensamentos desse tipo já existem antes que os sonhos violentos ocorram. Tipo de personalidade, circunstâncias socioeconômicas e o modelo transmitido pelos pais afetam cada indivíduo de maneira diferente e devem ser levados em conta quando tentamos analisar o significado de sonhos violentos.

Vivenciar cenas horripilantes de violência e destruição num pesadelo traumático pode ser apenas a reencenação de um trauma ou traumas iniciais. Tais cenas em pesadelos "comuns" podem indicar sentimentos de medo e uma perda percebida de poder e controle na vida acordada. Uma reviravolta pode ter ocorrido no trabalho ou em circunstâncias pessoais do sonhador, e os sentimentos de temor e impotência resultantes se traduzem de imediato em cenas de agressão e brutalidade.

(Ver também **Raiva e agressão**)

Visão remota

A visão remota (VR) envolve usar uma capacidade psíquica para reunir informações visuais sobre um "alvo", que é normalmente um lugar ou ponto específico no tempo. Por exemplo, uma pessoa com visão remota pode ser capaz de examinar o quintal de uma casa situada a milhares de quilômetros de distância e identificar as atividades que estão acontecendo nele. Há várias organizações que oferecem treinamento nesse campo. O governo dos Estados Unidos conduziu experimentos de espionagem usando pessoas com visão remota por toda a segunda metade do século XX (ver também **Stargate**). Organizações de visão remota afirmam que essa habilidade não acontece num estado alterado. Realmente, as pessoas parecem estar completamente acordadas e lúcidas durante a prática. Isso contrasta com a projeção astral, fenômeno que supostamente oferece uma experiência inconsciente e fora do corpo.

(Ver **Projeção astral**)

Vítima

Ser uma vítima num sonho, ou ver outra pessoa sendo vitimizada, ilustra as características únicas e unificadoras dos pesadelos — isto é, uma sensação de impotência, vulnerabilidade e medo. Dependendo da história pessoal, sonhos sobre vitimização, especialmente pesadelos traumáticos, podem ecoar experiências relativas a um trauma nas quais o sonhador é vitimizado ou tornado impotente.

Voar

Há alguns temas relacionados com os sonhos que são tão universais que merecem um tratamento exclusivo e devem ser investigados separadamente em seus próprios livros. Esses temas incluem situações tão comuns como cair, voar, estar nu ou sentir-se despreparado para um determinado exame. Sonhos assim são compartilhados por todas as pessoas e surgem de experiências e ansiedades inerentes à condição humana.

Voar é um desses temas comuns, mas, apesar de tão recorrente, é muito difícil identificar a origem dessa experiência. É evidente que outros sonhos usuais estão enraizados em determinadas vivências universais (sonhos de queda livre, por exemplo, parecem estar relacionados com nossos primeiros passos quando crianças). Porém, de qual experiência universal surgem os sonhos em que voamos? Alguns autores ocultistas e metafísicos defendem que, durante o sono, nos projetamos (isto é, o nosso ser espiritual ou corpo astral) para fora do corpo carnal e viajamos pelo espaço livres de limitações físicas como a gravidade. Essas experiências de abandono do próprio corpo são lembradas como sonhos de vôo livre.

Seja qual for a origem dos sonhos relacionados com o vôo, eles provavelmente representam tanto as nossas esperanças quanto os medos. Sonhos de vôo livre podem refletir sentimento de estar "voando alto" (como Ícaro) ou de ter "passado por cima" de algo. Voar também representa liberdade e júbilo. Freud associava o vôo ao desejo sexual, enquanto o psicólogo Alfred Adler, fundador da escola da "psicologia individual", o associava à vontade de dominar os outros. Carl Jung enxergava o vôo como uma manifestação do desejo de se libertar de restrições. Pesquisas contemporâneas tendem a endossar a perspectiva de Jung. Sonhos de vôo livre assustadores podem indicar que você acaba de superar algo ou alguém, mas que essa experiência, ao mesmo tempo libertadora, pode também causar um pouco de ansiedade.

Vodu

O vodu é um sistema de crenças do Caribe que tem sua origem na combinação da religião tradicional africana e do catolicismo. O termo é geralmente aplicado aos ramos de uma tradição religiosa teísta-animista do oeste da África, baseada em ancestrais. Suas raízes primárias estão entre os povos Fon-Ewé do oeste da África, no país hoje conhecido como Benin, onde o *vodun* é a religião nacional de mais de 7 milhões de pessoas. *Vodun* é a palavra Fon-Ewé para "espírito", "divindade tutelar" ou "demônio".

Originalmente uma religião de escravos, o vodu é especialmente associado com a ilha do Haiti, embora formas de expressão espiritual identificáveis dessa crença sejam também encontradas na Jamaica, Brasil, República Dominicana, Cuba, Porto Rico, e mesmo em certas regiões dos Estados Unidos. Em parte por causa dos retratos sensacionalistas na mídia, o vodu passou a ter conotações negativas.

O vodu abarca um panteão complexo e extenso, cujos integrantes são referidos como *loas*. Reconhece um criador supremo conhecido como Bondye (do francês "Bon Dieu"), embora ele seja remoto demais para ser cultuado. O vodu se concentra, em vez disso, nas divindades ou espíritos (Iwa) e ancestrais, que servem os *loas* em troca de favores. Os espíritos não são vistos como bons ou maus, mas, em vez disso, como exigentes ou menos exigentes. Cada pessoa tem um tipo de patrono ou espírito "chefe", que pode ser revelado numa cerimônia, numa leitura ou em sonhos.

Como na maioria das culturas tradicionais, partidários do vodu acreditam que a alma literalmente deixa o corpo durante o sono e vivencia um mundo diferente nos sonhos. Eles acreditam que a alma humana é composta de dois opostos: o *gros bon ange*, ou "grande bom anjo", e *ti bon ange*, o "pequeno bom anjo". O *ti bon ange* é a alma ou a essência individual da pessoa, e é essa "pequena alma" que viaja fora do corpo durante os sonhos, bem como durante a possessão por um espírito. Essa viagem é vista como potencialmente perigosa, porque o *ti bon ange* está longe do corpo e se encontra vulnerável em especial ao ataque por forças hostis — ataques que são então vivenciados como pesadelos.

Vômito

O ato de vomitar ou a presença de vômito num sonho com freqüência indica necessidade da pessoa de descartar ou rejeitar algo em sua vida. Há uma teoria segundo a qual o enjôo matinal é uma maneira de a mulher rejeitar a idéia de estar grávida — seu corpo expressa o que sua consciência não pode admitir. Se está vomitando num sonho, você pode sentir que está sendo forçado a algo numa situação na qual não está completamente confortável, ou pode ter problemas relacionados com a comida ou com um distúrbio alimentar. De maneira alternativa, os sentimentos de náusea e enjôo num sonho com freqüência significam que o sonhador está, de fato, enjoado, e, de modo geral, pressagia um incidente real de problemas do estômago.

(Ver também **Náusea**)

Vulcão

Um sonho aterrorizante sobre um vulcão em erupção representa um problema emocional inflamado que está se fortalecendo em sua psique, e a imagem explosiva é um aviso para liberar a pressão antes que ela exploda.

Billy, você quer brincar?

Mark N. é um motorista de caminhão de 35 anos do condado de Lancaster, Pensilvânia. É casado e tem dois filhos: Billy, de 14 anos, e Robert, de 11. Mark teve um pesadelo envolvendo seus filhos recentemente que o deixou abalado por várias semanas.

O Pesadelo:

> Minha esposa me acordou depois de me ouvir choramingando "Não... não... não" em meu sono. Fiquei muito perturbado depois que acordei por causa do que vi no sonho. O que lembro é o seguinte: Robert, nosso filho de 11 anos, veio até nosso quarto e acertou minha esposa na cabeça com uma Maglite [uma lanterna grande e pesada], enquanto ela estava deitada na cama. Ele então saiu de nosso quarto e atravessou o corredor até o quarto de seu irmão Billy. Eu desci as escadas para procurar algo — embora não lembre o quê — e na cozinha, onde os armários deveriam

> estar, havia uma parede branca. Escrito na parede em sangue ou chocolate (ou algo pior), numa caligrafia bem infantil, estava: "Billy, você quer brincar?"
>
> Eu não conseguia me mexer e não parava de gritar "Não!" repetidas vezes enquanto lia aquilo na parede da cozinha. Eu queria voltar para o andar de cima, mas não conseguia sair do lugar onde estava. Foi então que minha esposa me acordou.

Mark disse que assumiu que a caligrafia na parede era a de Robert. Ele também mencionou que não conseguia acordar a si mesmo do pesadelo. De acordo com Mark, Billy e Robert encontram-se numa fase interessante de seu crescimento. Billy está no ponto em que não quer andar mais com o irmão mais novo porque não é muito "legal", algo que desagrada Robert. Mark cresceu como o irmão do meio, entre o mais velho e uma mais nova.

A Análise:

> A violência num sonho indica perda de controle e poder. Considerando que Mark e sua esposa já tinham um adolescente e estavam próximos de ter dois, a violência voltada para a mãe indica um distanciamento por parte do filho em relação a seus pais. Seu garotinho está crescendo e não precisa deles como costumava precisar.
>
> A caligrafia na parede no sonho é provavelmente um tanto específica em relação à outra questão de os dois garotos não brincarem mais como faziam no passado porque estão em fases de maturidade ligeiramente diferentes. O medo expressado nesse sonho pode indicar um receio quanto à mudança que ocorre dentro da família. Embora seja uma progressão natural do crescimento dos filhos e de eles precisarem menos dos pais, a mudança em si pode ser um momento assustador para estes.

Where the Wild Things Are

Em 1964, o autor e artista Maurice Sendak criou um clássico da literatura infantil com seu livro ilustrado *Where the Wild Things Are* (*Onde as Coisas Selvagens Estão*). A história é sobre Max, um jovem garoto numa fantasia de lobo cujo quarto se torna uma selva quando ele deveria se preparar para dormir. Monstros (ou "Coisas Selvagens") de todo tipo aparecem tentando assustar Max, mas o garoto se apropria das imagens de pesadelo usando a fantasia de lobo, e dessa forma se tornando o rei das coisas selvagens. A história diz às crianças que elas podem dominar seus próprios monstros e perceber que a cama quentinha não é um lugar tão ruim.

Xamanismo

A palavra xamã vem do termo tungúsico *saman*, que significa conhecedor ou especialista religioso. O termo foi originalmente cunhado pelas primeiras gerações de acadêmicos que estudaram as sociedades da Sibéria e da Ásia central e, mais tarde, passou a ser usado para denominar os sacerdotes de outros sistemas religiosos similares encontrados em outras partes do mundo. Dependendo de como as evidências arqueológicas disponíveis são interpretadas, o xamanismo provavelmente data de milhares de anos.

O xamanismo foi às vezes descrito como a "técnica do êxtase", em alusão à habilidade do xamã de adentrar estados alterados de consciência, inclusive estados oníricos, conforme sua vontade. Ainda que os termos xamã e xamanismo sejam usados vaga e metaforicamente, nas disciplinas de antropologia e religião comparada, xamanismo se refere a uma série de idéias e práticas muito específicas que podem ser encontradas em várias culturas pelo mundo. O xamã cura os enfermos, guia as almas dos mortos até a morada dos espíritos e medeia as relações entre a comunidade e o mundo espiritual — em particular, os espíritos dos animais e das forças da natureza.

Em pequenas sociedades agrárias e de caça e coleta, os xamãs desempenham funções análogas às dos médicos, sacerdotes e terapeutas da sociedade ocidental contemporânea.

Os especialistas religiosos ou "curandeiros" de sociedades indígenas norte-americanas tradicionais são exemplos de xamãs. Os verdadeiros são encontrados com mais facilidade em comunidades de caçadores do que em sociedades agrárias ou pastorais, ainda que práticas xamânicas também estejam presentes em culturas de não-caçadores. Em sentido estrito, o xamanismo não existe na África, embora nas sociedades tradicionais africanas haja autoridades religiosas que ocupam posições semelhantes.

As pessoas podem se tornar xamãs ao herdar a função ou por meio do chamado de forças espirituais. A seleção sobrenatural geralmente envolve enfermidades graves que por pouco não matam o doente, o que também representa sua "morte" em relação à vida anterior. O tema da morte é enfatizado em certas tradições, nas quais a pessoa escolhida experimenta pesadelos em que é morta ou desmembrada e então renasce ou é regenerada. Às vezes, o xamã principiante aprende a adentrar estados alterados durante os sonhos, nos quais encontra o espírito tutelar a ele designado quando atinge o *status* oficial de xamã. Depois de recuperado de sua doença, o xamã principiante completa o treinamento, em geral sob a orientação dos mais experientes.

Essa habilidade de adentrar estados alterados é tão importante para o ofício do xamanismo que estudiosos a identificaram como a sua característica *definidora*. Esses estados alterados podem ser invocados por meio de uma série de técnicas, desde batucar e cantar, até jejuar e se submeter a banhos de suor. Às vezes, os xamãs também usam drogas alucinógenas. Uma vez em estado alterado, eles podem ver e sentir domínios que são normalmente invisíveis, assim como servir de médiuns, sacerdotes ou mediadores entre a comunidade e os seres que habitam esses domínios.

Xamanismo esquimó

Os sonhos são uma parte importante da tradição xamânica esquimó e são intimamente ligados à "vocação" (sonhos de desmembramento, morte e renascimento são considerados "chamados" para que o sonhador se torne um xamã). Em algumas instâncias, o sonhador recebe o chamado por meio do espírito de um animal, que se apossa dele e permanece em seu corpo mesmo depois de acordado. Depois de vagar nu por um local ermo, e lutando contra o espírito para recuperar o controle sobre seu próprio corpo, o sonhador consegue subjugá-lo — um ritual marcado pela feitura de um tambor — e retorna à comunidade para iniciar seu aprendizado como xamã.

Em 1976, Joseph Bloom e Richard Gelardin realizaram um estudo a respeito dos sonhos do povo esquimó nos quais apareciam fantasmas ou espíritos. Eles notaram que figuras como essas surgiam mais freqüentemente quando o sonhador estava começando a adormecer ou acordando, mas não tinham conhecimento da vasta ocorrência de alucinações durante os estados de sono profundo e de paralisia do sono (ver também **Alucinações hipnagógicas** e **Alucinações hipnopômpicas**). Eles reconheceram as experiências dos esquimós como pesadelos, mas associaram sua paralisia do sono a condições amorfas como "histeria ártica".

Yansis

Os yansis pertencem à cultura bantu central, que atravessa o território centro-africano, habitando as áreas que rodeiam a região baixa dos rios Kwilu e Inzia na província Bandundu da República do Zaire. A sociedade yansi é caracterizada por um rígido e estratificado sistema de parentesco, casamento e especialmente sacerdócio, que detém um louvado poder espiritual chamado *lebui*. Há uma preocupação especial entre eles com relação às fronteiras e o relacionamento entre os vivos e os mortos, bem como com idosos, curandeiros, vizinhos e parentes.

Os sonhos representam um papel fundamental na vida dos yansis, e são tratados com mesma seriedade e peso que as experiências acordadas. Eles são considerados um fenômeno extraordinário e evocam tudo, de admiração até medo. São freqüentemente buscados como uma forma de se obter comentários sobrenaturais sobre eventos atuais. Por exemplo, são examinados com cuidado quando começa o tratamento para alguém que está doente ou antes de se sair numa caçada a fim de se avaliar as chances de sucesso.

Sonhar é fundamental para o amálgama de "bruxaria, feitiçaria e medicina" dos yansis. Entre os idosos dos clãs yansis e os curandeiros (que são considerados intérpretes de sonhos sábios e sonhadores oraculares precisos), há distinção entre diferentes categorias e qualidades dos sonhos. Os yansis separam os sonhos relembrados, que parecem se concatenar com a realidade, e aqueles que são considerados mera fantasia.

Sonhos que mais tarde se realizam são geralmente tidos como "sonhos verdadeiros". Eles acreditam que o momento em que se acorda é a hora mais precisa para se interpretar um desses sonhos. Os yansis com freqüência temem os criadores de amuletos e remédios, que normalmente são os recipientes desses sonhos, porque eles são muitas vezes arautos de infelicidades e tragédias. No entanto, esses poucos privilegiados também podem encontrar soluções para problemas difíceis e prever boa sorte por meio dos sonhos. Pessoas comuns também vivenciam esses sonhos verdadeiros, nos quais são informadas sobre seu estado de saúde e outros problemas. Em contraste, os sonhos de bebês e pessoas com deficiências mentais, bem como aqueles que podem ser classificados como "fantásticos" ou irreais, são ignorados prontamente.

Na sociedade yansi, os sonhos não são considerados uma fonte de informação sobre o interior do sonhador; parecem, sim, fornecer um contexto de significado para as ações e a relação do indivíduo com os outros. Acima de tudo, são a evidência da interação das forças sobrenaturais com os seres humanos e um importante meio de se adquirir conhecimento sobre elas.

Zezurus

Zezurus são os povos que falam o dialeto shona e vivem na região de Harare, no Zimbábue. Assim como em muitas outras culturas, sua concepção de mundo é uma dicotomia entre o místico, ou sobrenatural, e aquilo que chamaríamos de "racional", ou empírico/verificável. Para a tradição religiosa dos zezurus, *Mwari*, ou Deus, guia e ordena o mundo, que está dividido entre fenômenos *shona* e *não-shona*. Os shona se compõem dos vários clãs que estão ligados aos espíritos dos heróis e que se subdividem em linhagens de acordo com sua ancestralidade. Já os fenômenos não-shona são todos aqueles observáveis do mundo físico, além do conceito místico de espíritos *shave*. Os curandeiros dessa sociedade geralmente afirmam que seus poderes especiais decorrem de sua relação íntima com espíritos desse tipo.

Na sociedade zezuru, acredita-se que, na morte, a alma — ou personalidade — de um homem, torna-se um espírito que vai desempenhar um papel fundamental na vida dos vivos. Crê-se que os *makombwe*, ou heróis, viveram sobre a Terra antes de fundar a sociedade zezuru, e têm poderes especiais para curar, profetizar e fazer chover. Da mesma forma, os *vadzimu*, ou espíritos ancestrais, estão diretamente associados às questões da vida cotidiana de seus descendentes. Os espíritos dos heróis e dos ancestrais são a força unificadora da sociedade zezuru na medida em que proporcionam códigos morais e convenções sociais. Já os espíritos *shave* são responsáveis pelas diferenças entre as pessoas, como talentos individuais e assim por diante.

Não é de surpreender que os zezurus acreditem que os sonhos são um canal entre o mundo dos mortos e o dos vivos, e conectem o passado e o presente de modo muito tangível. Pensa-se que eles também possuem elementos proféticos e, por isso, podem oferecer proteção aos curandeiros e a toda a comunidade por predizer acontecimentos catastróficos. Os espíritos iniciam esse contato e atingem seus propósitos por meio dos sonhos, em particular os dos curandeiros. Por meio desses sonhos, os espíritos podem chamar, informar, guiar, sancionar e até corrigir os curandeiros, e assim exercer poder sobre toda a comunidade, influenciando a ação de seus membros. Os zezurus também crêem que os espíritos de bruxas ou almas penadas podem usar os sonhos com propósitos nefastos: para causar danos, vingar-se ou mesmo amedrontar o sonhador com pesadelos.

Os zezurus adultos às vezes interpretam os sonhos das crianças como se fossem mensagens diretas dos espíritos, embora na maior parte do tempo eles sejam descartados e considerados sem importância. Em algumas ocasiões, esses sonhos provocam ansiedade nos adultos, o que pode fazer com que a criança seja punida. Comumente, as famílias procuram os curandeiros para interpretar os sonhos de suas crianças, os quais são avaliados segundo o contexto de outros eventos ou "sinais" na comunidade. A influência dos espíritos é quase sempre constatada nesses casos.

As crianças parecem ter muita desenvoltura e autonomia para lidar com seus sonhos, cujo significado pode ser importante para toda a coletividade. Elas têm a liberdade de aceitar ou rejeitar a interpretação do curandeiro, de acordo com sua vontade. Some-se a isso o fato de que elas usam os sonhos como um modo de se comunicar com os curandeiros (que freqüentemente são seus avós); na verdade, seus sonhos podem se tornar parte de sua própria iniciação como curandeiros.

Os sonhos não representam papel secundário nessa sociedade. Ao contrário, proporcionam fóruns nos quais conhecimentos privilegiados são compartilhados e, dessa forma, modelam identidades individuais ao mesmo tempo em que estimulam a integração social.

Zulus

Os zulus são o povo Nguni que vive no sul da África desde o século III d.C. Os sonhos desempenham um papel fundamental nessa sociedade. Clã, linhagem e idade estabelecem seus vínculos comunais. Todos os indivíduos pertencem a linhagens particulares, constituídas dos descendentes de ancestrais em comum. Dentro de cada uma, várias subdivisões tênues ligam seus ancestrais a um mesmo avô. Os clãs modelam a sociedade zulu e são constituídos por numerosas linhagens que se associam em função de um fundador comum, cujo nome os identifica.

Os ancestrais também são fundamentais na sociedade zulu. A maioria das habitações — tipicamente cabanas rústicas — possuem pequenas áreas ao fundo dedicadas a eles (que, invisíveis, continuam a viver nas vilas depois de mortos). Acredita-se que visitem os vivos seja por meio dos sonhos, seja assumindo a forma de serpentes, seja como fantasmas. Seu aparecimento é um evento extremamente raro e só ocorre se os rituais funerários apropriados não forem executados de forma adequada.

Os sonhos dos zulus funcionam principalmente como canais de comunicação com os ancestrais. Estes devem ser respeitados e apaziguados para garantir que protejam os membros de sua linhagem. Por meio dos sonhos, os espíritos ancestrais podem expressar aprovação ou reprovação em relação às ações — passadas, presentes e futuras — de seus descendentes. O sistema médico da tribo se baseia nesses sonhos para urdir profecias e diagnósticos, especialmente em casos daquilo que chamaríamos de desordens psicológicas.

Muitos sonhos zulus são considerados proféticos e, portanto, atuam como guias poderosos e *scripts* para comportamentos adequados. Por exemplo, os zulus podem repentinamente passar a tratar amigos como inimigos em resposta a determinados sonhos em que estes queiram prejudicá-los. Assim como muitas teorias ocidentais sobre a interpretação dos sonhos, o significado ou agouro dos mesmos pode estar em consonância ou não com seu conteúdo literal ou "manifesto".

De acordo com o psiquiatra S. G. Lee, os sonhos dos zulus podem ser classificados segundo categorias muito limitadas, já que são poucas as imagens e narrativas que neles figuram como centrais. Desse modo, os sonhos, tanto dos homens quanto das mulheres, parecem ser reprimidos e fortemente influenciados por pressões sociais e sanções. Os sonhos das mulheres são especialmente carentes de "liberdade", no sentido em que estão inscritos em padrões morais rígidos, e correspondem com razoável previsibilidade à sua idade e a seu *status* e papel na comunidade. De acordo com Lee, o simbolismo dos sonhos está raramente associado a eventos importantes da vida privada; em vez disso, ele parece ser definido pelas preocupações de toda a comunidade. É interessante notar que a interpretação que os próprios zulus dão aos símbolos de seus sonhos, apesar de limitada, coincide com o modelo psicanalítico ocidental.

Zumbis

Zumbis são os mortos-vivos (ou cadáveres reanimados) das crenças espirituais caribenhas do vodu. A idéia de zumbi está presente na cultura pop por conta de filmes, livros e até mesmo videogames que os retratam.

Nas culturas que praticam o vodu, os zumbis são supostamente criados por curandeiros por meio de métodos sobrenaturais para que lhes prestem serviços como escravos pessoais. De acordo com a tradição, o curandeiro colhe amostras de sangue e cabelo do falecido e usa esse material para reanimar o corpo. Ervas e outros feitiços também são usados para criar poções que tenham o mesmo efeito.

Historicamente, as epidemias de tuberculose dos séculos XVIII e XIX ajudaram a propagar a noção de que os enfermos eram mortos-vivos ou zumbis, e não sem um bom motivo: durante os estágios mais avançados da doença, o doente fica muito pálido e magro e tosse sangue. Durante o sono, os tuberculosos tendem a tossir mais, conforme a infecção avança sobre os pulmões, e acordam com manchas de sangue na boca e na roupa de cama. Isso, combinado com o fato de que a tuberculose é altamente contagiosa, criou uma espécie de histeria sobrenatural e coletiva. Conforme indivíduos saudáveis contraíam a doença e conforme as pessoas observavam sangue na boca de outros à sua volta, não tardou a surgir o mito de que os enfermos eram "mortos-vivos", que, como zumbis, alimentavam-se dos indivíduos sãos e os transformavam em monstros à sua semelhança.

Na década de 1990 e nos primeiros anos do novo século os filmes sobre zumbis renasceram. *A Noite dos Mortos-vivos* (1990), *28 Dias Depois* (2002), *Zombie, A Maldição dos Mortos-vivos* (1978 e a refilmagem de 2004) e *Todo Mundo Quase Morto* (2004) são apenas alguns dos filmes a ganhar a telona. Neles, os zumbis são retratados como corpos débeis, putrefatos e estúpios, que têm fome de carne humana. Com freqüência, têm também força e constituição física sobrenaturais. De novo, como a lenda dos vampiros, uma mordida ou simplesmente um arranhão dos zumbis pode fazer com que a vítima se junte ao coro de mortos-vivos. Nos filmes, o método mais comum de pôr fim a eles é destruindo sua cabeça.

Devido às imagens tão grotescas dos filmes e do folclore, os zumbis conseguiram ingressar em nossos pesadelos. Pesadelos sobre zumbis podem indicar que as questões ou problemas que têm consumido todas as energias do sonhador estão piorando e ameaçam extinguir sua alegria de viver. Em particular, imagens de zumbis nos sonhos podem ser reflexos de ambientes de trabalho laboriosos e mundanos.

Talvez o sonhador esteja precisando se engajar em atividades criativas fora do trabalho para escapar desse inferno burocrático. Se *você* é um zumbi no sonho, talvez esteja na hora de acabar com a apatia e levar a vida com mais empolgação e fascínio.

Zunis

Os zunis (ou ashiwi) são uma tribo indígena norte-americana que vive no Pueblo dos Zuni, às margens do rio Zuni, um afluente do Pequeno Rio Colorado no Novo México. Continuam a praticar sua religião xamânica até hoje, mantendo as mesmas cerimônias e danças e a mesma mitologia independente há mais de mil anos.

Os zunis sentem repugnância em pronunciar o nome dos seus mortos. Se um membro da tribo é visitado pelos mortos em seus sonhos, a experiência é considerada horripilante e demanda uma "cura" imediata, constituída do cumprimento de certos rituais religiosos. Em alguns casos, isso inclui ser iniciado na organização tribal conhecida como Sociedade Kachina, um grupo de culto aos ancestrais, ou em uma das 13 diferentes sociedades médicas.

Os zunis classificam todos os seres naturais e sobrenaturais em duas categorias. As criaturas "cruas", ou "moles", incluem os animais, os insetos, o tempo, as plantas e os mortos, aqueles que comem alimentos crus ou que foram sacrificados em sua homenagem. Por outro lado, criaturas "cozidas", ou da "luz do dia", garantem sua subsistência com alimentos cozidos e são protegidas pelo Pai Sol. Fazem parte desse grupo somente os seres humanos vivos, que são chamados de *shi'nanne*, ou "carne", e a sua alma ou psique é conhecida como *pinanne*, ou "vento/ar". Os zunis acreditam que a alma ingressa no corpo no nascimento e o abandona na morte, embora permaneça em constante contato com a Terra. Ainda que esteja intrinsecamente ligada ao coração, ela pode abandonar o corpo em determinadas circunstâncias, como durante o transe, a cura, os cantos e especialmente os sonhos. De acordo com os zunis, uma parte do sonhador — em geral a mente, as emoções ou a *pinanne* (o hálito) — vagueia independentemente do corpo durante os sonhos e pode visitar outros lugares ou dimensões. Eles vêem a si mesmos como receptores passivos durante esse processo onírico.

Os zunis classificam seus sonhos como bons ou maus, dependendo das emoções evocadas. Eles compartilham suas experiências oníricas com os membros de sua casa e com os amigos, mas nem todos os sonhos são comunicados imediatamente; alguns, inclusive, levam anos para se tornar públicos. Relatos sobre sonhos antigos incluem tanto os sonhos ruins (pesadelos) quanto os bons, mas relatos sobre os recentes são compostos exclusivamente de pesadelos. Os zunis sempre consideram o aparecimento de pessoas falecidas nos sonhos como pesadelos, e acreditam que eles devem ser imediatamente comunicados para que seu potencial de causar danos seja dissipado. Dessa forma, um pesadelo é contado repetidas vezes para que o sonhador neutralize sua potência e evite que ele se realize.

Bibliografia selecionada

American Psychiatric Association. *Diagnostic and statistical manual of mental disorders*, 4. ed. Washington, D.C.: American Psychiatric Association, 1994.

BLIWISE, D. L. "Historical change in the report of daytime fatigue". *Sleep, n.* 19, p. 462-464, 1996.

BLOOM, Harold, ed. *Modern Critical Views: Sigmund Freud*. Nova York: Chelsea House, 1985.

CAMPBELL, Joseph, ed. *The Portable Jung*, traduzido por R. F. C. Hull. Nova York: Penguin Books, 1971.

CRISP, Tony. *Dream Dictionary: an A to Z Guide to Understanding Your Unconscious Mind*. Nova York: Gramercy Books, 2002.

CUNNINGHAM, Scott. *Dreaming the Divine: Techniques for Sacred Sleep*. St. Paul, Minnesota: Llewellyn, 1999.

FREUD, Sigmund. *The Interpretation of Dreams,* traduzido e editado por James Strachey. Nova York: Avon, 1965.

GUILEY, Rosemary Ellen. *The Encyclopedia of Dreams: Symbols & Interpretations*. Nova York: Berkley, 1995.

HALLOWAY, Gillian. *The Complete Dream Book*. Naperville, III: Sourcebooks, 2001.

HARTMANN, Ernest. *Dreams and Nightmares: The Origin and Meaning of Dreams.* Cambridge, Massachusetts: Perseus Publishing, 1998.

________. *The Nightmare.* Nova York: Basic Books, 1984.

HOPCKE, Robert H. *A Guided Tour of the Collected Works of C. G. Jung.* Boston/Londres: Shambala, 1989.

KRAKOW, B., M. Hollifield, L. Johnston, M. P. Koss, R. Schrader, T. D. Warner, et al. "Imagery rehearsal therapy for chronic nightmares in sexual assault survivors with posttraumatic stress disorder: a randomized controlled trial". *Journal of the American Medical Association*, n. 286, p. 537-545, 2001.

KRAKOW, B., R. Schrader, D. Tandberg, M. Hollifield, M. P. Koss, C. L. Yau, et al. "Nightmare frequency in sexual assault survivors with PTSD", *Journal of Anxiety Disorders*, n. 16, p. 175-190, 2002.

LEWIS, James R. *The Dream Encyclopedia.* Detroit: Visible Ink Press, 1995.

LUKEMAN, Alex. *Nightmares: How to Make Sense of Your Darkest Dreams.* Nova York: M. Evans and Company, 2000.

MILLER, Gustavas Hindman. *10.000 Dreams Interpreted: an Illustrated Guide to Unlocking the Secrets of Your Dreamlife.* Nova York: Barnes & Noble Books, 1996.

SUMMER INSTITUTE OF LINGUISTICS. *Notes on Anthropology and Intercultural Community Work*, n. 18, p. 30-37, 1995.

Índice alfabético

A

B

C

D

G

H

I

J

K

L

M

R

S

Este livro foi composto em Minion Pro 11/16,2 e
impresso pela Ediouro Gráfica sobre papel offset 75g
para a Prestígio Editorial em março de 2007.